Lideres Que Inspiran

NEUROCIENCIA APLICADA

AL DESARROLLO PERSONAL Y PROFESIONAL

15 autores, un propósito

LÍDERES QUE INSPIRAN

NEUROCIENCIA APLICADA

AL DESARROLLO PERSONAL Y PROFESIONAL

Monterrey, Nuevo León, México.

Dirección ejecutiva: Pedro Eloy Rodríguez Garza
Edición de estilo: @lqilatam
Maquetación: coveryportada.com
Diseño de cubierta: coveryportada.com
Diseño y producción digital: Mariett Rodríguez Santacruz
Planeación: Paloma Rodríguez Santacruz y Selene González

ISBN: 978-607-59659-1-8

Este libro está llegando a ustedes con el apoyo de:

Gracias a todos los profesionales (líderes) que forman parte de esta edición por confiar en el proyecto, gracias especialmente a **Nieves Pérez de ANE International Academia de Neurociencia y Educación** *por enamorarse del proyecto de esta edición, gracias a* **Héctor Puche** *por hacer propio el sueño que ahora es de todos.*

Gracias a cada uno de los integrantes de las familias de estos quince líderes, porque ellos son lo que son, gracias al apoyo de padres, hermanos, hijos, pareja y amigos del corazón.

Durante años soñé con poder encontrar la forma de llevar información de valor a la gente, esos mensajes poderosos que pudieran inspirar y motivar a cualquier persona a ser mejor o iniciar el cambio interno. Estoy convencido de que el mundo necesita héroes, historias e ideas con las que pueda sentirse identificado para reconocer que todo es posible y que es el momento de incrementar el conocimiento, la forma de pensar, las relaciones, los hábitos y, en consecuencia, los buenos resultados.

En este libro encontrarás ideas, mejores prácticas, metodologías probadas, historias de vida, aciertos e, incluso, errores y desafíos narrados en primera persona por sus propios protagonistas.

Deseamos acercarte quince puntos de vista sobre una misma disciplina y estás a punto de conocer lo que tienen que decirte, desde su óptica, estos líderes en relación con la **neurociencia aplicada al desarrollo personal y profesional.**

Disfrútalo.

Pedro Eloy Rodríguez

www.pedroeloyrdz.com

Índice

Prólogo

Vivimos en un mundo en constante cambio y evolución, un lugar que puede resultar tan desafiante como estimulante. El ritmo vertiginoso de los avances tecnológicos, la tensión entre la conexión y la fragmentación, y las incesantes demandas de nuestra vida cotidiana pueden causar estrés y ansiedad. Pero, ¿y si pudiéramos aprovechar la ciencia, en concreto la neurociencia, para abordar estos desafíos y prosperar en medio de esta aparente sobrecarga sensorial?

Bienvenidos a este emocionante viaje de autoconocimiento y transformación.

Este libro es una exploración de cómo podemos usar la maravilla que es el cerebro humano para adaptarnos a este dinámico y a veces caótico mundo. Cada capítulo revela diferentes aspectos de cómo nuestra maquinaria cerebral, la esencia misma de nuestra humanidad, puede ser una poderosa herramienta para el crecimiento y el bienestar personal.

Analizaremos conceptos como la alostasis, la respuesta adaptativa a los desafíos del cambio, y las reacciones bioquímicas en nuestro sistema nervioso en el contexto del aprendizaje, así como en el del establecimiento de vínculos interpersonales, donde la liberación de dopamina, serotonina, y oxitocina lubrican la neuroplasticidad. Además, profundizaremos en la importancia del sistema parasimpático y cómo el estimular el nervio vago puede desencadenar una respuesta de relajación, y examinaremos nuestra capacidad para cooperar, competir, y ser creativos.

Discutiremos diversas técnicas, como la respiración profunda, la atención plena, el yoga, y la inmersión en agua fría, para fomentar la salud y el bienestar. Además, este libro arrojará luz sobre cómo el cuidado de nuestras mitocondrias—las centrales eléctricas de nuestras células—es esencial para mantener nuestra salud cerebral y física.

Este viaje nos permitirá entender cómo la neurociencia puede ayudarnos a prosperar en medio del cambio y a vivir vidas plenas y significativas. Las herramientas y el conocimiento presentados aquí te brindarán la posibilidad de fortalecer tu resiliencia, mejorar tu bienestar, y apreciar la belleza de tu cerebro. Prepárate para embarcarte en este viaje al núcleo de la existencia humana: el cerebro.

Miguel A. Toribio Mateas

Doctor en Neurociencia Clínica, Microbiología Aplicada y Salud Mental

Investigador Honorífico en la Escuela de Psicología de la Universidad de Cardiff

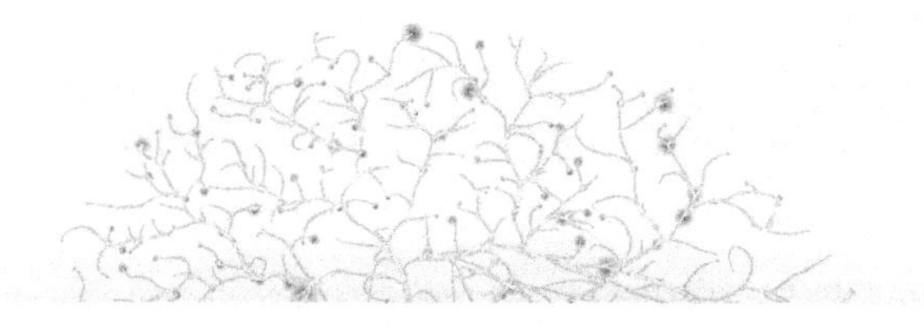

Nieves Pérez

Semblanza

Cofundadora y directora general de la Academia de Neurociencia y Educación ANE International. Investigadora científica especializada en la aplicación de la neurociencia al ámbito del desarrollo personal y profesional desde hace más de 13 años. Conferenciante, *coach* y formadora.

Es máster en Neurociencias Cognitivas por la AON (Academy of Neuroscience, Colonia-Alemania), donde adquirió sus conocimientos de grandes científicos como el eminente Dr. Gerhard Roth o el reconocido científico, premio Nobel, Eric Kandel.

Vivió 11 años en Alemania, donde obtuvo el título oficial de terapias holísticas en Impuls e.V en el que se inició en medicina y entrenamiento, se formó en *mental training*, rehabilitación, hipnosis ericksoniana y la técnica *quantum touch*. Al regresar a España, se certificó como *coach* integral y se inició en PNL en España.

Ha sido premiada como maestra internacional por la Cámara Internacional de Conferencistas y ha participado, con la Universidad La Salle en Barcelona, en películas sociales como *Nos amo*, en diversas radios de España y Latinoamérica y escribe artículos en periódicos como el *Diario Digital Siglo XXI*.

Fue impulsora del proyecto de expansión del consorcio alemán de neurociencia y, al día de hoy, de la mano de su equipo y colaboradores científicos, ha hecho posible trasladar el conocimiento de vanguardia sobre el cerebro de forma pedagógica y aplicable a cientos de profesionales.

Intención

En este capítulo, quiero acercar las ideas principales de neurociencia que están cambiando el paradigma de miles de personas y que prometen ser una palanca de cambio en los más diversos ámbitos, tanto a nivel personal como a nivel profesional. Me encantará acompañarte en este fascinante viaje, y servirte como introducción de los capítulos que encontrarás en este libro.

EL NUEVO NEUROPARADIGMA

HACIENDO TANGIBLE LO INTANGIBLE

> *«El siglo pasado fue el siglo de la información y este es el siglo de la neurociencia».*
>
> **—Dr. Eric Kandel, premio Nobel de ciencia**

Desde tiempos inmemoriales, el ser humano se ha hecho preguntas como ¿de dónde surge la motivación?, ¿cómo lograr una vida más plena?, ¿qué diferencia a las personas exitosas de aquellas que fracasan?, ¿cómo lograr la felicidad?

Las mismas preguntas que me hice yo de adolescente y en mi edad adulta. No sería hasta después de años de estudio y prueba-error con numerosas metodologías que encontraría la fuente de conocimiento y práctica que me acompañaría a nivel personal y profesional hasta el día de hoy.

De niña, me enseñaron en la escuela que existe una ley de supervivencia que rige nuestra evolución, en la que gana el más fuerte y la cual determina la perpetuación de la especie. Aprendí que somos competidores por naturaleza y que la vida es una lucha. También me enseñaron que lo más pequeño de la materia era el átomo, cargado de electrones, protones y un núcleo. Me adentré en un paradigma mental colectivo que creía que las cosas están separadas entre sí, que hay una materia sólida y que esto se diferencia de la energía o del aire o de otras sustancias externas; es decir que nosotros también estamos separados los unos de los otros.

Crecí con la idea de que había una edad en la que se podía aprender y que, una vez cumplidos ciertos años, todo se haría cuesta arriba, mis neuronas comenzarían a deteriorarse y me resultaría mucho más difícil interiorizar nuevos conceptos o entrenar otras habilidades. Así, con estas y otras creencias, fui forjando mi personalidad, reflexionando sobre lo que observaba a mi alrededor y haciéndome cada vez más y más preguntas sobre nuestra sociedad y sobre el ser humano.

La idea de competitividad, por ejemplo, ha creado una sociedad en la que el estrés está provocando enfermedades complejas. Pensar que somos materia separada de los demás y que hemos de superar al otro, ha fomentado el individualismo y la soledad.

Creer que a partir de los 40 ya no podemos cambiar o aprender ha relegado a muchas personas a tolerar sus defectos y su vida sin esperanza ni motivación de que esta pudiera llegar a transformarse en algún momento de su existencia.

Y dar por hecho que la comunicación funciona de forma literal, que lo que el locutor emite o dice es lo mismo que le llega al receptor y entiende, ha ocasionado múltiples malentendidos, dramas y rupturas en las relaciones.

Warren Weaver y Claude Shannon fueron dos americanos que, hace unos 40 años, expusieron un modelo genérico para todo tipo de comunicación, tanto de aparatos, como de personas humanas en el que se manifestaba que la información se transmitía de un lugar a otro como si de un código morse se tratara. En los aparatos, sí que funciona así: es una transmisión de códigos de información que va a través de un canal de uno a otro, pero en el cerebro es algo muy diferente. En el cerebro, los mensajes son construcciones que se crean en el mismo cerebro del receptor, como veremos más adelante.

A este marco de conceptos, pensamientos y patrones de creencias que giran sobre un núcleo científico aceptado popularmente, es a lo que llamamos comúnmente paradigma. Y de paradigmas va justamente este capítulo, de su influencia en las personas y de la transformación a la que actualmente se ven expuestos, con tal cantidad de avances tecnológicos y descubrimientos.

Y es que en los últimos 20 años se han realizado más hallazgos sobre el cerebro que en los últimos 20 siglos.

De modo que hagamos un pequeño un pequeño viaje para verlo en detalle: nos encontramos, desde la era de la industrialización, viviendo en grandes ciudades, pegados unos a otros, y con muchísimas facilidades. Salimos a la calle y ya tenemos todos los productos que deseamos, no tenemos que ir a cazarlo, no tenemos que sufrir para ir a por ello. Poseemos un montón de posibilidades también para encontrar trabajo; y disponemos de una rapidez impresionante a la hora de comunicarnos, mientras que antes tardaba en llegar una carta varios meses, ahora nos llega el *email* instantáneo, y el WhatsApp...

Si nos paramos a pensar, todo esto realmente nos tendría que haber llevado a que tuviéramos más tiempo, ¿verdad? Esto nos está ahorrando un montón de horas diarias y facilitándonos la vida, sin embargo, lo que está creando es justamente lo contrario. Si analizamos, en 1990, podíamos ver una señora tomándose su café en casa, leyendo un periódico; 10 años después, veríamos que ya las personas estaban hablando en una mesa de pie, con un pie medio en la conversación y con otro casi yéndose.

Adentrándonos en 2010, ya comenzamos a ver el «coffee to go», café para llevar, traído de América para acá..., y ahora ya estamos con un estrés que se podría llamar el «coffee to run», café para salir corriendo a ver quién llega antes a la oficina.

Estamos en un ritmo acelerado de información y de respuesta, y esto nos ha llevado a creernos una especie de quizás *superwoman* o *superman* que hacen 1000 cosas a la vez para cumplir con las expectativas de la gente en el trabajo, en la familia o con los compañeros. Pero ¿estamos haciendo muchas cosas a la vez? Realmente no es a la vez, sino intermitentemente, ya que estamos, de manera continua, parando y retomando el proceso de trabajo y de rendimiento mental, lo cual va en contra de la naturaleza y el funcionamiento de nuestro cerebro.

Todos estos paradigmas que nos han trasladado, con los que hemos crecido, con los que hemos evolucionado, han creado una sociedad que, si bien, nos ofrece una gran cantidad de productos y de facilidades, por otro lado, está creando en gran medida un ambiente y una emoción colectiva de tristeza, depresión y estrés.

Si ya hace años, según datos de la OMS, se calculaba que, en 2020, la depresión sería la segunda causa más importante de incapacidad laboral, y que también el estrés sería de gran importancia, y crearía muchísimas enfermedades, después de la pandemia, nos hemos encontrado que las cifras son aún más altas de lo que se calculaba. No solo se detuvieron los servicios de salud mental en un 95 %, sino que los efectos colaterales del confinamiento, el miedo a la enfermedad y la incertidumbre económica han generado aún más casos de personas que necesitan tales servicios.

Esto es una alarma que nos insta de una manera especial e inminente hacia el cambio. ¿Dónde surgen la depresión y el estrés? En nuestras cabezas, en nuestras mentes, y debido a nuestros pensamientos y percepción de la realidad. ¿El miedo y la tristeza cómo se crean? Partiendo de nuestros patrones mentales, nuestras experiencias, nuestra capacidad de resiliencia y nuestras expectativas.

Es una crisis emocional a la que nos estamos enfrentando y los resultados son enfermedades cardiovasculares, cáncer o trastornos mentales. Lo más importante de ello es que si conocemos cómo funciona nuestra mente, podemos afrontarlas. Hasta ahora, lo que ha ocurrido es que nos han dado esos parámetros de creencias y no se sabía todavía tanto sobre el cerebro. Es a partir de hace 10-20 años, gracias a nuevas tecnologías como la resonancia magnética funcional, cuando se comienzan a recoger imágenes e información en tiempo real de la activación de las diferentes áreas del cerebro durante diversos procesos cognitivos.

La neuroplasticidad, la neurogénesis o el constructivismo neurobiológico son algunos de los conceptos más importantes que se han consolidado a través de las investigaciones y que, aunque puede que nos suenen cada vez más, aún no están interiorizados en nuestra vida, ni incorporados en las escuelas o implementados en la gestión de equipos de las empresas.

Veamos concepto por concepto comenzando con la neuroplasticidad.

Hasta hoy hemos estado pensando que el cerebro se degenera, que el cerebro pierde cada vez sus facultades y que no somos capaces del cambio. Incluso muchos *coaches* tienen clientes con algunas de estas creencias: «Es que yo no puedo cambiar», «es que mi cerebro me domina» o «mi subconsciente puede conmigo...».

Hay muchas creencias de que lo que hemos venido haciendo hasta ahora es lo que vamos a seguir haciendo en el futuro. Hoy se sabe que la **neuroplasticidad** es la capacidad de nuestro cerebro para adaptarse a las circunstancias del entorno que nos acompaña hasta el último día de nuestra vida. Nuestro cerebro está continuamente haciendo conexiones neuronales y generando comunicación entre unas neuronas y otras cada vez que aprendemos.

Siendo el aprendizaje, en su base biológica, la capacidad de crear y fortalecer sinapsis, cuando los cambios se mantienen de forma permanente dan paso a modificaciones fisiológicas en nuestro cerebro: y a esto es a lo que denominamos neuroplasticidad.

Me acuerdo de que una vez vino mi abuela a visitarme a Bremen, dónde es muy común ir en bici de un sitio a otro, y ella no se atrevía a montar en bicicleta, así que me dijo: «¡Hija, yo no lo aprendí bien! Y hoy ya no me atrevo, ya no puedo aprender».

Esto es lo que han estado pensando muchas de las personas mayores, lo han estado creyendo y por esta razón, a cierta edad, dejan de aprender. Así que ¿qué pasaba? Que las neuronas, cuando no tienen nada que hacer, son muy radicales y se suicidan, se mueren. Se pierden neuronas y empezamos a tener demencia y otros problemas achacados a la edad, muchos debidos a que hemos dejado de aprender.

Justamente en esa edad es cuando hay que mantenerse aprendiendo y entrenando. Y lo ideal es mantenerse entrenando día a día, aprendiendo, para mantener a nuestro cerebro sano. Aquí resumo 4 consejos para mantener nuestro cerebro en forma:

1. Los viajes, que nos hacen colocarnos en un lugar totalmente distinto del habitual, estar más atentos y tener que orientarnos. Lo cual fomenta la fomenta la adaptación de nuestro cerebro a nuestro entorno, quizás temperaturas, culturas, expresiones, costumbres...
2. La música, que activa una gran cantidad de áreas cerebrales y ayuda muchísimo al desarrollo de la creatividad y a la inteligencia.
3. La meditación, que nos va a proporcionar el estado ideal de onda alfa en la cual podemos memorizar, regenerar y aprender o pasar a la memoria a largo plazo todo aquello que nosotros deseemos.

4. Los idiomas, que también fomentan nuestra capacidad de adaptación al medio.
   Se ha demostrado que, si se habla un idioma extranjero, se puede reducir la demencia. Por ejemplo, en las personas bilingües, se reduce la aparición de alzhéimer hasta cinco años, porque en cada momento que hablamos, aunque sea nuestro idioma materno, el cerebro está decidiendo qué idioma escoger y qué palabra elegir. Y eso es un trabajo que le mantiene activo durante toda la vida.

Por cierto, volviendo a mis recuerdos, comparto que me fui a Alemania con 23 años pensando que a los 25 se me acabaría el tiempo de aprender un idioma y que luego ya sería demasiado complicado lograrlo.

Otro de los conceptos hacia el cambio de paradigma es la **neurogénesis**.

Hace tiempo que cayó el mito de que nuestro cerebro, en un momento dado, deja de producir neuronas. Se crean neuronas durante toda la vida, pero para ello tenemos que darle al cerebro estos retos. Tenemos que darle al cerebro una razón para crearlas. Poseemos neuronas madre que son como neuronas neutras y pueden tomar la función de otras neuronas, pero también se pueden crear nuevas en el hipocampo si son necesarias. Al igual que se suicidan cuando no sirven para nada, se crean otras si se las requiere.

Se han comparado cerebros de personas mayores con otros de personas jóvenes, y los resultados no tenían nada que ver con la edad. Algunos hipocampos eran sumamente pequeños en personas jóvenes y grandes en personas mayores, al contrario de lo que se podría pensar; simplemente porque se habían mantenido, estas últimas, más activas mentalmente.

El tercer concepto importante mencionado anteriormente es el **constructivismo neurobiológico**.

Por explicarlo de forma muy sencilla, podríamos decir que el constructivismo proviene de construir y neurobiológico se refiere a la biología de las neuronas, las células nerviosas. Se trata de una construcción que hace nuestro cerebro de lo que le llega del exterior, interpretando la realidad y creando «su propia película» sobre dichas percepciones. Lo que vemos es una construcción cerebral. Incluso los colores están en la pigmentación de los receptores de nuestros ojos, nosotros damos la coloración al mundo que vemos. De hecho si tuviéramos los sentidos de otros animales, constataríamos que estos están percibiendo el mundo a nivel electromagnético, a nivel auditivo o de otras maneras totalmente distintas a nosotros.

Si estuviera a tu lado en este momento un perro, probablemente te estaría olfateando, y viéndote en blanco y negro, ¿verdad? Los cetáceos por su parte se orientan por geolocalización, un sistema de emisión de sonidos que mide la distancia en rebotar la onda sonora. Sigue siendo el mismo universo. Sigue siendo el mismo mundo. Y, sin embargo, está interpretado de manera diferente.

Esto es muy importante a la hora de relativizar, cuando nos pasa algo o cuando estamos en una situación que consideramos negativa, en la que nos apegamos a cosas, personas o circunstancias. Sería un buen ejercicio ponernos a pensar que quizás esa situación o esto que nos está rodeando no existe como tal y que se puede ver desde otras perspectivas. Así como que es posible transformarla con nuestros neurotransmisores, nuestra bioquímica, nuestra emoción, nuestras experiencias.

Al fin y al cabo, el constructivismo neurobiológico se basa en los impulsos recogidos tanto del exterior como de nuestra propia autopercepción, los cuales se transmiten a modo de electricidad, gracias a la bioquímica neuronal (nuestros neurotransmisores) para ser llevados a un área determinada del cerebro en la que tendrá lugar el proceso de interpretación de dicha percepción.

Es decir, dentro del cerebro no encontramos cualidades, sino la cantidad de impulsos eléctricos correspondiente en cada ocasión.

Respecto a la comunicación, como mencioné al principio, lo podemos aprovechar porque sabemos que cada uno de los cerebros, aunque son de humanos similares, han tenido una evolución y unos procesos distintos y tienen tipos de recuerdos muy diferentes. De modo que, cuando llegan estos impulsos de fuera, nuestras palabras, se juntan con los impulsos eléctricos de los pensamientos del receptor, con sus recuerdos, sus experiencias y sus expectativas, lo que genera una interpretación de lo que está escuchando absolutamente única en cada momento.

Por tanto, si cambiamos estos recuerdos, estas emociones, pensamientos que tengamos en la cabeza, los cuales son muchas veces preocupaciones del futuro, estaremos también cambiando la interpretación que haremos de lo que estemos percibiendo alrededor.

De todos los estímulos y vibraciones a los que nos exponemos, somos capaces de procesar solo un mínimo, y dependiendo de lo que tengamos presente en nuestra mente, si es una preocupación, si es alegría, si es tristeza o si es agobio, así serán las rutas que seguirán nuestros pensamientos.

La información que seleccione el cerebro de todos las posibilidades y estímulos será la relacionada con algo que nos interese, nos emocione o nos sorprenda. Por ello, es tan importante conocer nuestros valores y tener muy presentes las metas propuestas. De esta forma, si le pides a tu pareja que, por favor, mañana te traiga una bebida que te gusta, y esta no se encuentra bien cuando se lo dices, está cansada o agobiada, el foco de su mente estará en lo prioritario. Como resultado, tendríamos que nuestra pareja olvidaría el recado, porque la información pasó como impulsos pasajeros en su cerebro, sin anclarse a ninguna emoción o relacionarse con ningún significado.

Llevado al caso extremo, podríamos pensar que esta persona no presta atención a su pareja o que nunca le escucha, y así podríamos escalar la decepción o discusión hasta llegar a un enfado, disgusto o ruptura en la relación. A menudo, en mis relaciones personales, me pregunté cómo era posible que hubiese tantos vacíos en la comunicación, algo que observaba en mí y en mis amigos y familiares. Ahora entiendo que cada cerebro procesa la información de forma muy distinta y que dependiendo del estado anímico, el entorno y sus experiencias previas, así será la respuesta. Seguido se toman personales estos vacíos o desvíos de entendimiento en la comunicación mientras que si tomamos consciencia de ello y confirmamos que se haya entendido el mensaje, podremos mejorar enormemente nuestras relaciones interpersonales.

Por otro lado, y retomando mis recuerdos sobre los aprendizajes en la escuela, vale la pena mencionar que los campos eléctricos y magnéticos están estrechamente relacionados y se rigen según las leyes del electromagnetismo. Los impulsos eléctricos generados por las neuronas generan campos eléctricos y magnéticos asociados a su actividad. Estos campos electromagnéticos pueden detectarse y medirse utilizando técnicas como la electroencefalografía (EEG) y la magnetoencefalografía (MEG), las cuales permiten estudiar la actividad eléctrica y magnética del cerebro.

Y es que, si bien, fue ya hace más de un siglo, cuando Max Plank y sus contemporáneos, en 1990, comenzaron a presentar postulados sobre física cuántica, no ha sido hasta los últimos años, a principios del siglo XXI en los que se le ha dado una mayor credibilidad al ver sus efectos y aplicación práctica en los ámbitos tecnológicos.

La implementación láser (amplificación de luz por emisión estimulada de radiación), los computadores cuánticos que utilizan cálculos cuánticos para resolver problemas o la microscopía cuántica que permite detectar propiedades de las muestras a las que nos se podría acceder con técnicas convencionales son algunos ejemplos de cómo la física cuántica se está abriendo camino.

Ya no hablamos solo de átomos con su núcleo indivisible, sino de quarks, fotones y de partículas de energía, «cuantos» que están en toda materia, éter o ser vivo.

De modo que lo que aprendí en la escuela de Newton y los átomos... ¿también está cambiando? ¿No estamos separados? En este libro, varios de los autores se adentran en temas relacionados con la percepción, la espiritualidad y la conciencia. De modo que os invito a leer con atención cada capítulo. Por mi parte, me gustaría finalizar mi introducción con tres de los pilares más importantes del nuevo neuroparadigma.

¿Qué podemos hacer en el siglo xxi, con los conocimientos actuales para aumentar nuestro rendimiento y conseguir una sociedad más sana, exitosa, justa y feliz?

1. Cooperación vs. competitividad

«No existe pensamiento o toma de decisiones en la que no esté implícita la emoción».

—Joseph Ledeux, reconocido científico estadounidense, especializado en el estudio del miedo y la ansiedad.

El cerebro no solo está diseñado biológicamente para la supervivencia, sino también para lograr grandes metas, nos premia cuando aprendemos algo nuevo, cuando nos enfocamos en proyectos ambiciosos y, sobre todo, cuando lo hacemos «en» y «para» la comunidad. Esto es así porque, por evolución, hemos avanzado gracias a la protección y cooperación con otros. Y es por ello por lo que el cerebro nos premia con bioquímicos que nos hacen sentir bien, como la dopamina o la oxitocina cuando encontramos nuestra tribu o nos sentimos parte de un clan con el que nos identificamos y podemos seguir aportando y creciendo en este mundo.

Nuestro cerebro es un órgano social

El ser humano es una especie gregaria, que necesita del contacto de los demás, vivir formando parte de una comunidad, y ser reconocido por sus congéneres.

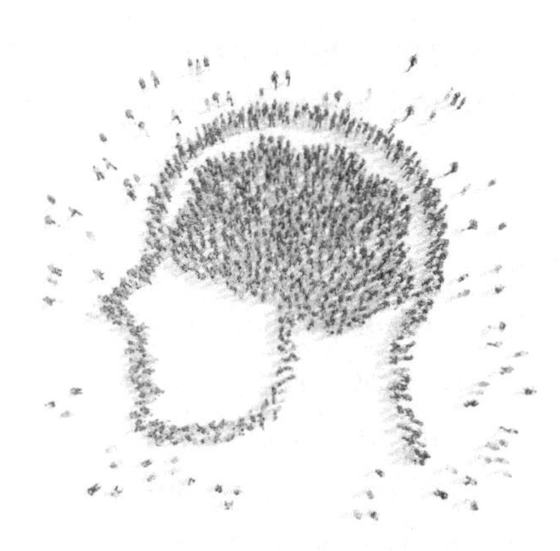

La dopamina está relacionada con la motivación y la ilusión por alcanzar nuevas metas, nos ayuda, no solo mentalmente, sino también a nivel fisiológico, lo que fortalece nuestro sistema inmune.

La oxitocina, por su parte, nos da esa sensación de pertenencia, de formar parte, de arraigo, de seguridad, y está relacionada con la emoción del amor.

Gran cantidad de estudios prueban que los seres humanos estamos capacitados para equilibrar las desigualdades materiales que existen entre nosotros cuando podemos afrontar ese equilibrio con nuestros propios medios y que el sentido de justicia se refleja en nuestro cerebro como una recompensa, haciendo exactamente el mismo recorrido que si fuera otro tipo de recompensa material.

De hecho son cada vez más los proyectos de economía colaborativa como lo es este libro, así como otro tipo de iniciativas: lo espacios de *coworking*, el transporte colaborativo BlaBlaCar, las plataformas de intercambio de alojamientos o las membresías para ofrecer conocimiento y contenido de valor e interactuar en comunidad. Nuestro cerebro tiene un sentido de moral y justicia que se activa cuando hace algo positivo por los demás y le premia segregando la bioquímica que le hará sentir bien.

En numerosos estudios, denominados *neuroeconomic games*, utilizados como indicadores de medición del capital social y de equilibrio mental en psiquiátricos, los resultados de los estudios indican comportamientos colaborativos. Un gran ejemplo son los *trust games*, juegos de confianza, creados por primera vez por Berg, Dickhaut y Mc Cabe (BDM), de la George Mason University y publicados en la revista científica PNAS, en 1995. La mayoría tienen una dinámica similar: existe un jugador que deposita dinero, el inversor y un participante que recibe y que obtiene un interés al depositar el dinero en un lugar de interés bruto. Una vez recibido se ha de decidir quién se queda con qué parte. Sorprendentemente, 2 de cada 35 casos tienen un comportamiento egoísta, la mayoría lo reparte equitativamente.

Por esto es tan importante fomentar entornos en los que se promueva la cooperación, pues ayudará al ser humano a estar más fuerte, sentirse lleno de confianza y lograr mayores metas. La competitividad puede ayudarnos en momentos puntuales y si está bien dirigida, a superarnos a nosotros mismos. Sin embargo, suele conllevar, el desarrollo de una mentalidad de escasez y de lucha que genera estrés, depresión y parálisis. La misma lucha que yo percibí hace años en la escuela.

Por su parte, la verdadera inspiración la podremos sentir a través del modelo que representen determinadas personas en nuestras vidas. Serán aquellos que nos pueden impulsar y acompañar, aportándonos referencias y experiencias que, aunque sean externas, podemos guardar como nuestras. El cerebro procesa los acontecimientos ajenos de personas que no nos gustan o a las que no nos parecemos de manera diferente a cuando se trata de personas muy cercanas, con las que nos identificamos o compartimos propósitos. En este último caso, el almacenamiento se hace principalmente gracias a la memoria episódica, y se guarda casi como si fueran experiencias biográficas propias de nuestra existencia. Mientras que si la experiencia es de alguien con el que no conectamos ni simpatizamos, la memorización transcurre como información semántica abstracta.

No me quiero extender en este punto, y te invito a leer y familiarizarte lo más posible con tus ídolos o modelos a seguir, para facilitar el acceso a ideas alineadas con tu propósito y lograr lo que quieras en la vida.

2. Creatividad vs. condicionamiento:

«La lógica podrá llevarte del punto A al B mientras que la imaginación te llevará allá donde desees».

—Albert Einstein

La imaginación es una capacidad innata de nuestro cerebro que nos diferencia de los animales y nos facilita el camino hacia la creación de nuevas metas o proyectos. La creatividad es uno de los principales atributos de nuestro cerebro, estrechamente relacionada con la inteligencia. Gracias a ella, el ser humano ha logrado crear civilizaciones, imaginar lo que pareciera imposible, desarrollar conceptos abstractos y descifrar enigmas universales.

Nuestro cerebro es un órgano creativo

La creatividad es una de las capacidades de nuestro ser, estrechamente relacionada con la inteligencia.

Gracias a ella el ser humano ha logrado crear civilizaciones, imaginar lo que pareciera imposible, desarrollar conceptos abstractos y descifrar enigmas universales.

Varios estudios, entre ellos, los liderados por Roger E. Beaty, responsable del Departamento de Psicología en Cambridge, Massachusetts, publicado en 2018 en la revista PNAS (Proceedings of the National Academy of Sciences of the United States), han analizado las respuestas de pensamiento divergente, otorgando utilidades inusuales a distintos utensilios o sugiriendo retos complejos a resolver y en todos ellos se encuentran tres redes principales de conectividad:

- Red por defecto, cuando la mente divaga y genera ideas.
- Red ejecutiva, destinada a la evaluación y ejecución de ideas.
- Red de prominencia, que sirve de nexo entre las otras dos redes, ejecutiva y por defecto, para finalmente poner en marcha la idea.

Al contrario de lo que se ha venido pensando hasta hace unos años, funciones como la cognición, la memoria, la creatividad e incluso el lenguaje son llevadas a cabo por ambas mitades de nuestro cerebro. No tenemos medio cerebro creativo y medio lógico, así como todo ser humano posee una gran capacidad de desarrollar su creatividad, ya sea para dibujar, expresarse por medio de la música o llevar la dirección de distintos proyectos en una empresa.

Yo pensé que no podía estudiar psicología porque me encantaba pintar, la literatura y las artes plásticas. Me venía a la mente aquel dicho popular de que o eres de ciencias o eres de letras. Una vez más las creencias colectivas tuvieron una influencia en mí, y en esta ocasión, me alejaron de una carrera que yo ya intuía que podría ser mi vocación.

Hoy más que nunca la innovación y la creatividad son demandadas en la era de la tecnología y la información, siendo crucial tanto para innovar, como para desarrollar una personalidad resiliente. La buena noticia es que, como parte inherente de nuestra inteligencia, la capacidad creativa la poseemos todos los seres humanos y además, se puede entrenar.

Fomentar la creatividad en las escuelas con las asignaturas relacionadas con el arte, el teatro, las actividades plásticas, la música, la escritura, así como el pensamiento divergente en las más diversas materias puede suponer un cambio de 180º en las escuelas.

Hoy en día no se trata de memorizar resultados o hechos históricos, sino de encontrar la interrelación entre hechos del pasado y el presente o investigar la respuesta a una pregunta que se realice. Si entrenamos la gestión emocional y la autoexpresión, estaremos apoyando enormemente el desarrollo neuroplástico y la interconectividad neuronal en nuestro cerebro, lo que generará una base fantástica de experiencias en nuestra mente y ayudarán en el futuro en otro tipo de situaciones a encontrar alternativas originales y soluciones extraordinarias.

3. Alto rendimiento vs. agotamiento

El cerebro humano es un órgano que procesa grandes cantidades de información y requiere energía constantemente. Esta energía es generada por las mitocondrias, centrales eléctricas celulares que se encuentran en diferentes partes del cuerpo, incluyendo el cerebro. Las mitocondrias son orgánulos celulares especializados y son responsables de producir una molécula de energía vital llamada trifosfato de adenosina (ATP).

Nuestro cerebro es un órgano emocional

Cada pensamiento, acción o decisión está impregnada y es transmitida gracias a la bioquímica de nuestras células nerviosas: los neurotransmisores y éstos, junto al resto de hormonas del sistema endocrino, dirigen y controlan el funcionamiento de nuestro organismo.

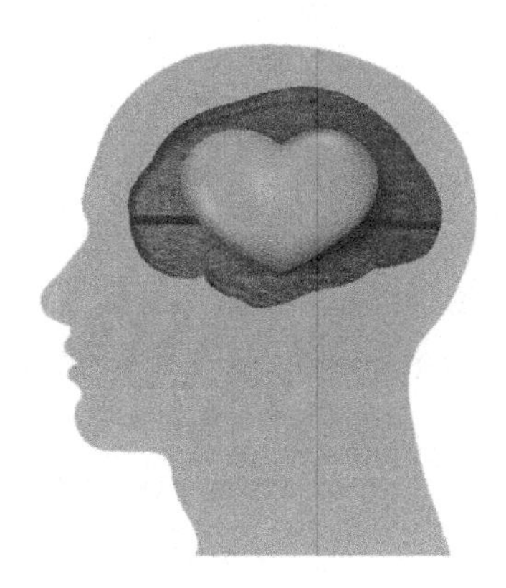

Para que las mitocondrias funcionen correctamente y produzcan suficiente ATP, necesitan glucosa y oxígeno como materias primas. La glucosa se obtiene a través de los alimentos y el oxígeno se obtiene a través de la respiración. Estas sustancias son transportadas a las mitocondrias a través del torrente sanguíneo, donde se combinan para formar la molécula de ATP. Este es considerado la «energía de la vida» y es la molécula más eficiente y rica en energía. Se sintetiza dentro de las mitocondrias y luego es descompuesto por enzimas para liberar la energía almacenada.

Por tanto, ¿Cómo logramos esta glucosa en los alimentos y el oxígeno adecuado? Son muchos los factores que intervienen en la generación de energía, pero aquí me centraré en tres que considero primordiales. El ejercicio es uno de los principales, y es porque no solo beneficia al cuerpo, sino que también tiene un impacto positivo en el rendimiento mental. Uno de los científicos destacados en este campo es el Dr. Wildor Hollmann, del Instituto de Investigación Circulatoria y Medicina Deportiva de la Universidad Deportiva Alemana de Colonia.

Sus investigaciones revelan que el pensamiento y el aprendizaje durante la actividad física estimulan la formación de nuevas células cerebrales, la neurogénesis, fortaleciendo las conexiones sinápticas existentes y generando nuevas conexiones. Además, el ejercicio aumenta la velocidad del flujo sanguíneo y la producción de glóbulos rojos y, por tanto, de hemoglobina, una proteína que suministra oxígeno en la sangre y, por supuesto, hará que llegue también al cerebro.

Las personas físicamente activas pueden asimilar hasta el doble de oxígeno que las personas sedentarias. Dado que el cerebro requiere aproximadamente el 50 % de la demanda total de oxígeno del cuerpo, un suministro insuficiente de oxígeno puede afectar negativamente el rendimiento mental. Por lo tanto, un adecuado suministro de oxígeno al cerebro, facilitado por el ejercicio, es crucial para un buen rendimiento mental.

La glucosa es la principal fuente de energía para el cerebro y se puede obtener de alimentos distintos. Dentro de los azúcares, se pueden distinguir dos tipos para producir energía: los azúcares simples y los azúcares complejos. Los azúcares simples, presentes en alimentos como dulces y bebidas azucaradas, proporcionan una ráfaga rápida pero de corta duración de energía y concentración. Por otro lado, los azúcares complejos, encontrados en alimentos integrales, frutas y verduras, se digieren más lentamente y ofrecen una liberación sostenida de energía al cerebro. Dado que el cerebro no tiene células que guarden la energía como un baúl para ir abasteciéndose según su necesidad, si se ingiere demasiado azúcar simple de golpe, la glucosa sobrante se acumulará de distintas partes del cuerpo, sin proporcionarnos el suministro lento de los carbohidratos complejos.

En nuestra sociedad y especialmente en la *fast food*, encontramos muchos azúcares simples que nos sacian por un momento y nos generan enseguida cansancio y bajo rendimiento.

Por otro lado, si tomamos batidos de frutas, comidas ligeras y seleccionamos alimentos naturales, la energía quizás no se note de inmediato, pero se mantendrá en el tiempo.

Por último y no menos importante, está el factor emocional. El neurocientífico Raymond B. Cattell propuso, en 1963, la teoría de los dos componentes de la inteligencia: la inteligencia fluida y la inteligencia cristalizada. La inteligencia fluida se refiere a la capacidad de resolver problemas nuevos y desconocidos sin recurrir a la experiencia previa, dependiendo en gran medida del rendimiento de la memoria de trabajo. Por otro lado, la inteligencia cristalizada es la acumulación de conocimiento y experiencia a lo largo de la vida, almacenada en la memoria a largo plazo.

De sus estudios, podemos destacar que la memoria de trabajo es fundamental para la salud mental, ya que procesa las percepciones sensoriales, las compara con los conocimientos almacenados y las evalúa en relación con nuestras emociones. Por lo tanto, la evaluación del sistema emocional, la toma de consciencia de cómo nos sentimos, de nuestros valores, límites y proyecciones tiene un efecto directo en la capacidad resolutiva ante cualquier situación.

Si nuestras experiencias están bañadas en llanto, en victimismo y en un pensamiento de sufrimiento, posiblemente, no podamos extrapolar de ahí fortalezas mentales que nos ayuden a superar los retos actuales. Pero si, por el contrario, hemos superado las dificultades con entereza, perseverancia, paciencia o cualquier otra fortaleza mental, cuando lleguen las siguientes pruebas de la vida, estaremos mucho mejor preparados y podremos usar dichos aprendizajes para seguir creciendo en nuestro desarrollo personal.

El cambio de paradigma se basa en el conocimiento científico al que tenemos acceso y justamente, en este siglo XXI, estamos presenciando un cambio cuántico, un cambio neurocientífico, un cambio que puede mejorar nuestra calidad de vida y nuestra sociedad. De hecho, están llevándose a cabo los proyectos de ciencia más importantes de la historia. Un ejemplo de ellos tiene lugar en Europa con el *Human Brain Project*, simulando un cerebro y analizando pautas de funcionamiento y actividad. Y otro muy conocido es el *Brain Activity Map*, que es el siguiente proyecto al genoma que se llevó a cabo en Estados Unidos y que Obama presentó a la nación como el proyecto más importante de toda la historia de la biología.

Nuestro cerebro es un órgano único y diferente en cada individuo, es **socio-emocio-creativo**, funciona de forma **integral** e interactiva y **cambia** durante toda la vida. El aprendizaje es su entrenamiento.

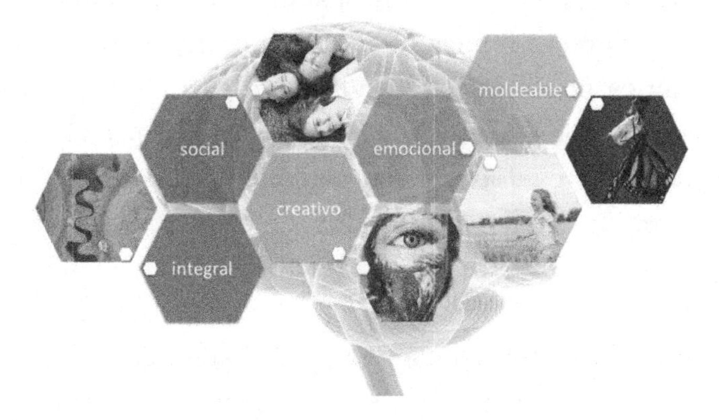

En nuestras manos está continuar por el camino de la cooperación, la innovación y el alto rendimiento.

Si hacemos lo contrario a lo que requiere la naturaleza del cerebro, si tenemos un exceso en estrés, victimismo y falta de actividad, obtendremos depresión y ataques de ansiedad. Sin embargo, si lo comprendemos desde su fisiología y bioquímica; y nos alineamos con sus mecanismos naturales, el resultado será más *salud, éxito y felicidad.*

¡Por un nuevo neuroparadigma!

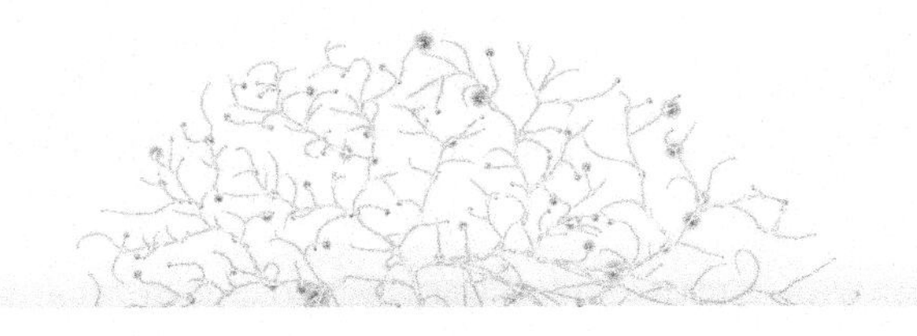

Fco. Javier González Galán

Semblanza

Francisco Javier González Galán, conocido por Javier Galán es *speaker* (orador), consultor, y *coach,* con una trayectoria avalada de más de treinta años en *management* (gestión), liderazgo, habilidades directivas, y gestión comercial en España y Latinoamérica. Es uno de los consultores referentes en ESIC y colabora con otras escuelas de negocios de referencia como EDEM, EIG (Escuela Internacional de Gerencia) y IESIDE. También ha colaborado con ICADE, CEU, LASALLE, CESMA, y Francisco de Vitoria. Realiza su actividad tanto en España como en Latinoamérica. Ha asesorado y formado en distintos sectores del mundo empresarial, pudiendo destacar los de: laboratorios, energía, banca, seguros, metalúrgico, seguridad, gran consumo, *retail* (venta minorista), telecomunicaciones, y automoción. Además, se ha formado y colabora con la Academia de Neurociencia y Educación (ANE International).

Por sus manos han pasado más de 25 mil personas, ha realizado más de 1400 talleres, *workshops*, formaciones, y más de mil conferencias tanto en España como en América. **Se caracteriza por ser un CONSTRUCTOR DE CONFIANZA en las personas y organizaciones. Y creador del método conF.I.A.R.**

Intención

Mi intención al escribir este capítulo es que sientas el poder de tu cerebro y descubras cómo el Neuromanagement 3.0 puede ayudarte a desbloquear todo tu potencial. Deseo que aprendas a liderar con más empatía, a motivar con más pasión, y a tomar decisiones más acertadas, todo ello basado en el conocimiento de cómo funciona tu cerebro. Después de leer este capítulo, estarás ansioso por poner en práctica lo aprendido y mejorar tu desempeño como líder y como persona. ¡No te pierdas esta oportunidad de transformar tu vida y la de tus colaboradores! ¡Manos a la obra!

NEUROMANAGEMENT 3.0:
CLAVES PARA LÍDERES EXCEPCIONALES

> *«Los líderes inteligentes saben que las emociones son importantes para el éxito empresarial. El neuroliderazgo ayuda a comprender cómo funciona el cerebro emocional y cómo usarlo en el trabajo».*
>
> **—Travis Bradberry**

Cuando surgió la oportunidad de escribir este capítulo tuve dudas sobre qué área o aspecto abordar. Me puse a pensar y me dije «¿Por qué no abordo lo que me estoy encontrando con todos los clientes, empresas, y multinacionales en este entorno BANI que nos encontramos?». BANI es un acrónimo que se usa para calificar determinado contexto que afecta al desempeño de las empresas. El entorno BANI se denomina así por las iniciales de Brittle, Anxious, Nonlinear e Incomprehensible, que en español podemos traducir por frágil, ansioso, no lineal e incomprensible. Y así fue como me puse en marcha para volcar un tema de vanguardia, hilándolo directamente con la Neurociencia.

Y para que veas de dónde parte mi inspiración, me ha venido a la memoria uno de los momentos profesionales en los que como consultor más realizado me sentí.

Me encontraba en una situación muy crítica de mi vida en aquel momento en Argentina. Un amigo me habló de una persona que sería muy interesante que conociera porque debido a lo que yo me dedicaba, iba a poder encajar muy bien en la filosofía de trabajo que tenían. Así fue que pude conocerla y después de intercambiar puntos de vista, nos entendimos muy bien y me invitó a que pasara por la consultora. Después de superar unas entrevistas y pruebas, me contrataron. Y desde el momento «cero» que empecé mi labor en esta empresa, fue todo un cúmulo de experiencias positivas como empleado (lo que se llama ahora employee experience).

Mirando con retrospectiva todo lo que viví, me di cuenta que esta compañía estaba adelantada a su tiempo. Implementaba una forma de gestión que conseguía empoderarnos, ser responsables, dando lo mejor de nosotros, y que sacáramos la mejor versión de cada uno.

Gran parte de todo lo que viví es lo que te voy a compartir, que hoy se engloba en lo que se denomina el Management 3.0 y que tuve la oportunidad de poderlo vivir en carne propia. Este capítulo no es un tratado de neurociencia, sino una forma práctica de cómo abordar el Management 3.0 a partir de mi experiencia con consejos de neurociencia. Es por esa razón que lo he llamado NEUROMANAGEMENT 3.0.

Me voy a enfocar en lograr que cada aspecto que trate en el capítulo sea muy sencillo de comprender y a su vez práctico para poder cumplir con esta intención que te he compartido. Los temas que voy a abordar son los siguientes:

- Por qué es importante el Management 3.0 y sus características
- Qué habilidades necesita desarrollar todo mánager
- Qué neurotransmisores se activan con las habilidades anteriormente expuestas
- Cuadro resumen
- Treinta y tres acciones de implementación.

¿POR QUÉ HOY ES IMPORTANTE EL MANAGEMENT 3.0 Y CUÁLES SON SUS CARACTERÍSTICAS?

El Management 3.0 se ha vuelto cada vez más importante. Y para ello te lo voy a exponer con diez puntos clave que viví, acompañados de ejemplos que pondré en letra en cursiva que fueron altamente gratificantes.

5. **Enfoque en las personas:** Los resultados en la organización son claves y no hay que perderlos de vista, pero al mismo nivel o superior están las personas. Se valoran la empatía, la inteligencia emocional, y la comunicación abierta para lograr una gestión efectiva. *Para esta consultora las personas éramos la clave. Es más, no éramos Recursos Humanos, éramos Humanos con Recursos.*
6. **Colaboración:** El trabajo en equipo y la colaboración son fundamentales. Los equipos son empoderados para tomar decisiones y desarrollar soluciones creativas, lo que lleva a un aumento de la innovación y la agilidad empresarial. *Cuando te estaban seleccionando como consultor una de las pruebas que tenías que pasar era hacer una presentación al resto de tus compañeros. Una vez hecha esta presentación, se preguntaba a todos los que estaban presentes si votaban a tu favor o en contra. Y esa votación tenía que tener una respuesta con criterio. Este criterio era:* «¿Dejarías en manos de este candidato a tu mejor cliente?». *Y a la respuesta, tanto si era SI como si era NO, había que argumentarla. Y este punto de vista tenía un alto peso en el proceso de selección.*
7. **Potencian Power Skills:** Se centra en el desarrollo de las Power Skills (Habilidades de Poder) en la gestión empresarial. En lugar de centrarse solo en los resultados

financieros, este enfoque reconoce la importancia de las habilidades interpersonales, la inteligencia emocional, y la empatía en la gestión efectiva. Estas habilidades son esenciales para la construcción de relaciones sólidas y para motivar a los empleados a alcanzar sus objetivos. *Parte de nuestro tiempo lo teníamos que invertir en aprender y reforzar nuestras habilidades para ser cada vez mejores consultores.*

8. **Liderazgo compartido:** El liderazgo no se limita a una sola persona. Todos los miembros del equipo tienen la oportunidad de liderar y tomar decisiones, lo que fomenta un ambiente de trabajo más colaborativo y participativo. Es una filosofía de gestión empresarial que se enfoca en la colaboración, la innovación, y el liderazgo compartido. Proporciona una respuesta a los continuos cambios y ofrece un enfoque más flexible y colaborativo a la gestión empresarial. En lugar de imponer soluciones desde arriba, el Management 3.0 fomenta la participación y el liderazgo compartido. *Por la cantidad de proyectos que teníamos unas veces hacías el rol de consultor y otras veces de responsable de proyecto que era el equivalente a la de líder del proyecto.*
9. **Comunicación abierta y feedback constructivo:** En lugar de una jerarquía rígida y autoritaria, este enfoque fomenta la comunicación abierta y el feedback (retroalimentación) constructivo. Los empleados se sienten más valorados y comprometidos, lo que lleva a un aumento de la satisfacción y la retención del personal. Esto permite una mejor comprensión y resolución de problemas, y ayuda a crear una cultura empresarial más saludable. *Entre nuestros valores en esta consultora teníamos el feedback y el autofeedback. Cuando dábamos una capacitación/formación te podía acompañar un compañero. Durante toda la*

jornada esta persona iba tomando nota de todos nuestros aspectos positivos y mejorables. Y al finalizar la jornada nos los compartía con una premisa fundamental que era la de «SIEMPRE SUMAR y no restar».

10. **Flexibilidad:** La flexibilidad es vital hoy en un mundo empresarial en constante cambio. Se alienta a los equipos a adaptarse a nuevas situaciones y soluciones, lo que lleva a una mayor agilidad empresarial. *Cuando nos comprometíamos con un cliente, eso era innegociable. Por lo que, si un compañero se ponía enfermo, cualquiera de los que estábamos ahí teníamos que tener la flexibilidad de sustituirlo. Esto podía ocurrir que te enteraras una hora antes. Pero sin queja abordábamos la situación.*
11. **Innovación:** Al fomentar la colaboración y el liderazgo compartido, se alienta a los empleados a pensar fuera de la caja y desarrollar soluciones nuevas y creativas. Esto es especialmente importante en un entorno empresarial en constante evolución, donde las empresas necesitan adaptarse y evolucionar para mantenerse competitivas. *Entre los incentivos que teníamos era el I+D+I. Teníamos el encargo voluntario de buscar herramientas que sumaran valor a la organización y se nos iba dando puntos. En función de lo relevante que fuera lo que uno aportara se otorgaban más puntos o menos. Y en función de los puntos acumulados al final del año, se podía acceder a un incentivo interesante.*
12. **Autonomía:** Los equipos son empoderados para tomar decisiones y desarrollar soluciones creativas, lo que lleva a un aumento de la innovación y la agilidad empresarial. *Cuando un cliente llamaba por una queja, si el responsable de ese cliente se encontraba ocupado en una formación/capacitación no se le molestaba para que su instrucción no se viera afectada. ¿Entonces qué hacíamos? Muy sencillo: uno de nosotros nos hacíamos cargo del cliente y le dábamos las*

respuestas de la forma más profesional que pudiéramos, como si el cliente fuera nuestro. Una vez que el compañero terminaba su actividad, le poníamos al día de la situación.

13. **Efectividad en el trabajo en remoto:** El mundo de los negocios está cambiando rápidamente. La tecnología ha avanzado a un ritmo vertiginoso y ha alterado la forma en que se hacen las cosas en todos los sectores empresariales. Los empleados/colaboradores esperan más autonomía y una mayor capacidad de decisión. La naturaleza del trabajo también ha cambiado, y se trabaja cada vez más de forma remota o flexible. Es por esta razón que el Management 3.0 ayuda a desarrollar actividades en remoto de forma más efectiva. *En aquel momento no era común el trabajo en remoto, pero debido a nuestra actividad nos encontrábamos viajando constantemente. Resultado de ello nuestra capacidad para abordar trabajo a la distancia era algo que hacíamos con suma efectividad.*
14. **Retención del talento:** Y también porque ayuda a las empresas a atraer y retener el talento, que es uno de los problemas de peso en las organizaciones. La fuga de talento supone en las organizaciones un coste que va del 35% al 150% del salario de la persona; esto supone un gasto altísimo. Los empleados buscan empresas que valoren sus habilidades y les den la oportunidad de desarrollarse y crecer. El Management 3.0 ofrece un enfoque más centrado en las personas a la gestión empresarial, lo que puede ser un factor clave para atraer y retener a los mejores talentos. *El nivel de dedicación que teníamos en esta actividad era elevadísimo, pero resultado de cómo compartíamos los unos con los otros, nos íbamos a comer juntos siempre que podíamos, e incluso nos veíamos fuera del trabajo hacía que nos sintiéramos sumamente a gusto en esta empresa. Éramos como una familia.*

Estos diez puntos ayudan a cualquier manager a comprender que el Management 3.0 es importante hoy en día porque consigue que las empresas se adapten a un mundo empresarial en constante cambio. Fomentando la colaboración, la innovación, y el liderazgo compartido, lo que lleva a una mayor agilidad. Y para poder implementar una tendencia que se da en la gestión hoy día que son las metodologías Agile, es necesario que encuentren un caldo de cultivo adecuado.

QUÉ HABILIDADES NECESITA DESARROLLAR TODO MANAGER

Como toda disciplina, esta no va a ser distinta y necesita desarrollar habilidades para tener éxito. A continuación, presento algunas de estas power skills (habilidades de poder) clave que tuve el placer de vivir y que todo manager debe desarrollar para ser efectivo en esta tendencia.

1. **La escucha de verdad:** los managers necesitan fomentar la colaboración y la comunicación abierta entre los miembros del equipo. Para hacerlo, deben estar dispuestos a escuchar las ideas de los demás y trabajar juntos y en equipo para desarrollar soluciones creativas.
2. **La congruencia y liderar desde el ejemplo:** los managers que decidan ir en este camino necesitan liderar a través del ejemplo. Esto significa que deben ser los primeros en estar dispuestos a tomar riesgos y aceptar el fracaso. Deben estar dispuestos a aprender de sus errores y permitir que los colaboradores cometan errores y aprendan también de ellos.
3. **Proporcionar feedback constructivo:** la comunicación abierta y el feedback constructivo son fundamentales. De

esta forma permiten ayudar a los miembros del equipo a mejorar y a desarrollar soluciones creativas.

4. **Empoderar (empowerment) a los miembros del equipo:** el liderazgo compartido y la toma de decisiones en equipo son elementos diferenciales de esta forma de gestión. Por esa razón hay que empoderar a los miembros del equipo para que tomen decisiones y lideren los proyectos.
5. **Crear un ambiente de trabajo saludable:** esto no significa que no vayan a ocurrir enfrentamientos y tensiones. La clave es cómo se hace frente a ellos. Y un ambiente saludable conlleva fomentar la empatía, la inteligencia emocional, la comunicación abierta, manejar conflictos creciendo con ellos, y resolver problemas de manera efectiva.
6. **Ser flexible:** decía Bruce Lee «Be water, my friend» («sé como el agua, mi amigo»). Si hay algo que debemos tener presente es que nada permanece. El mundo empresarial está en constante cambio. Los managers necesitan ser capaces de adaptarse a nuevas situaciones y soluciones. También deben estar dispuestos a aceptar el cambio y liderar a los miembros del equipo a través de él.
7. **Fomentar la innovación:** los cambios a los que hacía mención en el párrafo anterior conllevan afrontar continuamente problemas u oportunidades de aprendizaje. Desarrollar la creatividad y la innovación en nosotros y en los equipos es fundamental para ser competitivos en este entorno. Y de esta forma se logra tener la capacidad de analizar cualquier nueva idea por loca que parezca en primera instancia.
8. **Desarrollar una visión estratégica:** optar por el Management 3.0 implica desarrollar una visión estratégica clara y ver oportunidades donde ahora no se era capaz de verlas. Esto significa estar dispuestos a pensar en grande y a largo plazo. Significa tomar decisiones, definir objetivos, disfrutar de las gratificaciones, y tomar acción.

QUÉ NEUROTRANSMISORES SE ACTIVAN CON LAS HABILIDADES ANTERIORMENTE EXPUESTAS

El implementar las power skills va a generar en nosotros la activación de una serie de neurotransmisores. Estos, a su vez, inciden de forma directa en nuestros comportamientos emocionales. Somos seres sociales y contrariamente a la física, en las relaciones atraemos personas del mismo polo. Los entusiastas atraen entusiastas, los hipocondriacos atraen hipocondriacos. Por lo tanto, nuestro magnetismo no se da por nuestra racionalidad y sí por las emociones que proyectamos. Es por esta razón que si queremos generar un equipo de personas *como el que tuve la oportunidad de tener en esta consultora* que generen una sinergia aportativa en este entorno cambiante, es necesario que vibremos todos y cada uno de nosotros en la misma sintonía. Y para vibrar en esa sintonía tenemos que empezar por nosotros y saber qué neurotransmisores activamos con estas power skills.

1. **Dopamina:** *es un neurotransmisor que se asocia con el placer y la recompensa.* El liderazgo compartido y la colaboración pueden liberar dopamina en el cerebro, ya que trabajar en equipo y alcanzar metas conjuntas puede proporcionar una sensación de logro y satisfacción. Además, el feedback positivo y el reconocimiento social también pueden aumentar la liberación de dopamina en el cerebro, y activar nuestro sistema de recompensa, lo que puede motivar a los miembros del equipo a trabajar aún más y a buscar la excelencia en su trabajo.
2. **Serotonina:** *es un neurotransmisor que se asocia con el bienestar y el estado de ánimo.* Un ambiente de trabajo saludable puede aumentar los niveles de serotonina en el cerebro. Hacer lo que nos gusta y contar con la comunicación

abierta también pueden aumentar los niveles de serotonina, lo que puede mejorar la confianza en sí mismo y sentirse acogido por el equipo.

3. **Oxitocina:** *es un neurotransmisor que se asocia con la confianza y la conexión social.* La colaboración y el liderazgo compartido pueden aumentar los niveles de oxitocina en el cerebro, lo que puede mejorar la conexión y la confianza en el equipo. El feedback constructivo y la resolución de conflictos en conjunto pueden fomentar una mayor confianza y compromiso en el equipo.
4. **Endorfinas:** *son neurotransmisores que se asocian con la euforia y la sensación de bienestar.* Las situaciones de estrés y desafío bien canalizadas en el entorno actual como lo hace esta disciplina pueden liberar endorfinas en el cerebro, proporcionando una sensación de logro y bienestar después de completar una tarea difícil. El enfoque en la innovación y la creatividad también puede aumentar la liberación de endorfinas, ya que encontrar soluciones creativas y únicas puede proporcionar una sensación de satisfacción y logro.
5. **Noradrenalina**: *se asocia con la respuesta al estrés y la activación del sistema nervioso simpático.* La habilidad de establecer objetivos claros y desafiantes, así como la capacidad de liderar y tomar decisiones en situaciones de incertidumbre, pueden ayudar a activar la noradrenalina en el cerebro de los managers y sus equipos. Además, la habilidad de fomentar el pensamiento crítico y la toma de riesgos calculados también puede contribuir a la liberación de noradrenalina en el cerebro.
6. **Acetilcolina**: *se asocia con la memoria y el aprendizaje.* Se fomenta ofreciendo habilidades que pueden ayudar a su desarrollo, como la creación de un ambiente de trabajo saludable, la promoción del trabajo en equipo, y la

comunicación efectiva. También fomenta la innovación y la creatividad, lo que puede impulsar la resolución de problemas y el aprendizaje continuo.

El desarrollar todos estos neurotransmisores no solo tiene beneficios biológicos, sino que también puede tener un impacto significativo en la cultura organizacional y en el rendimiento empresarial. Al fomentar la colaboración, el liderazgo compartido, y la innovación, las organizaciones pueden mejorar la creatividad, la productividad y el compromiso de los empleados. Además, un ambiente de trabajo saludable y colaborativo puede reducir el estrés y mejorar la calidad de vida de los colaboradores, lo que a su vez puede mejorar la retención del talento y reducir la rotación laboral.

CUADRO RESUMEN

A continuación, adjunto un cuadro resumen del NEUROMANAGEMENT 3.0 donde se relaciona todo lo anterior:

- Características del MANAGEMENT 3.0
- Power skills
- Activación de neurotransmisores

Características del MANAGEMENT 3.0	Power Skills del MANAGEMENT 3.0	Activación de NEUROTRANSMISORES
• Enfoque en las personas	• Escucha de verdad, empatía, inteligencia emocional, comunicación abierta	• Dopamina, serotonina, oxitocina noradrenalina
• Colaboración	• Trabajo en equipo, empoderar a los miembros	• Oxitocina, dopamina, serotonina, noradrenalina
• Potenciar power skills	• Habilidades interpersonales, inteligencia emocional, empatía	• Dopamina, serotonina, oxitocina, endorfina, noradrenalina
• Liderazgo compartido	• Desarrollar la colaboración, innovación, participación y trabajo en equipo	• Dopamina, serotonina, noradrenalina, oxitocina
• Comunicación abierta y feedback constructivo	• Comunicación efectiva, crear un ambiente de trabajo saludable, feedback constructivo, habilidades interpersonales	• Oxitocina, dopamina, serotonina
• Flexibilidad	• Gestión del cambio e incertidumbre	• Serotonina, oxitocina, Noradrenalina, dopamina
• Innovación: Enfoque en la mejora continua	• Buscar soluciones creativas, fomentar la innovación, desarrollo de la creatividad, desarrollo visión estratégica, pensamiento crítico	• Serotonina, dopamina, noradrenalina, endorfina, acetilcolina
• Autonomía	• Buscar soluciones creativas, empoderar (empowerment) al equipo, desarrollar flexibilidad, potenciar responsabilidad, ambiente de trabajo saludable	• Serotonina, dopamina,testosterona endorfina, noradrenalina
• Efectividad en el trabajo en remoto	• Conciliación profesional y personal, inteligencia emocional, empoderar, ser flexible, crear un ambiente de trabajo saludable, employee experience (experiencia de empleado, desarrollo de la confianza	• Serotonina, dopamina, oxitocina, endorfina, noradrenalina
• Retención del talento	• Transmitir seguridad y confianza, desarrollar una visión estratégica, crear un ambiente de trabajo saludable, proporcionar feedback constructivo	• Serotonina, dopamina, oxitocina, endorfina,

En las siguientes líneas voy hacer una descripción de los distintos neurotransmisores asignándoles un color para que resulte más sencillo su recuerdo y asociarlo de una forma sencilla a la power skill pertinente.

1. **Dopamina:** se la suele asociar al color verde. Esto se debe a que este color se relaciona con la naturaleza, la frescura,

y la vitalidad, que son sensaciones que se pueden experimentar al activar la dopamina en el cerebro. Además, el color verde también puede generar una sensación de calma y equilibrio, lo que puede ser beneficioso para mantener una buena salud mental

2. **Serotonina:** se la suele asociar con el color amarillo, debido a que este neurotransmisor se asocia con la sensación de felicidad, bienestar, y optimismo. El amarillo es un color brillante y luminoso que puede evocar una sensación de alegría y energía positiva.
3. **Oxitocina:** se la suele asociar con el color rosa, debido a que esta hormona se relaciona con la sensación de amor, afecto, y empatía. El rosa es un color suave y delicado que puede evocar una sensación de ternura y conexión emocional. Además, este color se asocia con la feminidad y la maternidad, lo que puede estar relacionado con el papel de la oxitocina en el parto y la lactancia.
4. **Endorfinas:** se las suele asociar con el color azul, debido a que este neurotransmisor se relaciona con la sensación de bienestar, relajación, y tranquilidad. El azul es un color que puede evocar una sensación de calma y serenidad, lo que puede estar relacionado con el papel de las endorfinas en la regulación del dolor y el estrés. Además, este color se asocia con el cielo y el mar, lo que puede tener un efecto relajante y reconfortante.
5. **Noradrenalina**: se la suele asociar con el color rojo, debido a que este neurotransmisor se relaciona con la activación del sistema nervioso simpático y la respuesta de «lucha o huida». El rojo es un color que puede evocar una sensación de alerta, energía, y acción, lo que puede estar relacionado con el papel de la noradrenalina en la respuesta al estrés y la regulación del estado de ánimo. Además, este color se asocia con la pasión y la intensidad, lo que puede reflejar

la sensación de excitación y motivación que se siente al liberarse la noradrenalina.

6. **Acetilcolina**: se la suele asociar al color verde. El motivo exacto no lo sabría decir.
7. La **testosterona,** por su parte, si bien es una hormona y no funciona como transmisor, tiene una influencia relevante en nuestra expresión de liderazgo, especialmente en lo relativo a la característica de superación personal. En su medida apropiada, trabaja de la mano de la dopamina, impulsándonos a destacar y diferenciarnos de los demás. Por otro lado, si no se es consciente de su influencia y esta excede el equilibrio, puede llevar a la agresión o exceso de competitividad.

HABILIDAD y NEUROTRANSMISORES

Habilidad	Dopamina	Serotonina	Oxitocina	Endorfina	Noradrenalina	Acetilcolina
• Escucha de verdad						
• Inteligencia emocional						
• Comunicación abierta						
• Trabajo en equipo						
• Empowerment (empoderamiento)						
• Habilidades interpersonales						
• Empatía						
• Innovación						
• Ambiente de trabajo saludable						
• Feedback constructivo						
• Gestión del cambio y la incertidumbre						
• Buscar soluciones creativas						
• Desarrollar una visión estratégica						
• Pensamiento crítico						
• Potenciar la responsabilidad						
• Conciliación profesional y personal						
• Desarrollo de la confianza						

33 ACCIONES DE IMPLEMENTACIÓN

Y para ir finalizando este capítulo, es vital poner en marcha los distintos neurotransmisores. Y si hay algo que los activa, es la ACCIÓN.

Este capítulo deseo que sea práctico y que lleve al lector poco a poco a la maestría y la realización personal y profesional.

Desde la numerología hay un número mítico y mágico en muchas culturas a lo largo de la historia. Este número es el 33. Se ha utilizado como un símbolo de fuerza, sabiduría y poder. Por esta razón, a continuación detallo 33 acciones concretas *y fáciles, que llevamos a cabo en la consultora* y que *cualquier* manager podría utilizar para su desarrollo en liderazgo. Estas acciones no están organizadas por orden de importancia. Cada líder puede ir eligiendo las que considere oportunas e irlas implementando a su ritmo.

1. Afrontar de forma positiva la resolución de conflictos y la gestión de problemas
2. Implementar prácticas de gestión del tiempo para mejorar la eficiencia y productividad
3. Establecer reuniones aportativas y regulares de equipo para discutir ideas y desafíos
4. Fomentar la empatía en las personas
5. Animar a los colaboradores a compartir sus conocimientos y habilidades con los demás y desarrollar un ganar-ganar
6. Implementar prácticas de gestión de la información para mejorar la eficiencia y evitar problemas de comunicación
7. Fomentar la creatividad y la innovación en el área
8. Potenciar la resiliencia y la gestión del cambio y la flexibilidad en el equipo
9. Promover la diversidad e inclusión en el equipo

10. Implementar prácticas de trabajo flexible para mejorar la calidad de vida de los empleados
11. Establecer objetivos claros y alcanzables para el equipo
12. Fomentar la confianza y la transparencia en el equipo
13. Implementar prácticas de gestión de la salud mental en el equipo
14. Fomentar la autonomía y la responsabilidad en el equipo
15. Animar a los empleados a buscar soluciones creativas y a pensar fuera de la caja
16. Promover la participación activa de los empleados en la toma de decisiones
17. Implementar un sistema de gestión del conocimiento para compartir las mejores prácticas y lecciones aprendidas
18. Animar a los empleados a buscar nuevas soluciones y a tomar riesgos calculados
19. Establecer un sistema de gestión de riesgos para minimizar los errores y las pérdidas
20. Ofrecer oportunidades de desarrollo de liderazgo a los empleados
21. Establecer un sistema de feedback continuo para mejorar el desempeño de los empleados
22. Promover la gestión sostenible y la responsabilidad social en el equipo
23. Fomentar la colaboración y el trabajo en equipo
24. Implementar prácticas de trabajo remoto para mejorar la productividad y la eficiencia
25. Ofrecer oportunidades de formación y desarrollo personal a los empleados
26. Implementar una cultura de retroalimentación positiva y constructiva
27. Implementar un sistema de reconocimiento y recompensas para motivar a los colaboradores

28. Promover metodologías ágiles de proyectos para mejorar la eficiencia
29. Fomentar la comunicación abierta y honesta entre los compañeros
30. Ofrecer oportunidades de mentoring y coaching para el equipo
31. Utilizar herramientas de gestión visual y prácticas para mejorar la comunicación y la colaboración
32. Ofrecer oportunidades de voluntariado y de participación en la comunidad
33. Implementar una cultura de mejora continua en el equipo

Como dije al principio de este capítulo, llevo en el recuerdo de mi corazón la experiencia que viví en esa consultora. Con el tiempo he comprendido por qué fue así. Esa forma de trabajo y todos los neurotransmisores que se activaron en todos y cada uno de nosotros, hizo que se convirtiera en una experiencia inolvidable. He intentado plasmártelo de una forma muy práctica y un poquito más científica para que tú también lo puedas llevar a cabo en la organización que te encuentres o con tu equipo. Ha sido un placer compartir contigo este capítulo, espero que te haya sido provechoso y como resumen final puedo decirte lo siguiente.

El **NEUROMANAGEMENT 3.0** resume la importancia de la neurociencia en el mundo del management. Hemos visto que es crucial desarrollar habilidades como la empatía, la inteligencia emocional, la creatividad, y la capacidad de motivar y liderar equipos de trabajo. Estas habilidades, cuando se implementan de forma adecuada, pueden activar neurotransmisores como la dopamina, la serotonina, la oxitocina, la noradrenalina, y la acetilcolina, generando un ambiente de trabajo más positivo y productivo. Y como te dije al principio con la intención del capítulo, espero que te ayude a desbloquear todo tu potencial y a desbloquear también el de tu equipo, conociendo el comportamiento de nuestro cerebro.

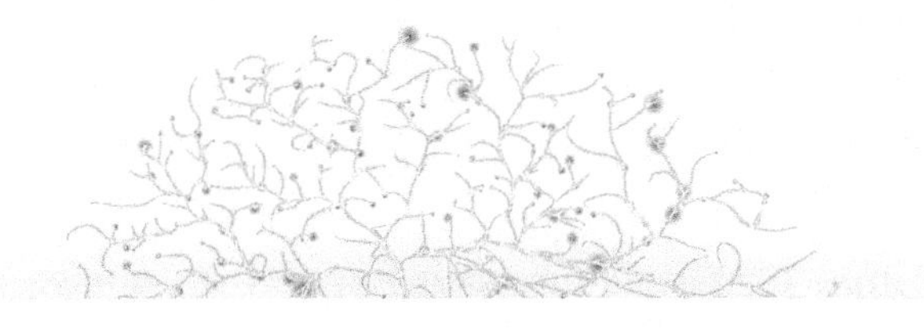

Jackie Delger

Semblanza

Jackie se define como una agitadora y elevadora de consciencia. Apasionada, creativa, exploradora de las zonas incómodas, tiene el don de despertar la chispa de la posibilidad en los demás y llevarlos de la mano a que rediseñan sus vidas. Colabora con empresas de todo el mundo con resultados extraordinarios, sus clientes afirman que «conversar con ella, sana».

Es creadora de ®Catadores de Emociones, metodología de alto impacto que se ha convertido en un estilo de vida para el desarrollo de competencias en líderes de un nuevo mundo, basado en el autoconocimiento, la autogestión, el amor propio y la autoestima. Con presencia en Argentina, países de Latinoamérica y España, también es autora del libro *Catadores de Emociones* y *Despertar tu poder interior.* Es una apasionada del cerebro que encontró su lugar para estar siempre actualizada colaborando con ANE Internacional.

Intención

Te invito al apasionante mundo de aprender a catar tus emociones, de conocerte para liderarte, de amarte más que nada en el mundo y a que, desde ahí, veas qué mundo estás generando con los cuentos que te estás contando. A lo largo de estas páginas, descubrirás el valor de ser el protagonista de tu cuento y te llevarás la poderosa herramienta de transformarlos y así crear la vida que siempre soñaste.

LOS CUENTOS QUE NOS CONTAMOS

> *«La intuición es el alma hablándonos al oído».*
>
> —**Jackie Delger.**

Hola, soy Jackie Delger, y creo que toda historia es una historia de amor.

Mi relación con las neurociencias también lo es. De chica, quería estudiar ingeniería genética, pero me embaracé a los 18 años, decidí ser mamá y guardé esos sueños. Dieciocho años después, llegó el *coaching* a mi vida, y muy pegado a él, las neurociencias. Estudiar cómo funciona el cerebro y nuestra mente me abrió el camino a crear la dinámica de catar nuestras emociones que les compartiré más adelante. Siento que, en parte, recuperé el sueño de esa niña que, desde un laboratorio, quería cambiar los genes y mejorarlos. Hoy gracias a los avances de la ciencia y la accesibilidad al conocimiento, todos podemos cambiar nuestras creencias y nuestros cuentos.

Yo cambié mi vida, mis relaciones y mis cuentos aprendiendo a recordar el futuro para poder crearlo. Te invito a que vos también lo hagas.

Venimos al mundo a amar, a dar y recibir amor en todas sus formas. Y lo que nos aleja del amor, lejos de ser el odio, es el miedo. Miedo activado por alguna herida acuñada en la infancia, de que nos abandonen, rechacen, traicionen, humillen o sean injustos con nosotros. Entonces, para que te sigan amando, harás cualquier cosa..., y ahí, sin darte cuenta, es cuando empiezan a escribirse los cuentos que te contás y muchos de los que hasta hoy, sostenés.

Cuentos que van a determinar la relación contigo y con el mundo, que afectarán muchas veces, sin darte cuenta, las decisiones que tomes, tus elecciones, gustos, profesión, carrera, el ser madre o padre, hermana, hija, esposos, ser profesional, en definitiva ser líder de tu vida. El miedo y la confianza utilizan el mismo circuito neuronal. Se activa uno o el otro...

Eso me lleva a preguntarme en cada momento si elijo desde el amor y confianza o elijo desde el miedo.

Cuando incorporé esa pregunta en mi vida, me di cuenta de cómo «desde dónde hago y elijo» determina el resultado y eso está directamente ligado con el cuento que me cuento. Cuando elegís desde la confianza y el amor es porque tu cerebro fue capaz de segregar una alta concentración de serotonina y oxitocina, aumentando la confianza en vos mismo, favoreciendo el buen humor y obviamente reduciendo el miedo.

Los cuentos son tan poderosos para el cerebro porque ama las historias, crea imágenes a través de ellas y vamos a recordar los eventos cargados de emociones que nos pusieron superfelices o megatristes. El resto, lamentablemente, pasará sin pena ni gloria, o sea, sin dejar huella. Y ni te cuento si, encima, cuando estás «viviendo», estás pensando en otra cosa.

La vida siempre pasa en el momento presente, ese regalo eterno y perpetuo que pocas veces aceptamos y disfrutamos. En el presente, colapsan el pasado y el futuro. De hecho, somos el producto de nuestros pensamientos y decisiones pasadas que, al mismo tiempo, condicionan o proyectan nuestro futuro. Cuando estamos conscientes, en el cerebro se construye el tiempo. Cuando estamos inmersos en una conversación, jugando o disfrutando, es natural entrar en una onda cerebral lenta *alpha* que toca la línea entre el consciente y el inconsciente; y es ahí cuando perdemos la noción del tiempo.

¿Y sabes qué? La vida está pasando ahora. Tu vida está pasando, aquí y ahora. Como la mía mientras escribo para que leas..., y si me distraigo con el teléfono, un ruido o un pensamiento, me voy de este presente. Y gasto energía para volver. Es imposible estar escribiendo y estar en otro lado al mismo tiempo, ¿lo podés ver?

¿Y vos dónde estás ahora?

Mientras me lees, estás decidiendo a qué le prestás atención.

Nuestro cerebro tiene la maravillosa capacidad de prestar atención a lo que le interesa, y también... le interesa mucho distraerse. Todo lo que lo haga ir por el camino automático, le hará ahorrar energía. Cuesta prestar atención porque requiere mucha energía para el cerebro, excepto que «eso nuevo» que está viendo le genere curiosidad y le interese. Si no, caeremos una y otra vez en el famoso piloto automático del que es preciso aprender a salir, para despertar a las decisiones conscientes.

Entonces..., ¿estás acá o en tus pensamientos?

Si te vas con tus pensamientos, dejás de estar presente en la lectura para estar en tus pensamientos y, en ese instante, **te perdés de vivir la experiencia**... Y cuántas experiencias te pierdes en la vida por quedarte atrapado en tus pensamientos, en tus ideas, preconceptos, imaginación, exigencias, preso de esa voz interior que te dice «cómo las cosas son», en vez de entregarte sin expectativas a experimentar esa experiencia que será única, porque después de ella nunca serás el mismo..., **y eso nos pasa a todos, todo el tiempo**.

¡Cuántas veces está tu cuerpo en un lugar y tu mente en otro totalmente diferente!

Estamos donde están nuestros pensamientos

En estas páginas, mi propuesta es que experimentes la experiencia de estar presente y conectado con vos mismo, con vos misma, y para eso, voy a enseñarte a catar tus emociones, para que descubrás, de una manera original, los cuentos que te estás contando.

Para hacerlo, elegí tomar el cuento que nos contamos sobre el amor porque, como te conté, creo que toda historia es una historia de amor. Sé que puede sonar disruptivo, aunque estoy tan convencida que, en las empresas, hablo del amor, sin tapujos. Y lo hago para crear nuevos líderes conectados con el autoconocimiento, con la confianza y el poder. Líderes que aprendan a salir de las garras del miedo, para inspirar. Hacerlo significará tomar nuevas decisiones y afrontar, por ende, consecuencias desconocidas. Voy a compartirte reflexiones y hacerte muchas preguntas. Ojalá te animes a responderlas.

Se puede decir que soy una sobreviviente. Soy la séptima nacida, y en el momento del parto, estuve casi por ser la octava sin nacer. A lo mejor, por eso, desde que era chica, supe que nací para hacer cosas grandes, aunque ni sabía qué eran esas cosas, soñaba con cambiar el mundo. Crear un mundo feliz, lleno de amor, alegría, libertad, consciencia, aventuras, historias, de compartir significado, inspirar, viajar por el mundo recolectando experiencias.

Sin embargo, como ser humano, me encontré con las creencias limitantes de mi familia, el deber ser, los patrones ancestrales, a los cuales fui superobediente y les di todo mi poder durante muchos años. Hasta que aprendí que podemos cambiar. Cambiar, literalmente, es generar nuevas conexiones neuronales y hoy se sabe que eso sucede toda la vida. A medida que somos más grandes, requiere más disciplina y esmero, pero se puede. **Si realmente se quiere, siempre se puede.** El secreto es tomar consciencia de cambiar la fórmula del cóctel de neurotransmisores que generamos con nuestras emociones y pensamientos, que funcionan más o menos así:

Instalados en el cuento que nos contamos, cada emoción que sentimos genera un pensamiento asociado a esa emoción, que hace que nos vengan más pensamientos que alimentan el mismo cuento. Imagínate que estoy instalada en **un cuento de víctima**, de inseguridad, de falta de confianza en mí misma (y, por ende, en los demás), de baja autoestima y, desde ahí, sostengo el cuento «mi marido me miente». Una noche, mientras estoy preparando la cena, llega un mensaje de mi marido diciendo: «Llego tarde, me surgió una cena de trabajo».

Veamos qué pasa en el intrincado tejido neuronal al tener ese cuento activo. El cerebro, automáticamente enciende la amígdala, que es como esa alarma interna donde vive a quien amablemente llamo Lucy, quien representa nuestra emoción ancestral, aquella que nos impulsa a acercarnos a los que nos da placer y alejarnos de lo que nos produce dolor.

Al sentir dolor, se activa el sistema de defensa, que empieza a secretar cortisol y adrenalina y, como consecuencia, alimentan el cuento de «me está mintiendo» y eso hace que sienta, algo así como «lo voy a matar o me quiero ir» (atacar o huir). Cuando entramos en esos bucles, es bastante complejo salir, porque cada emoción seguirá alimentando un pensamiento asociado, lo que hará cada vez más sólida esa cadena neuronal. La serotonina y oxitocina quedan bastante reducidas. ¡Chau, confianza! ¡Hola, miedo!

Es muy importante tener en cuenta que sin importar si mi marido me dijo la verdad o mintió, **mi cerebro vivió *como real* toda la experiencia**. Todas las imágenes, emociones, sensaciones, reacciones y pensamientos fueron reales en mi cerebro y produjeron una reacción asociada que sentí en el cuerpo, también real. Falta de aire, taquicardia, transpiración, sudor en las manos, necesidad de correr... De ahí viene la famosa frase: «Si está en la mente, es real».

No sé si alguna vez te pasó que solés sentir ganas de atacar o de huir. El efecto secundario de esto es que cada cuento, afecta y contamina los otros. Porque, en realidad, la falta de confianza vivía en mí, la inseguridad estaba en mí, la baja autoestima y necesitar la aprobación de los otros, vivía en mí. Hacerme cargo de eso fue el primer paso para transformar mi historia. Hacerte cargo de tus cuentos será el primer paso para transformar la tuya.

Hoy puedo decirte que se puede salir de ahí. Se pueden cambiar los cuentos que nos contamos. Para eso, literalmente, tenés que estar dispuesto a dejar de ser quien sos y convertirte en alguien nuevo. Porque, en definitiva, eso es cambiar.

Cada cuento tiene múltiples interpretaciones, dependiendo el «desde dónde» nos relacionemos con él. Volvamos al ejemplo anterior y cambiemos el cuento.

Ahora, transformada, con grandes cantidades de serotonina y oxitocina a mi disposición, me siento empoderada, segura de mí misma, confiada, tranquila, en dominio de mis decisiones y, como protagonista, decido cómo me relaciono con eso que pasa, por más que en el momento sea víctima de un engaño.

Misma situación: una noche, mientras estoy preparando la cena, llega un mensaje de mi marido diciendo: «Llego tarde, me surgió una cena de trabajo». Si yo cambio, más allá de lo que el otro haga, una química diferente se desatará en mi cerebro, que habilitará que pueda ver con mayor claridad y, desde esa claridad, tomar nuevas decisiones. Al poder respirar conscientemente y nutrir mi corteza prefrontal y otras áreas de la corteza cerebral, puedo evaluar las consecuencias de esas decisiones. Puedo desarrollar un plan, trazar una estrategia, elegir qué es lo mejor para mí y qué voy a hacer con mi vida.

Cómo elijo relacionarme conmigo, con la situación y con él. Recupero mi poder, en vez de darlo al otro. ¿Podés verlo?

Podemos sostener un cuento cambiando su interpretación. **Después de todo, el mundo es una interpretación en sí mismo**. Eso es lo que nos hace escapar de la verdad y, al mismo tiempo, lo que genera los conflictos que vivimos, porque peleamos «por una única verdad», que en realidad es solo «la verdad de mi cuento» queriendo imponerse como «la verdad al otro» y hasta «la verdad universal». Es que cuando los cuentos se van compartiendo como «esa verdad», todos lo empiezan a ver así. Así nacen las creencias, los paradigmas y se terminan formando las culturas.

Si somos afortunados, llega un momento en que la vida nos enfrenta con nuestra verdad, nos quita la venda de los ojos y nos devela el cuento que nos estábamos contando. Ahí se nos abren opciones y quedan disponibles nuevas interpretaciones, que a su vez nos van a llevar a otros lugares.

¿Qué verdades te estuvieron sosteniendo?

¿Son todas tuyas o las heredaste?

¿Te sirven?

¿Te llevan donde querés ir?

¿Podés empezar a ver el cuento que crea tu vida hoy?

Llevo años escuchando cuentos y llega un punto —y a mí también me pasa— en el que es preciso «salirme de mi» y tu «salirte de ti» para mirar más grande. Por eso, te comparto la metodología que creé para catar las emociones, y que vos también puedas hacerlo. Justamente ella fue parte de cambiar mi cuento, aprendí a catarme, a conectarme con lo que me pasa, a sentirme y *a validar lo que eso me hace sentir.*

Catar las emociones es un viaje de introspección, una aventura para trazar tu propio mapa, para que aprendás a contarte tu propia historia, eligiendo vos y haciéndolo de adentro hacia afuera, sabiéndote poderosa, perfecta (en toda tu potencia), amorosa y fuerte, aprendiendo a aceptarte para poder transformarte a través de tus cuentos.

¿Sabés? ¡Somos perfectos!

Sí. Todos tenemos todo.

Lo que pasa es que muchas veces somos ciegos a nosotros mismos o, en otros casos, vivimos condicionados por la mirada del otro y, como ya vimos, la compramos como «la verdad». Pero... ¿qué ven los demás? ¿Ven realmente cómo sos? ¿O ven lo que ellos son en vos? ¿Es una mirada de amor y confianza o de miedo?

También hay veces que incorporar la mirada del otro nos ayuda a vernos más grandes, a descubrirnos en esas zonas que creíamos lejanas o imposibles para nosotros. Me pasó en una producción de fotos que me descubrí naufragando a años luz de mi zona cómoda, soltando el control, confiando. Porque ahora, como confío en mí, puedo confiar en los demás... Y me redescubrí a través de la mirada del otro. Dejé salir esa que también soy, esa que antes, de a ratos, quería tener la voz. Hoy le doy la voz, porque sé que es ella la que me llevará donde siempre quise ir. Siempre estuvo ahí, solo que yo estaba enfocada en otra cosa.

Ojalá encuentres, como yo, gente que te ayude a verte en todo tu potencial y te invite a sacarlo. Bueno, esa es mi intención en estas páginas. La invitación es a que te enamores perdidamente de vos, a que te veas con tanto amor y gratitud que lo único que encuentres en los demás sea más amor y gratitud. Y si lo haces a conciencia, ¡esto te cambia la vida! Porque los demás reflejaran ese amor y gratitud, de vuelta en vos. Somos espejo y reflejo.

Cuando digo amar a todos, es a todos, hasta al exmarido. A ese exsocio que te estafó, a esa amiga con la que tuviste esa discusión, a ese con el que te sentiste traicionado, todos los involucrados en esos cuentos en los que te sentiste abandonado o vos abandonaste, las veces que te rechazaron, las situaciones de humillación públicas y privadas, y todo lo que juzgaste injusto. Sé que es una cruzada desafiante, pero la energía es lineal y clara. Las pilas, por ejemplo, tienen su polo positivo y su polo negativo, y desde ahí generan y se relacionan con los artefactos. ¿O viste una pila que sea positiva, con unos aparatos y negativa con otros? Bueno, en los humanos la energía funciona igual, por eso es tan importante cuidar la vibración que generan nuestros pensamientos y emociones.

Entonces, la condición fundamental para amarte primero es conocerte y validarte en tus luces y sombras..., y justamente, sacar toda la potencia de la sombra para usarla a tu favor.

Darte a vos primero, lo que pretendías antes darle a los demás.

¿Te animás a verte en toda tu inmensidad? En el sentido más amplio de la palabra inmenso: verte sin juicios, sin condicionamientos, sin ataduras. Simplemente siendo vos. Si yo lo logré, vos también podés hacerlo.

Un factor fundamental para despertar a la consciencia es que, una vez que te conozcas, tomes todo tu poder sin dárselo a nada (circunstancias, hechos, vivencias) ni nadie, y te conviertas en el protagonista de tu cuento, el guionista, el director, el productor..., que elijas vos el estilo de tu película, las aventuras, los logros, amores, historias.

En la película que estás viviendo hoy...

¿Dónde estás poniendo tu poder?

¿De qué calidad son tus pensamientos?

¿Qué hábitos tenés?

¿Cómo son tus relaciones?

¿Para qué hacés lo que hacés?

Encontré en mi cambio que la felicidad y la plenitud se logran aprendiendo a cuidarme a mi primero; teniendo claro qué me hace bien y qué quiero diferente en mi vida. Desarrollé la capacidad crítica de cuestionarme a qué digo sí y a qué, definitivamente, respondo «nunca más». Así, logré salir del piloto automático. El mensaje es «cree en vos». Deja de repartir el poder a los demás, y lo digo porque yo era de hacerlo.

El punto es que sepás qué querés en tu vida, qué emociones querés experimentar, qué pensamientos vas a elegir pensar y qué cuentos vas a habitar con tus nuevas decisiones, aprendiendo a enfocarte en lo que realmente te importa. Se trata de que seas resiliente ante los avatares de la vida porque... van a pasar. Y esa va a ser «la vida» golpeándote la puerta para preguntarte: «¿Quién vas a ser ante estas circunstancias?».

Te spoileo la respuesta: lo que pasa es que, como cambiaste, y ahora estás en un desde dónde de confianza y amor, vas a relacionarte totalmente diferente a como lo hacías antes. ¿Sabes cuándo te vas a dar cuenta de que cambiaste en la vida ordinaria? Cuando empiecen a pasarte cosas diferentes, cuando te encuentres a vos mismo dando respuestas que jamás habías dado, cuando empieces a sentirte feliz y pleno solo por el hecho de estar vivo sin importar nada más, porque nunca es afuera. Todo lo que ves afuera está ahí porque primero estuvo adentro tuyo. Te daré más detalle de esto cuando hagamos la dinámica.

Otro factor fundamental en la transformación es cambiar tu lenguaje. Cada palabra responde a un nivel de frecuencia que alimentamos con su uso. Se comprobó, por ejemplo, que la palabra «problema» genera una alteración a nivel celular que baja nuestra vibración. Somos impulsos electromagnéticos en movimiento e interacción. Si vibramos bajo, atraeremos un tipo de experiencias diferentes que si lo hacemos en alta frecuencia.

Según la escala del reconocido psiquiatra Dr. David R. Hawkins y otros estudios de sus contemporáneos, a cada emoción le corresponde una vibración. Y esto es una parte fundamental de los cuentos que nos contamos, porque muchas veces ponemos la intención solo en cambiar el cuento, y nos olvidamos de la vibración, y a posteriori nos quejamos porque «todo sigue igual». Es que, más allá del cuento, vamos a atraer de acuerdo con la frecuencia que vibramos.

El lenguaje genera realidad a través del poder de las declaraciones, y en mi caso, después de una declaración poderosa, literalmente cambié mi mundo.

Clarice Lispector dice «Todo el mundo empezó con un sí». Hasta que cambié mi cuento, había salido solo un par de veces del país, ahora, con mi nuevo cuento, vivo viajando, dando charlas, conferencias, seminarios y facilitando talleres y encuentros alrededor del mundo. Y si yo pude, vos también podés.

Desde la confianza y el amor, hoy salgo a la vida a cumplir mis sueños y me doy cuenta de que, paradójicamente, cuando dejo de esperar, la vida es mucho más generosa conmigo de lo que había podido soñar. Encontré en el agradecimiento, la manera de ponerme en la sintonía adecuada para que sucedan los milagros. Agradezco a todo y a todos por el regalo de cada experiencia superada y de cada regalo recibido.

En ese salir al mundo sin miedo o, mejor dicho, con Lucy tomada de mi mano, fue que me animé a plasmar lo que un día canalicé mezclando las neurociencias, el liderazgo y la cata de vinos. Para hacer la dinámica, es preciso que tengas una copa de vino, preferentemente tinto y que haya pasado por barrica de madera, una hoja y bolígrafo para poder escribir lo que vayas sintiendo cuando hagamos la cata. La copa de vino será nuestra herramienta transpersonal, esa que nos ayudará a poner afuera lo que tenemos dentro para verlo y catar las emociones.

¿Qué sería eso de catar las emociones?

Catar es una palabra que viene del latín «captare», que quiere decir «coger, tomar, capturar». La definición que elegí de catar es «Examinar las sensaciones que me produce una cosa...», cosa que puede ser un vino o un alimento, y desde que creé *catadores de emociones*, una emoción, un sueño, el amor, el miedo, una situación conflictiva, un problema o tu vida. O sea, un cuento. La realidad es que podemos catarnos en cada momento cuando estamos en presencia plena, cosa fundamental para poder «estar» en la experiencia.

Elegí hacerlo a través del vino primero porque me encanta, me fascina su historia, sus misterios, metáforas. El vino es una bebida que está viva y, como está viva, puede transformarse igual que nosotros. Creo que somos vino en sus infinitas posibilidades. Examinamos las sensaciones a través de los sentidos para apreciar los sonidos, los colores, las texturas, los aromas. Para sentir, es necesario estar presentes y conectados con el cuerpo; atentos a las sensaciones que va produciendo la cosa que estás catando, es decir, cuerpo y mente en el mismo lugar y acto. En presencia plena, como vimos al principio.

Cuando catamos, somos indefectiblemente protagonistas de la experiencia, habilitando el espacio de sentirnos sintiendo, de observarnos, de hacer una pausa, de llenarnos de presente a través de la respiración, de aprender a sentir y, sobre todo, qué sentimos cuando sentimos. Hay una frase de Borges que describe en una línea lo que hacemos cuando catamos nuestras emociones: «Vino, enséñame el arte de ver mi propia historia».

Y eso es lo que les propongo que hagamos ahora...

¿Tenés tu copa?

Te voy a pedir que repases tu historia y encuentres esas situaciones de miedo y desconfianza, de falta de poder, de inseguridad, de frustración. Mis preguntas te guiarán a través de los pasos de la cata técnica para que puedas ver tu miedo de una manera diferente. La propuesta es que te animes a sentir las respuestas en tu cuerpo, que te escuches, las escuches, y las veas a través del vino, sintiendo en silencio, transformándote en tu propio *sommelier*. A medida que vayas sintiendo, viendo, vibrando, ve escribiendo las respuestas en tu hoja. El vino siempre tiene muchas respuestas para darnos.

Puedes poner una música muy suave, algo instrumental, cierra los ojos, respira profundamente dejando ir todo juicio de tu mente, con la clara intención de conocerte y ver más allá de lo obvio. Repasa las situaciones en tu vida que te dan miedo, el miedo a esa decisión, el miedo a dar el paso... Encuéntrate y conecta con tu miedo. Cuando lo tengas, abre los ojos.

Mira tu copa, quiero que veas ese vino como tu miedo. Conéctate profundamente con él.

Si la copa es tu miedo, ¿a qué distancia está?, ¿está medio llena o medio vacía? Coge la copa, ¿pesa?, ¿cuánto pesa tu miedo? ¿De qué color es el vino? ¿Qué te dice ese color sobre tu miedo?, ¿brilla o es opaco? Si mueves suavemente la copa y enfocas en las paredes, ¿el miedo deja marcas? ¿Qué te dicen esas marcas sobre tu miedo?, ¿pesa?

Ahora llévate la copa a la nariz y huele, conéctate con tu intuición, con esa reacción visceral. ¿Quieres seguir oliendo o te genera rechazo? ¿A qué huele tu miedo? ¿Qué te dice el aroma de tu miedo?

Agita la copa suavemente, a ver qué pasa si le das aire al miedo, ahora... ¿qué hueles? ¿Qué hueles detrás de lo que hueles? ¿Qué te dice ese olor de tu miedo?

Toma un pequeño sorbo y quiero que reconozcas cuál es la primera sensación que tienes del *miedo* en tu boca. Sentí todo el peso del miedo en tu boca..., ¿es áspero, sedoso, te deja la boca seca? ¿Qué te dicen esas sensaciones de las decisiones que tomaste desde el miedo? ¿Lo podés tragar? ¿Podés tomar otro sorbo? Y ahora... ¿qué sentís? ¿Qué recuerdo te deja el miedo en la boca?

Para terminar, mira profundamente tu copa, conéctate con ella y escucha qué consejo te da el vino sobre el miedo, qué viste, qué podés aprender. Escribí todos los mensajes. Cuando hayas terminado de recibir toda la información que el vino tenía para darte, alza tu copa para agradecerle al vino y a vos mismo por haber transitado la experiencia.

Siempre es preciso, después de la dinámica, hacer unos minutos de silencio, dejar decantar y asentar lo vivido: porque en realidad cada respuesta que diste sobre el vino estaba hablando más sobre vos que sobre el vino, hablaba sobre tu vida.

Lo que vemos, lo que decimos, lo que pensamos, lo que sentimos determina el mundo que vivimos. El cuento que nos contamos y desde donde hacemos lo que hacemos.

A través de esta dinámica, pusiste en práctica la intuición, percepción, enfoque, reconocimiento y decisiones. En el momento de oler, te pusiste en contacto con tu intuición. El olfato es el sentido que, por naturaleza, nos mantuvo vivos. Olimos y aprendimos qué comer. El olfato es el único sentido que está conectado directamente con nuestro cerebro emocional, por eso, olemos algo y se nos dispara un recuerdo, una emoción. Es el más instintivo de los sentidos.

Cuántas veces en una situación determinada frunciste la nariz y exclamaste un «Sí, pero mmm» o directamente afirmas «Esto me huele mal». Ese era tu sentido primitivo dándote información. De ahora en más, te invito a escucharlo y hacerle más caso.

La percepción la relacioné con el oído, aunque percibimos con los cinco sentidos. La percepción son los recortes que hacemos del mundo para oír lo que oímos, ver lo que vemos, sentir lo que sentimos. Qué elegiste escuchar... Mi voz (a través de estas páginas) las preguntas que fui haciendo..., ¿fuiste capaz de escuchar al vino o estabas juzgando lo que estaba pasando?

Enfocar lo asocié con la vista. ¿Sabías que es el sentido que más nos engaña? Si pudiera meterme en sus casas y preguntarles de qué color vieron el vino, tendré tantos colores como participantes. Algunas respuestas suelen ser negro, sangre, granate, oscuro, marrón, rosa, blanco. Es que cada respuesta está en línea con qué vio quien vivió la experiencia.

¿Vemos las cosas como son o vemos las cosas como somos?

¿El vaso estaba medio lleno o medio vacío?

¿Te ves en tu vida como víctima o protagonista?

¿En dónde estás poniendo el poder?

Acordate que donde pones el foco, va tu energía.

Reconocer, asociado al gusto y las sensaciones táctiles de la boca. ¿Sos capaz de reconocerte, de verte, de valorarte, de aceptarte? ¿De aprender de tus experiencias?

Y todo esto finalmente para decidir: lo que hacemos a cada segundo, donde todo lo anterior (intuir, percibir, enfocar, reconocer) pasa la mayoría de las veces en total transparencia. En la vida, aunque digamos que nos cuesta tomar decisiones, estamos decidiendo a cada segundo.

¿Cuántas decisiones y consecuencias viviste hasta hoy?

Seguramente millones.

Revisando mis cuentos, hubo épocas en que me hostigué, me maltraté, me odié por las decisiones que tomé. En cambio, hoy elijo poner gran parte de mi energía en cambiar, en transformarme permanentemente, mejorar. En mi cuento, la premisa fundamental es aceptarme, amarme, disfrutar, reconocer mis sueños con el propósito de trascender, animarme, evolucionar, aprender, compartir e inspirar.

Para hacerlo, el primer cuento que cambié fue sobre el amor, el sentimiento más antiguo del mundo, que apareció después de la emoción más primitiva: el miedo. Donde hay verdadero amor, el miedo se diluye, se esfuma, desaparece. Es que el cerebro solo puede experimentar uno de los dos estados a la vez, o siente frío o siente calor, o siente comodidad o incomodidad, percibe luz u oscuridad. Lo mismo pasa con las emociones. Si estás viviendo las sensaciones generadas por pensamientos de alegría, será imposible estar sumido en la tristeza; si estás en el amor y la confianza, saldrás automáticamente del miedo o la parálisis.

¿Cómo está tu corazón?, ¿sos de entregarte amar o sos de los que se quedan con las ganas?, ¿huis de una relación por miedo?

Descubrí un amor que me parece supremo, es el amor que al aceptar, integra la experiencia tal cual es. Contarme ese cuento me llevó a ensayar una teoría: «Cada uno hace lo que puede con lo que tiene». El razonamiento es así: dejar de esperar que el otro haga, diga o me dé según yo quiero, según mis expectativas. Si logro hacer a un lado mis expectativas, puedo moverme del «quiero» y «deseo». Al hacerlo, activo el modo integro y acepto. ¿Y cómo se hace? Amando. A nosotros mismos y a los otros. Tal cual son y somos. Porque, además, somos en la relación.

¿Qué pasa cuando pongo mis expectativas en los otros? Muchas veces (por no decir siempre) me siento defraudada, al menos yo, porque justamente cada uno hace lo que puede con lo que tiene. Ojo: en ningún momento digo que hay que conformarse. Todo lo contrario, es hacerme parte del problema para ser parte de la solución. Hay que tomar coraje para abrir conversaciones claras, y dejar de jugar a adivinar qué le pasa al otro, y pretender que el otro te adivine. Es preciso escuchar para recibir, indagar para comprender, conectar para validar, y es aprender a decir lo que sentís con amor, a preguntar y escuchar en los silencios. Yo creo que donde hay un dolor, una pelea, una distancia, es porque falta una conversación.

Hoy, ¿estás evitando alguna conversación por miedo a las consecuencias?

Perdemos relaciones y oportunidades por miedo. Miedo a que el otro reaccione, diga o haga de una manera diferente a la que quiero o espero; miedo a ser incapaces de soportar las respuestas. Y por ese miedo, entramos en la rueda del hámster que parece que nos tiene atrapados. Hoy sabes que te podés bajar.

¿Qué pasaría si te animás a hacer eso que venís postergando? O si llamás a esa persona para sanar la relación, aunque ni sepas bien cómo hacerlo. A veces la vida nos sorprende en un segundo, nos pone en frente, en el lugar menos pensado una experiencia que estremece nuestros sentidos, nos abre una puerta a lo desconocido.

La intuición es el alma hablándonos al oído...

Son esas sensaciones que nos alientan o nos frenan a hacer.

¿Cuántas veces te permites escuchar esa voz, para atreverte?

¿Cuántos presentes perfectos perdiste por ignorar esas sensaciones?

¿Quién serías si pudieras escuchar tu intuición?

La intuición es una facultad innata que tenemos por ser humanos. Si te sientes sordo a ella, la buena noticia es que la puedes entrenar, ya que es extraordinaria para tomar decisiones en situaciones en las que la razón sería demasiado lenta o en las que nos falta información.

Gerd Gigerenzer, experto neurocientífico, dice que «cuanta más experiencia tenemos en un área en concreto, más podemos dejarnos llevar por la intuición».

La intuición sería como eso que sabemos y somos inconscientes que lo sabemos, hasta que en un momento dado nos surge. En realidad es muy probable que la estés usando y ni te diste cuenta.

¿Estás siendo más consciente de qué cuentos están sosteniendo tu vida?

Hay emociones que definitivamente, te hacen sentir... Y saber lo que sentís es parte de conocerte. Conocerte para liderarte, para confiar en vos y en la vida. Para saber qué te hace feliz, qué te da paz y qué te la quita. Yo creo que el gran secreto es, cuando estás cómodo, estar dispuesto a soltar la certidumbre de eso conocido para dejar que aflore lo desconocido, que te revela quién sos realmente; esto me sorprendió cuando lo hice. Es navegando en él «no sé qué no sé» que se manifiesta lo inesperado.

¿Estás abierto a lo inesperado?

¿Cuánto tiempo dedicas a conocerte y serte fiel?

Alguna vez te pusiste a pensar qué pasaría si tomas cada cosa que pasó en tu vida como lo mejor que pudo haber pasado en ese momento. Todo, absolutamente todo. Lo que te pareció injusto, lo que querías de una manera y te salió de otra, lo que te dolió, lo que perdiste, lo que te hizo sufrir, lo que te humilló, cuando te abandonaste, esas veces que te rechazaron, las traiciones, todo. Es verdad que dolió, que la pasaste mal, que a lo mejor fuiste víctima de una circunstancia, mi intención es que termines estas páginas con la esperanza de que podés resignificar tu historia. Como yo lo hice con la mía.

Yo creo que cada decisión que tomaste en tu vida te trajo hasta acá (¡a vos y a mí!), y ver «hasta acá» es la oportunidad que tenemos ahora. Llegaste hasta acá de una forma, si te dejaste impactar, si te animaste a reflexionar, a encontrar qué lugar ocupas en tus cuentos, a verte, tenés la oportunidad de llevarte la herramienta de aprender a catarte, a conectarte con la experiencia, a estar atento a lo que sentís, como un gran recurso a la hora de decidir. Tomar el timón de tu vida para ser consciente de tus emociones y usarlas a tu favor.

Lo que viviste hasta hoy, ok, es lo que hay. De acá en adelante: «Crea una vida extraordinaria». Cada uno percibe el mundo desde los cuentos que se cuenta. Si vemos a través del miedo, tenemos un mundo de temor, carencia, egoísmo, competencia. Ahora si elegimos verlo desde el amor y la confianza, vamos a crear una realidad totalmente diferente: de gratitud, abundancia, oportunidad, aprendizaje, resiliencia. Cada cuento habilita una realidad...

Catarte, es conocerte, y eso incluye conocer tu mente, tu cerebro, tu cuerpo, todas las dimensiones de tu ser, conocerte para transformarte.

A esta altura, creo que quedó más que claro que decidir tiene consecuencias. Y vos, ¿estás dispuesto a vivir con las consecuencias de las decisiones que estás tomando, en tu vida?

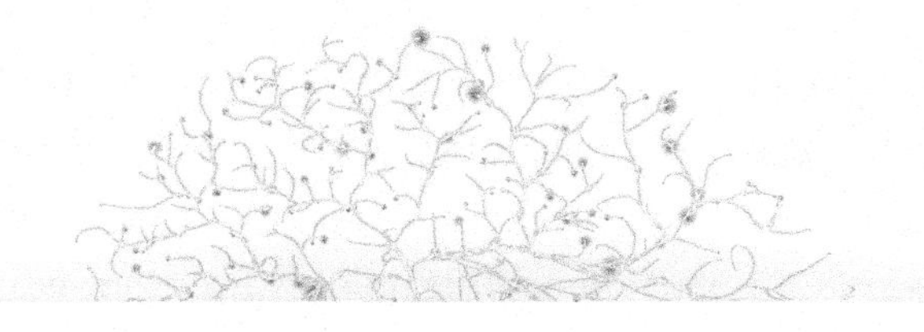

David
Márquez Pacheco

Semblanza
Habiendo sido conferencista en CITEI 2022, evento organizado por la Universidad de Sevilla, y dinamizador de grandes eventos juveniles para el desarrollo de la creatividad, David dirige, junto a su pareja, dos empresas del sector educativo, siendo ambos fundadores de ellas: Optimus Motion Play y Optimus Educación (2012 y 2014 respectivamente). Además es miembro y colaborador de ANEI (Academia de Neurociencia y Educación Internacional). Cabe destacar su éxito en el acompañamiento cercano y honesto que lleva a cabo con docentes, familias, adultos, y menores, facilitando un espacio donde las personas desarrollan su mayor potencial humano mediante su propia metodología, integrando el uso de las nuevas tecnologías, así como los últimos avances en neurociencia.

David destaca por su motivación y energía positiva. Para él, fue crucial el entorno familiar y juvenil, ya que la influencia religiosa que recibió le acercó a tener una espiritualidad de servicio a los demás y a desarrollarse desde muy joven tanto personal como profesionalmente.

Intención
Sinceramente siento celos sabiendo que estás leyendo este texto por primera vez y del momento que experimentes **nuevas conexiones neuronales a través de inyecciones de felicidad y amor propio**. Y claro, llegado este momento, te invito a dedicarte unos minutos, horas, o el tiempo que precises y te quieras o puedas permitir, para tomar consciencia de **tu presente**, identificar de algún modo **tu vocación**, o parte de ella, o incluso resignificarla. Detecta la llamada a cumplirla, neutraliza o encaja los miedos que bloquean tu día a día en lo personal, profesional, docente, e incluso familiar.

Llega a sentir, escuchar, pensar, ver, y decir: «Mi labor es excelente».

LA VOCACIÓN ES MI HISTORIA. ¿YA FUISTE A OLLIVANDERS?

> *«Mira y observa los secretos mágicos que hay detrás de cada situación en tu propio inconsciente».*
>
> **—David Márquez.**

Imagina que, desde que eras niño, has trabajado duro para hacer realidad los deseos de tu familia; los de tus padres, hermanos, tíos, y abuelos. Siempre has puesto sus necesidades antes que las tuyas, y has logrado mucho. Pero, ¿te has tomado el tiempo para hacer realidad tus propios deseos?

Es hora de centrarte en lo que quieres.

¡Hola! Es totalmente comprensible que llegues a identificarte con mi historia. Crecí creyendo que tenía que hacer lo que otras personas me pedían, proyectaban, y transferían y no era consciente de lo difícil que era cumplir con las expectativas de los demás, para empezar, las de mis padres. Incluso ahora encuentro algunas creencias, que ni siquiera sé por qué, o de dónde proceden, creo que es por absorber todas las ideas y creencias que me rodeaban. ¡Vale! ¿Algo de esto te suena familiar?

Bueno, continúo que no quiero que pierdan el hilo de este capítulo.

Hoy día agradezco esos y otros muchos aprendizajes a lo largo de mi vida y «en casa», como yo digo, sobre todo por el amor de mis padres, la constancia, el esfuerzo, ser respetuoso, saber la importancia de la disciplina, tener normas, y saber escuchar, recibir y dar órdenes.

«Mira y observa» o «¡El mejor médico es uno mismo!» me sigue repitiendo mi padre. O por ejemplo desde que aprendí a leer, con tan solo seis años, comencé mis primeros años a compartir el análisis de la vida de Jesús, en la biblia, con mi madre.

Ella me preguntaba después de elegir una lectura al azar: «¿Cómo puede influir esta lectura del evangelio que acabas de leer en tu día a día? ¿Y en casa? ¿O en el colegio?».

Obviamente es claro que me interpelaba en mi vida diaria lo que podía extraer del evangelio en aquellos momentos, pero este capítulo no tiene esa finalidad por supuesto.

En mi caso no puedo dejar de reconocer que hay mucha sabiduría en mis padres, y otros muchos valores al fin y al cabo. En las primeras etapas de la vida de las personas, tenemos un cerebro que es una súper esponja que aprende de manera vertiginosa y sin filtros.

Y esto no lo digo por decir, como un dicho popular, me baso en el estudio y la práctica que he llevado a cabo durante los últimos años en neurociencia, en la Academia de Neurociencia y Educación internacional y que así comenzaba a descubrir cómo aprendió mi cerebro en mi infancia.

«Qué bello me sigue pareciendo entender cómo somos los seres humanos».

Incluso antes de mi nacimiento descubrí que nacieron más de 720 millones de neuronas al día en la neurogénesis. Y hoy se sabe que todo nuestro cuerpo está en continuo aprendizaje a través de conexiones neuronales nuevas y reforzando conexiones antiguas (a las conexiones entre neuronas se les denomina sinapsis).

Probablemente te haya venido un recuerdo de la infancia, con tus padres o con aquellos que te acompañaron en los primeros años de vida. Párate a pensar por un momento lo vivido con ellos. En mi caso, una vez pasada la adolescencia y entrando en la edad adulta, me hizo ver y reconocer que siempre he tenido los mejores padres que podía tener. Hicieron y siguen haciendo lo mejor con las herramientas que aprendieron y aprenden en su vida, mostrando su mejor perfil para presentarnos un ejemplo vivo de resiliencia, superación, y amor sin límites. Incluso en la enfermedad y con sus consecuencias de la avanzada edad, nos expresan y ofrecen un modelo de vida de actitud positiva en busca de la felicidad.

El aprendizaje ofrecido y afectuoso a modo de modelo de referencia de mis padres como la determinación, la perseverancia y el esfuerzo continuo de lucha que nos enseña a mis hermanos y a mí cada día, tiene una repercusión directa. Está demostrado científicamente que las personas, los lugares, y las cosas que encontramos a lo largo de la vida tienen un impacto significativo en cómo aprenden nuestros cerebros. Tenemos control sobre los entornos que elegimos ya cuando somos adultos, lo que da forma a nuestro aprendizaje.

El profesor Dr. Ernst Pöppel de la Universidad de Munich es un referente en el tema, con sus investigaciones en el ámbito del lenguaje, la comunicación, y la influencia del estado emocional en el momento de guardar experiencias o conceptos abstractos en la memoria.

¡Bien! Dibuja en tu mente una línea del tiempo donde estén presentes las etapas/entornos más importantes de tu vida.

Estos entornos a los que hacía referencia antes. Seguramente te vendrán a la memoria momentos que fueron lo suficientemente emocionantes para que estén ahí presentes en tu mente. Hoy día, reconociendo cómo se crea la memoria, he aprendido que tenemos diferentes tipos. Sin embargo, es la memoria a largo plazo la que me interesa explicarte en las siguientes líneas.

Con mucha emoción te compartiré además mi experiencia de vida, mi formación académica y profesional en neurociencia con ANE, y mencionaré hallazgos que refuerzan y dan soporte a mi pasión por ayudar a jóvenes y adultos a encontrar sus propios caminos. ¡Con un guiño mágico, estoy aquí para empoderarte e inspirarte en tu viaje!

Píldora mágica

> *«Son nuestras elecciones, Harry, las que muestran quienes somos realmente, mucho más que nuestras habilidades».*
>
> ***—Albus Dumbledore en Harry Potter y la cámara secreta.***

¡Ah, adolescencia!

Si ya has pasado por esta etapa, probablemente sepas cómo es. Si no, ¡te espera un viaje interesante! Y esto no ha hecho más que empezar.

Es posible que los padres no siempre entienden a los adolescentes, y los adolescentes pueden sentir que ellos a sus padres tampoco. Con lo cual vaya fastidio para unos y para los otros. Es mucho para manejar, especialmente con todas las emociones y diferencias personales que surgen. ¿Te suena familiar? En mi caso fue, por qué no decirlo, TRASCENDENTAL.

En esta etapa viví una revolución en todos los sentidos, emocional, social, creativa y cómo no, también hormonal, entre otras cosas. ¿Te acuerdas de aquella etapa? Aquella etapa adolescente ahora cobra aún más sentido para mí. He aprendido últimamente en mi formación algo diferente en el transcurso de los años y es ahora que con las últimas investigaciones en neurociencia empiezo a encontrar respuestas que antes no estaban a mi alcance e incluso ni se sabían.

Como te decía, a lo largo de los años la explicación del funcionamiento del cerebro se explicaba de muchas maneras, que si cerebro triuno en el año 60, que los 4 cuadrantes de Hermand en el 89, o los hemisferios divididos, y en estos últimos años se identifica y puede demostrar que tenemos un cerebro emocional, social, y creativo. Esto último es gracias a los avances tecnológicos en los laboratorios neurocientíficos donde utilizan resonancias magnéticas transcraneales.

¡Ey! Volvamos ahora a este momento, a este preciso instante.

¿Tienes un grupo de personas con las que te sientes o te has sentido conectado?

Te garantizo que sí, lo hay o lo hubo (te lo explico más adelante).

Lo tienes o tuviste tal vez con tu pareja, un familiar, o compañero de clase, con vecinos o incluso amigos. Cada uno de nosotros tiene una experiencia de vida diferente, al igual que cada cerebro es único, así cada persona normalmente tiene la capacidad de tomar sus propias decisiones como tú. Ya lo decía *Albus Dumbledore* en la cita más arriba. Todos estamos expuestos a diferentes experiencias o situaciones que pueden empoderarnos o derribarnos.

Según mi experiencia y contrastando mi formación continua en neurociencia, he aprendido a valorar que aquello que nos rodea afecta instantáneamente y de forma inconsciente en nuestro cerebro; las imágenes, personas, lugares, o cosas, no pasan inadvertidas para nuestros sentidos y por ende para nuestras neuronas, que no tienen otra labor más que generar conexiones ininterrumpidamente durante toda la vida.

He experimentado cómo me han influido experiencias emocionantes tan agradables como: iniciar en mi juventud mi proceso de personalización, ser padre, construir varias empresas (esto aún no se potencia en el sistema educativo obligatorio), y otras menos agradables como la separación de mis hijas tras un divorcio, que marcaron mi vida, pensando que era inamovible dicha separación y el dolor que esto me suponía.

Es gracias a la neurociencia que he aprendido a identificar que las personas poseemos herramientas para lograr cambiar aquello que puede parecer inicialmente inamovible.

En mi caso, a través de ejercitar la meditación, entrenar la propiocepción, y poner conciencia a mis estados mentales de relajación, excitación, y estrés, y con el acompañamiento de Nieves (directora Tutora) en ANE, he obtenido la oportunidad de permitirme identificar cómo funciona mi cerebro.

Como ejemplo, en cualquier momento del día y con entrenamiento puedo parar y distinguir cuándo estoy alterado conmigo mismo o incluso con las relaciones personales. Lo cual me hace entrar en estado de alerta e identificar qué me está ocurriendo en ese momento.

Cuando me encuentro trabajando en periodos largos de alta concentración, percibo cansancio y estrés por el desgaste de energía. Esto lo he logrado identificar a través de las ondas cerebrales a las que expongo a mi cerebro. En este caso ondas beta cuando estoy respondiendo desde el consciente y estados de relativo estrés, y llevar a mi cerebro a un tiempo prolongado me obliga a tomar medidas para contrarrestarlo, llevando a mi cerebro a ondas alfa a través del descanso y meditación. Francamente es una satisfacción tener el recurso de conocerme un poco más y compartirlo con mis clientes a modo de ejemplo.

Ya sea en el estudio con los alumnos o en la casa con la vida familiar.

También he estudiado y comprobado que estas situaciones de estrés suelen ir acompañadas de un aumento de adrenalina y cortisol siendo esta bioquímica la que me hace sentir cierto estado de ánimo; lo que hago en estos casos es buscar el equilibrio al parar en la actividad que esté desarrollando en ese momento, tomar consciencia de mi situación, y realizar ejercicios de respiración y atención sostenida. Es ahí donde experimento cambios en mi estado de ánimo, ya que con las actividades de calma, se segregan neurotransmisores como gaba o serotonina, neurotransmisores que me hacen tener una sensación placentera de tranquilidad y otros beneficios.

Tomar conciencia del funcionamiento de antiguas rutas neuronales creadas en mi etapa infantil y juvenil me ha ayudado a entender cómo generé también parte de mis creencias y pensamientos de forma inconsciente, y a mi desconocimiento de cómo funcionaba mi cerebro sobre todo en la etapa de estudios donde no conocía cómo el cerebro aprende, o lo que es lo mismo, cómo aprendemos las personas. No sé si te sientes identificado cuando te evalúan en el sistema educativo por la cantidad de conocimientos memorizados y técnicos y no por cómo te conoces a ti mismo y tus propias herramientas neuronales, aprender a aprender como aprende el cerebro.

Es aquí donde mi vocación cobra más sentido, atendiendo a la sensibilidad que tengo por acompañar a las personas en su desarrollo personal y tratar de democratizar la neurociencia desde la humildad del descubrimiento personal propio, y utilizar las herramientas tecnológicas y nuevas investigaciones que vayan surgiendo.

En mi caso practico y entreno mi cerebro de diferentes modos:

- Me permito unos diez minutos al día de percibir y experimentar mis sensaciones, respirar con conciencia, la temperatura, y decirme mentalmente «Hoy, ahora, puedo elegir empezar el mejor día posible», y detectar en las sensaciones del cuerpo que el presente es un regalo de oportunidades de aprendizaje y es mi responsabilidad aprovecharlo. Y sin necesidad de ser mi cumpleaños, regalarme el día y transmitir y compartir ya sea a través de una imagen o frase a aquellos que me rodean.
- Entreno en mi día a día creando espacios de aprendizaje y encuentros con uno mismo con los que me rodean, esto me afecta neuronalmente y tras repetición no solo en diferentes estados de ondas cerebrales, sino también en nuevas rutas neuronales para enriquecer nuestros aprendizajes y por ende la neuroplasticidad.
- Visualizo y soy consciente de mis logros y las decisiones que me llevaron a conseguirlos, con lo cual refuerzo las redes de conexiones neuronales ya existentes y ayudo a mi cerebro a relacionarlas con las propuestas en el presente. Esto genera en mí y mis clientes dopamina a través de la bioquímica de los neurotransmisores, estimulando el trabajo al nuevo aprendizaje y la motivación a la acción. Es un clic tan potente como decía Aristóteles: «Dame un punto de apoyo y moveré el mundo».
- Aprendo y comparto cuando detecto los estados y ondas cerebrales a las que expongo y exponemos nuestra mente y cuerpo, nos llevan a asumir una responsabilidad gratificante que nos evita en gran medida el victimismo que a veces percibimos del entorno que nos rodea.
- Busco actividades que fomenten la segregación de determinados neurotransmisores necesarios en la vida diaria, para responsabilizarme de mi estado necesario en cada momento del día al que estamos expuestos.

- Identifico mis experiencias a través de la meditación para encontrar la esencia y recursos así como me han influenciado positivamente todas las personas con las que me he relacionado, ya sean con experiencias agradables o no tanto, y mis recursos que me han acompañado en estas etapas.

Permítanme compartirte mi humilde experiencia, no es más que una simple propuesta de un camino, como el de otra persona cualquiera. Es mi intención desvelar quién está detrás de este capítulo ofreciendo mis palabras, utilizando lo que descubrirán de «mi varita mágica».

Cuando era adolescente, y estoy seguro de que podrás identificarte con esto, no estaba seguro de lo que el futuro me tenía reservado.

En mi caso, reconozco que era muy susceptible al entorno que me rodeaba y aún no tenía la madurez ni herramientas para gestionar emocionalmente mis sentimientos y emociones. Sentía mucha presión con las horas de estudio, con las expectativas que me creaba yo mismo de un futuro con muchas horas de trabajo al ver a mi padre levantándose a las cinco y media de la mañana hasta las siete u ocho de la tarde, y la posible inseguridad financiera que tendría si no obtuviera un título universitario que me «garantizara» un futuro sueño americano. A eso debo añadir fuera del diálogo interno familiar, que yo percibía la presión mediática de los anuncios en todos los medios de comunicación sobre todo televisivos; sobre todo comprar cosas que no necesitábamos en aquel entonces, como solía decir mi padre: «Si ya tenemos en casa una silla para todos, ¿para qué queremos otro juego de sillas?» En mi mente era difícil ignorar la promesa de comodidad y conveniencia de los últimos productos del mercado, especialmente cuando todo el mundo parecía estar comprándose, aquí no filtraba y era yo el que compraba esas necesidades y sobre todo necesidad innecesaria valga la redundancia.

Estos pensamientos estresantes y limitantes me acompañaban en mi día a día y comenzaron a pasar factura, en los estudios, en casa y mi ilusión juvenil ya en la etapa adolescente, eso es lo que me llevó a uno de los motivos de mi crisis existencial.

Bendita crisis. Y ahora entenderán a qué me refiero. En mi etapa de primaria, quería ser como mi vecino futbolista que se llamaba Durán. En aquel momento era mi héroe, yo quería jugar en la selección del colegio como él, era mi meta más próxima y tenía que lograrlo. Esto me hacía ver un futuro empoderante y estimulante, ya que se me daba muy bien, reconocido por familiares, amigos y profesores. Y lo conseguí, de hecho desde muy pequeño participé en actividades deportivas en el colegio Salesiano, y que luego resultó ser el Oratorio Don Bosco. Fue entonces que con el paso de los años terminé siendo yo quien dinamizaba inicialmente dichas actividades, esta etapa me ofreció la posibilidad de conocer la figura de San Juan Bosco, el santo de los jóvenes y experimentar en primera persona acoger a otros niños en el oratorio como yo fui acogido.

A través de esta experiencia, tuve la oportunidad de ser parte de grupos de fe increíbles. Estos grupos me proporcionaron un espacio reconfortante y significativo lejos del consumismo y el materialismo que sentía y que estaba abrumando mi vida. En ese momento, estaba luchando por encontrar un propósito y esperanza para el futuro, pero ser parte de estos grupos me dio una perspectiva completamente nueva. A modo de cotilleo aún soy miembro de la Asociación de Salesianos Cooperadores.

El centro juvenil al que asistí durante mi adolescencia tenía una gran propuesta para nosotros, para mí: un **proyecto de vida personal** para cada año escolar. Tuve la oportunidad de reflexionar con otros adolescentes que tenían preocupaciones similares, así como compartir nuestras propias experiencias. ¡Fue realmente algo especial! Sin embargo seguía habiendo en mi mente un gran desajuste entre lo que me ofrecía la sociedad de consumo y dedicarme a los jóvenes o más bien a desarrollar **mi proyecto personal de vida**.

Incluso me plantee la vida religiosa. Sí, así es, una vida dedicada a los jóvenes. Mi madre me decía «Con el tiempo que te llevas en el colegio (Centro Juvenil) solo te falta llevarte la cama». Finalmente mi corta pero intensa experiencia de vida religiosa conventual fue con los franciscanos. La espiritualidad de San Francisco de Asís me interpela tanto como la de San Juan Bosco. Te recomiendo que investigues; siguen siendo modelos de vida actuales.

Momento crucial en mi vida.

Reconozco que fue una experiencia religiosa y personal única y que todavía perdura en mi día a día. El Padrecito Florencio, como le llaman en el Amazonas, es mi mentor y también director espiritual franciscano, quien aún me sigue acompañando, así como yo a él. Me facilitó un espacio de aprendizaje personal, donde tomar las riendas y responsabilidad de mis actos, aprender a desaprender hábitos que empecé a entender no había elegido y podría cambiar, saber y reconocer la posibilidad de responder a la llamada de la vocación. Su propuesta era clara, decía: «Para ser Franciscano, primero debes ser Cristiano, y antes Persona». Explicado brevemente, crear mi ser, mis metas, lograr desaprender lo aprendido para adquirir el hábito de desaprender viejas rutas y crear nuevas rutas necesarias para la vida, el crecimiento, y dar respuesta a mi vocación personal.

Desde entonces, **comencé un camino de crecimiento y desarrollo personal que ha servido de modelo a seguir y es**

mi vocación **acompañar así a otras personas, a través de charlas, conferencias y acciones formativas a empleados y docentes como a alumnos de todas las edades.**

A modo de propuesta te comparto más píldoras mágicas, que son las que me invitan a la reflexión y te puedan inspirar a encontrar tu vocación con los recursos y formación en neurociencia.

- Busco un lugar donde me sienta tranquilo y en silencio conmigo mismo. Me tomo el tiempo que precise.

- Permitirme unos diez minutos para mí podrá ser un regalazo sin necesidad de ser mi cumpleaños. Y además escribo mi reflexión y la hago visible. Una imagen (gráfica) vale más que mil palabras.

Píldora mágica

> *«Se puede vivir sin alma, mientras sigan funcionando el cerebro y el corazón. Pero no se puede tener conciencia de uno mismo, ni memoria, ni nada. No hay ninguna posibilidad de recuperarse. Uno se limita a existir como una concha vacía».*
>
> ***—Remus Lupin en Harry Potter y el prisionero de Azkaban.***

Mi maestría de personalización como escuela de vida. Neurosteam: Una metodología propia con el aprendizaje continuo y fundamentos en Neurociencia

Como explican Frascesc Miralles y Hector García en el libro Ikigai, para llegar a la Maestría se precisa:

«*La perseverancia, el ganbarimasu, es indispensable, tú eliges cuántos años puedes o quieres darte para lograr tu objetivo*».

Yo lo versiono a la respuesta a la Vocación Personal y Sentido de la Vida

Las cuentas no engañan:
8 horas diarias x 5 días a la semana= 5 años.
4 horas diarias x 5 días a la semana= 10 años.
2 horas diarias x 5 días a la semana= 20 años.
1 hora diaria x 5 días a la semana= 40 años.

- He dado respuesta a todos los retos de mi vida y detectar qué conexiones neuronales y aprendizajes se han generado. A través de mi formación voy comprendiendo los procesos que puedo llevar a cabo en mi día a día.
- Le dedico la mayoría de las horas, días, semanas o años a...

  ¿Qué rutas neuronales han marcado y están determinando mi día a día?
- Es posible que no tenga aún clara mi vocación. Yo elijo cuando es el momento...

  Aprender el funcionamiento de mi cerebro es mi responsabilidad y me da la satisfacción de conocer un poder que antes no tenía.

Píldora mágica

> *«Trabajar duro es importante, pero hay algo que importa más: creer en ti mismo».*
>
> ***—Harry Potter en Harry Potter y la orden del fénix.***

Conocernos, comprendernos, aceptarnos y amarnos

Reconocernos en cada etapa de la vida para comprendernos como personas vulnerables y a su vez con fortalezas que son las que nos hacen ser lo que somos y como nos han influido para llegar al día de hoy. Aceptar a nuestro cerebro emocional, social, y creativo en continua evolución. Puedes googlear en qué consiste la Neuroplasticidad. Te sorprenderá.

Reconocer la importancia de estar presentes, es en lo único que podemos influir en nuestra realidad, ya que el pasado es inamovible y el futuro es incierto, es necesario identificar en cada instante y tomar consciencia de la importancia de las palabras que emitimos, del ejemplo que damos y reflejamos en los demás, y que, a su vez, nos afecta a nosotros mismos de manera consciente e inconsciente (te invito a investigar por tu cuenta y profundizar sobre las neuronas espejo en este aspecto de la comunicación que cada día llevamos a cabo).

- Viviendo en el presente, identifico cuáles son las palabras y emociones con las que me comunico con los demás, por ejemplo;
  miedo a...
  alegría por...
  tristeza de...
  ....
- Y conmigo mismo. Qué existe detrás de esas emociones...

Píldora mágica

> *«Las palabras son, en mi no tan humilde opinión, nuestra más inagotable fuente de magia, capaces de infligir daño y de remediarlo».*
>
> ***—Albus Dumbledore, en Harry Potter y la piedra filosofal.***

Es tal la situación, que no somos, en ocasiones, lo suficientemente cautelosos con nuestro lenguaje y tampoco somos conscientes de todas las impresiones que nuestro cerebro va adquiriendo a lo largo de nuestra vida, en cada momento y situación vivida, ya sea a raíz de una conversación con un familiar, amigo, socio, empleado, alumnado, compañero de clase. ¡Ah! Y recuerda, ¡las personas en nuestras vidas son una parte importante de nuestro viaje! Las personas con las que elegimos rodearnos pueden estimular nuestros pensamientos y ayudarnos a co-crear nuevas vías neuronales. Los estudios sugieren que las cinco personas con las que más interactuamos a diario pueden tener un gran impacto en nuestras vidas. Nuestro cerebro percibe muchísimo más de lo que nuestra capacidad consciente es capaz de reconocer. Neuroaprendizaje.

La forma en que usamos las palabras puede tener un gran impacto en nuestra programación neurolingüística (puedes googlear qué es esto de la PNL). Como los sabios médicos, filósofos y eruditos antiguos han dicho durante siglos, las palabras pueden ser tan poderosas, ¡incluso pueden sanar o iniciar guerras!

- Enumero qué beneficios co-creo en mis relaciones...
- Siendo responsable de mis pensamientos, puedo seleccionar a cuáles decido darles valor. Anoto a continuación cuáles son los que más se me repiten durante el día y podría dejarlos pasar...

(El cerebro creativo se encarga de enviarte pensamientos continuamente. Seguro encontrarás aquel que te hará continuar. Al fin y al cabo son pensamientos y no hechos).

¡Hola! Si ya vas por esta página, quiere decir que he logrado captar tu atención. Espero te esté sirviendo, y si es así, también le estará repercutiendo a tu entorno.

Depende de ti decidir qué tan feliz quieres ser, que sepas que esto de ser «feliz» no está determinado por el grupo o el entorno en el que te encuentras.

¿Por qué no probar algo nuevo y ver qué pasa?

Como Albert Einstein dijo una vez:

«Si quieres un resultado diferente, ¡no sigas haciendo lo mismo!».

¡Imagina ser consciente de todas las habilidades y recursos que se generan en nuestro cerebro todos los días y que podrían mejorar tu vida y experiencia! Lo que nos influye, lo que aceptamos, los estímulos que recibimos, las cosas que captan nuestros sentidos, las palabras que escuchamos y cómo nos afectan en cada situación por la que pasamos, ¡vale la pena considerarlo!

Seamos francos.

Inconscientemente no nos damos cuenta de la cantidad de tiempo que pasamos expuestos a las opiniones y mensajes de los demás, a través de Internet, las redes sociales y la televisión, y esto realmente puede afectar la cantidad de control que tomamos de nuestras propias vidas.

Pongamos un ejemplo: En estos días, no es de extrañar que los niños y adolescentes estén constantemente charlando con sus compañeros. A pesar de que están rodeados cada día por compañeros de clase, maestros, y tareas, generalmente tienen un dispositivo como un teléfono, un altavoz inteligente, o un servicio de transmisión con ellos. Esto puede llevar a una falta de originalidad, lo que puede tener un efecto en su crecimiento personal y profesional, incluso si no son conscientes de ello. ¿Hay alguna manera de fomentar su individualidad? ¿Necesitamos una sociedad de personas jóvenes sin sentido de la vida?

Como formador de formadores, me he cerciorado en diferentes situaciones de mi carrera profesional de lo importante que es acompañar a otras personas en la etapa de adultez. El papel del padre y de la madre se ven íntimamente relacionados con la responsabilidad hacia el hijo o hija, por eso es vital también ser conscientes del rol de ambos ya que es un modelo de referencia para el futuro.

El adulto debe estar atento al entorno influyente al que su hijo o hija se expone continuamente y tener conciencia de cómo van asumiendo las diferentes vivencias que van moldeando su personalidad. También es de vital importancia facilitar a los jóvenes una situación en la que puedan expresar sus emociones y sentimientos y qué necesidad requieren o qué capacidades están adquiriendo en dichos entornos. Una decisión inteligente en caso de necesitar ayuda como padres, es buscar especialistas que les acompañen en esta aventura donde no deben sentirse solos ni víctimas de falta de recursos.

Hoy día nos encontramos en una revolución a nivel educativo. Toman fuerza las nuevas metodologías y las herramientas que van de la mano de la neurociencia a través del neuroaprendizaje, como puede ser el caso de la neuroeducación

La vocación es mi historia. ¿Ya fuiste a Ollivanders?

En el título de este capítulo se hace referencia a la famosa saga de Harry Potter, donde el protagonista, en momentos previos a ingresar en Hogwarts, necesita adquirir un objeto un tanto especial: una varita mágica para poder invocar los hechizos que más tarde aprenderá en el conocido Colegio de Magia y Hechicería. Realmente, no es Harry quien elige la varita, ¿recuerdas? Sino la propia varita la que tiene la capacidad de conexión con la persona y es quien elige a su futuro portador.

De esta manera, pretendo poner en valor a la **persona creativa, social, y emocional** frente a la adquisición del conocimiento. Y es a través de mi formación en ANE que me inspiró a darle fundamentación científica y la importancia de adquirir cada uno su varita mágica.

Como decía Albert Einstein:

«El conocimiento es limitado, la imaginación y creatividad, infinitas».

En este punto, podemos parar a reflexionar: ¿qué hay de la vocación? ¿Y si es la profesión la que elige a la persona? Podemos entender el término «vocación» como la inclinación hacia una profesión o carrera, como la respuesta a una llamada de actuación en el día a día, en la que se percibe sensibilidad y motivación a realizar aquello que da sentido a la vida. Se trata de encontrar aquello en lo que el tiempo pasa muy rápido, aquello que, además, motiva a la persona a seguir haciéndolo porque le produce felicidad y satisfacción, en definitiva sentirse autorrealizado.

Cada día trae nuevas oportunidades y desafíos y no podemos predecir el futuro, pero podemos asumir la responsabilidad de cómo abordamos estas situaciones. No dejes que el miedo te detenga, sino que aprovecha la oportunidad de nuevos aprendizajes y experiencias, para abrirte a la sorpresa que te espera. Así es como aprendemos resiliencia y aprovechamos nuestros cerebros creativos.

Todos somos únicos, y eso significa que nuestras experiencias y resultados en la vida pueden ser diferentes. Podríamos haber tenido resultados variados, algunos más satisfactorios que otros, pero todos nos han enseñado algo. Cada experiencia crea nuevas vías neuronales que nos ayudan a crecer y desarrollarnos.

Las personas que nos rodean se encuentran en diferentes experiencias también; no podemos transmitir nuestra capacidad adquirida, ya sea la gestión emocional, hábitos, o habilidades adquiridas, pero podemos ser un modelo a seguir para quienes nos rodean, y eso podría tener efectos positivos, conscientes o inconscientes, en ellos.

Es fácil sentirse abrumado por el miedo, pero es importante recordar que este no nos ayudará. En lugar de permitir que el miedo cause pensamientos negativos y expectativas pesimistas, centrémonos en lo que podemos hacer ahora mismo para progresar.

Es el caso entonces de la importancia de tener una actitud positiva y pensamientos positivos en el día a día, en cada momento co-crear esa paz y esa felicidad a través de acciones que nos den la oportunidad de experimentar nuevas experiencias.

Exploremos las muchas posibilidades que la vida tiene para ofrecer y abrirnos a una nueva realidad. Tenemos el poder de crear nuestro propio futuro y tomar posesión de nuestros pensamientos positivos. Cada vez que surja un pensamiento, recuerda que es solo una idea y no un hecho. Déjalo pasar y surgirá otro pensamiento.

En mis acompañamientos invito a favorecer la toma de conciencia y reflexión.

Por ejemplo en sesiones de orientación vocacional planteo los siguientes supuestos:

- Si un objetivo se plantea para un futuro, y el futuro es incierto, ¿qué miedos intentan resolver antes incluso de que se cumplan?
- ¿Se han planteado que pueden elegir estar abiertos o abiertas a vivir el presente?

Planteando una nueva adquisición de conocimiento.

Es de vital importancia para nuestro cerebro relacionar con nuestros aprendizajes ya aprendidos en el pasado aquello que necesitamos aprender o comunicar.

Nos trasladan que es necesario para nuestro día a día la importancia de la motivación de cada persona. Suena utópico, en cambio está en el entorno, en las personas que nos acompañan, en los compañeros el tener la confianza y la paz para transmitir la motivación intrínseca que tenemos y existe.

Cada alumno, cada individuo viene de un entorno diferente con unas necesidades básicas a veces cubiertas y otras veces no, y esas necesidades básicas pueden ser la alimentación, la sanidad, y una parte muy importante el equilibrio emocional, el sentir la confianza de que tanto en casa, en el trabajo, como en el centro educativo como en el grupo, nos sentimos piezas importantes y protagonistas de este rompecabezas de cada día y de nuestra propia vida.

Una vez creado ese espacio de escucha, confianza y de libertad para cada individuo sea niño o adulto, es necesario hacer esa conexión a través del tema a tratar, asignatura, o área.

Como ejemplo en la experiencia en aula con los docentes invito a que demos un paso atrás de nuestro ajetreo diario de productividad y pongamos énfasis en la comunicación, escuchar, estar presentes, y facilitar. Esto se puede aplicar a nuestros proyectos personales, objetivos de ventas y plan de estudios educativo, ofrecer empatía por la persona con la que estamos hablando. Sin conexión, nos encontraremos solos y ausentes de nuestros interlocutores.

Al practicar regularmente, podemos reforzar nuestras conexiones neuronales, fortalecer nuestro aprendizaje, y desarrollar nuevos hábitos que nos ayuden a ser mejores en lo que sea que estemos haciendo. Aquí es donde la determinación y la toma de decisiones entran en juego, y podemos crear nuestro propio camino hacia adelante. Enseñemos a dar un paso, luego otro, y otro. Ayudar al cerebro a recordar logros y conexiones ya creadas.

Quiero apuntar que la educación, el crecimiento y el desarrollo personal no dependen y no pueden solo ser responsabilidad del sistema que nos toca, ya sea de una población o de una nación, de ahí la importancia de facilitar y crear ese espacio, esa habilidad a cada individuo, a cada alumno, para aumentar su educación a través de nuevas acciones formativas. Que importante es la democratización de conocer nuestro cerebro.

Depende de nosotros hacernos cargo de nuestro crecimiento personal, educativo y profesional. Podemos hacer esto reflexionando sobre nuestras propias experiencias, sumergiéndonos en diferentes entornos y practicando con diferentes herramientas.

Hoy en día, estamos en medio de una revolución digital que nos ha ayudado durante siglos a mejorar nuestra calidad de vida. Con chatGPT, la inteligencia artificial está recopilando información de la red que las personas han compartido, lo que nos permite obtener nuevos conocimientos, aprender nuevos procesos, e incluso explorar experiencias de otras partes del mundo que de otro modo podrían ser desconocidas para nosotros.

Reconocer la singularidad de nuestros cerebros es algo que todos debemos esforzarnos por hacer, ¡es muy importante y beneficioso!

Recordemos que los caminos que tomamos hoy fueron posibles gracias a personas como nosotros, personas que creyeron en sí mismas y se arriesgaron para encontrar nuevas soluciones. Comenzaron algo y el resto de nosotros pudimos construir sobre ello, creando nuevas rutas, nuevas oportunidades de aprendizaje, y nuevos avances en tecnología. Inspirémonos en ellos y tomemos los caminos que se han trazado para nosotros.

Somos únicos y originales.

¡Exploremos nuevas rutas juntos y creamos nuestro propio camino! Puede ser más fácil tomar una ruta que alguien más ya ha hecho, pero es mucho más gratificante hacer la nuestra. Tomar la iniciativa de crear algo nuevo es importante, ya que puede conducir a valiosas experiencias de aprendizaje.

Abordemos cada desafío diario con una mente abierta y un afán de buscar nuevos resultados.

Dicho todo esto, es importante tener la confianza y la capacidad de asumir riesgos y probar cosas nuevas para encontrar soluciones a los desafíos diarios de la vida. Nuestros propios caminos y decisiones dan forma a nuestras vocaciones, y debemos esforzarnos por contribuir con nuestra capacidad a la vida de quienes nos rodean. También debemos buscar la guía de aquellos que han pasado por experiencias similares, pero nunca olvidar que los caminos que elegimos son nuestra propia responsabilidad. Por ejemplo, los caminos tomados por los niños están moldeados por las decisiones de los adultos en sus vidas.

Comparto mis ejercicios que me han valido para nuevas rutas neuronales.

- Reconozco los senderos que otros crearon y he transitado, como ejemplo...
  De mis padres....
  Maestros...
  Líderes...
- También he tomado mis propias decisiones sobre nuevas rutas, como ejemplo...
  En mi entorno...
  En mi familia...
  En mi educación...
- En mi vida personal he sido consciente de los recursos obtenidos y que solo yo he resuelto como...

A lo largo de toda esta experiencia de vida, en la educación, como venimos hablando, es importante el entorno, el colegio, la familia, los amigos, el comportamiento de todas esas personas, las decisiones que tomamos y que hemos tomado a lo largo de nuestras etapas, ya sean educativas, familiares, o sociales, nuestro cerebro es creativo, nuestro cerebro es social, y nuestro cerebro es emocional, siente emociones a veces positivas o agradables y otras veces no tan agradables. Esas emociones son aprendizajes que vamos adquiriendo de forma consciente e inconscientemente, pero sobre todo de forma inconsciente, son las que nos generan creencias de cómo debe de ser una cosa o cómo debe de ser otra, nos genera también valores en el sentido de lo que haría o lo que no haría por nada del mundo, o por lo que yo lucho continuamente por aquello que no quiero que suceda, o que pueda suceder. De ahí que aparezca el miedo, de ahí que aparezca el temor a no experimentar nuevas experiencias, a no aprender, es importante tener la libertad para aprender nuevas experiencias, para experimentar nuevas conexiones neuronales que nos hagan aprender.

A mí me ayudaron las siguientes propuestas.

- Identifico mi entorno...
- Mi comportamiento en el.
- Qué capacidades me demuestro...
- Los valores que determinan mi comportamiento diario...
- Cuales identidades representadas en cada entorno que transito me reconozco y soy consciente. Familia, amigos, centro de estudios o trabajo...
- Identifico mi esencia y mi recurso más importante y esencial en mi vida...

No pretendo ser solo un espectador pasivo en la vida, ¡tomo un papel activo y exploro lo que la vida tiene para ofrecer! Ya sea para satisfacer mis propios deseos o para ayudar a los demás, mis sentimientos, emociones, y experiencias pueden guiarme a descubrir nuevos caminos que me acerquen a la verdadera paz interior. Tengo el coraje de probar cosas nuevas y tengo fe en que cada experiencia me llevará un paso más cerca de la verdadera comprensión.

Crear valores de confianza, valores de fe, en aquello que llevamos en nuestra propia vida, que las decisiones nos lleven a nuevas habilidades, a nuevas experiencias que nos dejen vivir en libertad y no en el miedo, en la confianza y la paz y no en el estrés o el continuo pensamiento negativo que nos pueda generar una enfermedad y que estemos alimentando a nuestro inconsciente de actuar en el miedo y que no nos facilita ni la paz ni la tranquilidad que deseemos.

Es en la experiencia personal, comunicadora y docente donde he experimentado el tener ese espacio que se necesita facilitar, experimentar con el interlocutor o con el alumnado ese primer momento de conexión de estar presentes hoy día, es el Mindfulness. Estar atentos y estar conectados con una motivación, con una identidad y un protagonismo inminente en ese instante, el tomar las riendas de esa emoción positiva, donde se genere esa dopamina, donde podamos encontrar un resultado óptimo personal. Dentro del grupo de trabajo, de clase o del grupo familiar o de amigos es de vital importancia tener ese espacio inicial donde nos sintamos identificados totalmente en el presente, conectados con nuestra propia identidad, esa identidad de sentir la capacidad auténtica de ser protagonista de la propia aventura de ese momento de vida, de ese regalo donde puedes decidir qué haces en ese instante, en ese momento.

Agradecimientos especiales en primer lugar a Pedro Eloy Rodríguez, fundador de Líderes que Inspiran, a Héctor Puche Fundador de Humans Valley, a mi querida Nieves, directora de ANEi, a todas las personas que me rodean en mi día a día; familia, hermanos salesianos cooperadores, y en especial a quienes me han acompañado especialmente, como mi mentor y amigo Padre Franciscano Florencio, mis padres sabios y amorosos líderes que me inspiran cada día, a mis hijos, en especial a Natalia, que sin su magia este capítulo no hubiera existido y, cómo no, a Stephanie, mi pareja y socia, que me ha facilitado y acompañado en este espacio que uno necesita para crear esto que estás leyendo.

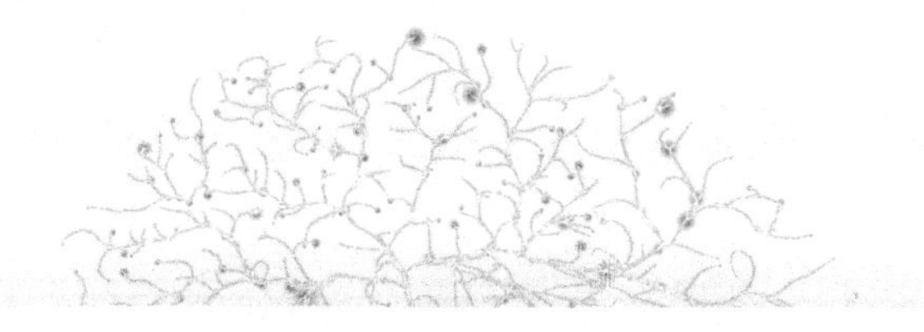

Pato Coy

Semblanza

Pato Coy es empresaria, inversionista, escritora, conferencista, mentora de negocios y expansión... Pero, sobre todo, ¡mujer, madre y esposa feliz! De profesión, administradora de empresas, especialista en Alta Gerencia, y diplomada en Gestión, Finanzas y Ventas. Certificada como *coach* profesional, comenzó su carrera digital como *closer* de ventas HT y, desde hace 2 años, se dedica a ayudar a *coaches*, mentores, expertos en temas de crecimiento y desarrollo personal a ser personas más seguras de sí mismas que inspiran a su cliente potencial a comprar.

En los últimos años ha evolucionado rápidamente en el ámbito del emprendimiento digital: recientemente, fue galardonada con el EMPY Awards al emprendimiento latino en Montreal, CA. Usó una habilidad humana de alto nivel para tomar el control de su vida, vender y enseñar a otros a hacerlo de una manera ética y consciente, pero especialmente humana. Cree firmemente que ¡juntos podemos más!

Intención

Mi intención es que, después de leer este capítulo, puedas disfrutar de una mayor confianza y que seas fuente infinita de inspiración e impacto positivo en el mundo, además de ser consciente de que nada pasa por accidente y que aprender neurociencia y aplicar técnicas básicas puede transformar completamente tu realidad. Date la oportunidad de ir a lo largo de esta lectura, sin juzgamientos, con la mente abierta. Cierra los ojos en este instante e imagina un mundo en el que cada uno se inspire e inspire a otros en la acción positiva, en lo bueno que sí hay alrededor y en cómo sí podemos lograr resultados soñados... ¿Logras visualizarlo?, ¿lo ves? ¿Qué ves? Refuerza tus conexiones neuronales y quédate con esa imagen, es mi mejor intención para ti con esta lectura.

LA FUERZA DE TU DESEO

> *«El éxito no es una meta, es una habilidad que se aprende y se Perfecciona. Solo es practicar y practicar».*
>
> **—Pato Coy**

El poder de la inspiración te lleva a transformar una idea, a hacerla más digerible, más real, más atrayente, ¡la hace posible! Es tu momento de activar el poder de lo simple, llevar a la máxima expresión lo sencillo, agilizar tus resultados y potenciar el logro de tus deseos.

Quiero decirte que compartir contigo una parte de mi experiencia de vida es un regalo que aprovecharé al máximo en este capítulo. También te digo que he optado por utilizar el género masculino para referirme tanto a hombres como a mujeres. Esta elección se debe a que busco simplificar el texto y evitar la repetición constante de términos como «él o ella» o «él/ella». Mi intención es hacer más fluida la lectura y mantener coherencia en la escritura, ¿vale?

Gracias al presente capítulo, encontré una oportunidad grandiosa, un regalo de vida y el momento preciso para ampliar exponencialmente mi capacidad para servir, guiar, inspirar, impactar y coincidir para aportar y evolucionar juntos. Este espacio me permitió revivir y reflexionar profundamente sobre esta parte de mi vida y la importancia de reconocer en nosotros mismos todo el potencial transformador que tenemos.

Compartirte esta parte de mi historia es una muestra del amor verdadero y del profundo agradecimiento que siento hacia la vida por la oportunidad de ayudar e impactar a otras personas en sus procesos de tener negocios propios con resultados memorables y sostenibles y acompañarlas a ser unas personas más seguras de sí mismas. Ahora que hemos conectado, es el momento para compartirte cómo potenciar al máximo tus resultados desde mi propia experiencia y cómo lograr vivir una vida que te plazca tal y como lo deseas. Espero te diviertas y reflexiones con estas líneas entre cuentos, aprendizajes y sugerencias.

¡Tu vida se acabó!

Con esta afirmación en mayúscula y negrita empieza esta historia. Corría 1994, yo apenas tenía 16 años y estaba embarazada 😫. No tenemos la mínima idea del impacto que una afirmación como esta puede ocasionar en la vida de alguien que apenas empieza. 😫

Cursaba secundaria, trabajaba como recreacionista, soñaba con cambiar el mundo a uno más bonito donde todos sonrieran de placer. No tenía ni idea de cómo hacer eso, pero amaba que las personas sonrieran, se vieran bonitas, se sintieran bien y pasaran un buen momento cuando estaban conmigo.

El problema fue que lo creí 😔. Al venir de las personas que supuestamente eran las únicas que me amaban en el mundo, no cuestioné nada y, durante años, estuve en un espiral de «Esto es lo que me tocó», «Nadie me mandó», «Te lo mereces (todo lo malo)», etc. El miedo y la confusión fueron los protagonistas. Mis emociones estaban alborotadas y mi mente era un torbellino de pensamientos locos y de incertidumbres. Me preguntaba cómo podría cuidar a un bebé cuando yo misma aún era una niña. Tenía tanto miedo de la reacción de mi familia, de mis amigos, de mis profesores en el colegio, mejor dicho, de todo el mundo. Sentía una mezcla de vergüenza y culpa, como si hubiera hecho algo muy malo y mereciera ser castigada por ello. Me sentía sola y confundida, y no sabía a quién acudir para pedir ayuda. Tenía muchas preguntas y pocas respuestas, y cada día que pasaba me sentía más asustada por el futuro que me esperaba.

Por su parte, la sociedad hizo lo suyo: me atropelló con todas sus fuerzas. Desde el momento en que se supo de mi embarazo temprano, fui criticada, discriminada y señalada por todos. Recibí señalamientos y comentarios hirientes incluso de personas que apenas conocía, así como de amigos y familiares cercanos. Me sentí todo el tiempo juzgada, como si no tuviera derecho a respirar y como si no fuera digna de respeto o de consideración. Sufrí abusos de todas las formas posibles, verbales y físicos. Recibí insultos, amenazas y acoso de personas a mi alrededor, y fui objeto de rumores y chismes que solo aumentaron la presión y el estrés al que ya estaba sometida.

Todo esto me hizo sentir sola, vulnerable y aislada, como si yo fuese un bicho raro sin derechos y no había nadie que entendiera lo que me estaba pasando y, menos, apoyarme en ese momento tan difícil. Recuerda que cuando tienes 16 todo, de por sí, ya es un caos en tu cabeza. No entendía nada de lo que pasaba, no entendía por qué me pasaba eso a mí. ¡Por supuesto que sabía cómo se hacen los bebés! Solo que no crees posible que esas cosas te pasen a ti. Me sentía completamente perdida, absorta en todo ese torbellino de emociones sin sentido y una realidad que parecía como una película corriendo frente a mis ojos en cámara lenta de esas en las que todo es oscuridad, miedo, angustia y, por supuesto, sin luz al final del túnel.

En medio de toda esa tormenta, a pesar de todas estas emociones negativas, también había una chispa de esperanza y amor en mi corazón. Sabía que mi bebé sería un regalo hermoso y que, aunque el camino no sería fácil, estaba dispuesta a hacer lo que me tocara hacer para protegerlo y darle una mejor vida. A pesar de todas mis dudas y temores, me enfrenté con lo que pude a los desafíos de cada día porque ese pequeñito ser humano que estaba dentro de mí, valía todo la pena y merecía vivir una hermosa vida. Desde entonces, recuerdo, soy una mujer de decisiones, especialmente difíciles, ¡ja, ja, ja! Sí, decidí darle vida, porque, de hecho, la decisión más fácil era «deshacerme del problema».

A nivel físico, tuve un buen embarazo y, aunque hubo algunos momentos de estrés, en general, disfruté de ese periodo. Como dato curioso, te comparto que siempre me referí a mi bebé y le hablaba como si fuese niño 🙂. Por varias razones no tuve acceso oportuno a cuidados médicos y la única referencia que tenía eran las señoras que siempre dijeron: «Esa barriga pequeñita y en punta, seguro es niño» y si lo dijo una señora que tenía cinco varones y otra que tenía tres, pues era cierto. De las experiencias más memorables de esa época fue el parto. Aunque muchas mujeres lo ven como algo doloroso y traumático, para mí fue una experiencia positiva. Desde el principio, me repetí a mí misma: «Yo soy más grande que este dolor» y esto me ayudó a mantener la calma y a concentrarme en mi respiración, sin importar los gritos desgarradores de las otras dos mujeres con quienes coincidí en la sala de parto. Gracias a eso, pude pasar por esta etapa con un recuerdo positivo.

Hoy entiendo que esto no fue una fortuna, sino que tiene una explicación. Desde el punto de vista neurocientífico, al repetir una frase como «Yo soy más grande que este dolor», mi cerebro activó la corteza prefrontal, la cual es la responsable de la toma de decisiones y el control emocional. Al mismo tiempo, también activó el sistema nervioso parasimpático, que es el encargado de mantener la calma y reducir el estrés. Por lo tanto, al utilizar este tipo de técnicas de autocontrol, pude controlar mi respuesta al dolor y mantener una actitud positiva durante todo el proceso del parto. De esta manera, pude vivir una experiencia satisfactoria y positiva, y por fin darme cuenta de que nunca fue un niño... ¡Siempre fue niña!

De esa época, recuerdo la llorada de los mil días... Más de 3 años en los que todos y cada uno de los días lloré desconsolada por pensar que no era merecedora de vivir y que lo único que tenía era obligación, responsabilidad y que la sociedad estaba en su derecho de tratarme como lo hizo, pues yo era «mala», yo no merecía el aire que respiraba. En medio de todo el caos y el dolor que experimenté durante mi embarazo y después de dar a luz, lo único que me consolaba era ver los grandes y hermosos ojos de mi hija. Ella siempre me sonreía, como diciéndome: «Hola, mami. Todo va a estar bien, te amo» y eso me daba la fuerza para seguir adelante. Para ella, yo era todo su mundo y eso me hacía sentir especial y valiosa. Saber que tenía a alguien que dependía de mí para existir, me mantuvo viva y me dio el coraje para enfrentar todos los obstáculos que se me presentaron en el camino.

Desde una perspectiva neurocientífica, esto se explica porque el contacto visual y el contacto entre la madre y su bebé libera una serie de hormonas que fortalecen el vínculo emocional entre ambos. Al mirar a los ojos de mi hija, mi cerebro liberaba endorfinas (al reírme) y oxitocina (al sentir la ternura), que son neurotransmisores relacionados con la sensación de bienestar, reducción del estrés y el dolor, así como del amor maternal. Esto me ayudaba a sentirme más conectada con ella y a fortalecer nuestro vínculo emocional. De esta manera, ella se convirtió en mi mayor fuente de consuelo y motivación para seguir adelante y hoy sigue siéndolo.

Los años pasaron y pude confirmar que tanto la sociedad como su sistema de transferencia de conocimiento no han evolucionado. Estamos inmersos en una cultura que nos hereda un sistema de creencias que actúa como freno y limita nuestro potencial en todos los aspectos de nuestras vidas. Descubrí que muchas de las ideas que se nos inculcan desde jóvenes nos limitan y nos impiden explorar nuestro verdadero potencial. Por ello, te compartí al inicio lo de «Tu vida se acabó», sin embargo, al reconocer esto y desafiar las creencias limitantes, podemos liberarnos y alcanzar nuestras metas y sueños más grandes.

Esta actitud es la que me permite estar viviendo una vida de sueños convertidos en realidad, mi vida en libertad, expansión y riqueza. La clave está en dejar de seguir ciegamente lo que nos han enseñado, para explorar y descubrir nuestras verdaderas pasiones y capacidades. Mental, física y espiritualmente nos han marcado con afirmaciones de lo que debemos y podemos hacer con nuestras vidas. En mi caso, no es solo el tema de nuestro rol en la sociedad como mujeres, sino los frenos con respecto a lo que merecemos o las etiquetas de lo que está bien o no ser, hacer o no hacer y sentir o no en la vida...

Este sistema tradicional no funciona para todo el mundo. Desafortunadamente, durante mucho tiempo, nos dejamos absorber por las creencias que nos dijeron que: ser buena muchacha, portarte bien, ir a la escuela, sacar buenas notas, conseguir un buen empleo, trabajar duro, encontrar un buen hombre, casarte, tener hijos, conseguir las cosas con el sudor de tu frente y ¡tarán! Como por arte de magia, todo estaría bien, y que eso era vivir.

No es necesario ser expertos en física cuántica para darnos cuenta de que no es así y reconocer que esto ya no está teniendo mucho sentido. Aún veo a muchas personas que vivieron y viven sus vidas en agobio, en queja, en frustración, en piloto automático, en velocidad crucero... Tuvieron estabilidad laboral toda la vida, pero esto nunca les dio la satisfacción de sentirse plenos y disfrutar de la vida en sus propios términos. Yo misma casi hice parte de ellas... 26 años en el corporativo, haciendo todo lo que el sistema me dijo que tenía que hacer.

¿Realmente queremos pasar nuestra vida entera sin cuestionar nada? ¿Queremos pasar años cumpliendo los estándares de otros, cumpliendo horarios y acumulando diplomas solo para lograr un ascenso, y así sucesivamente, hasta que nuestro cuerpo ya no pueda responder? ¡Lograr por fin una pensión digna con más de 60 años para dedicarnos a hacer esas cosas que, a esa edad, el cuerpo ya no puede! Estas son preguntas y confirmaciones que me ayudaron a tomar decisiones y acciones en mi vida, y que me permiten encontrar cada vez una mejor versión de mí misma en el camino hacia la riqueza material y el éxito personal.

Permíteme compartir contigo algunos de los aprendizajes más valiosos que he adquirido en mi búsqueda de la libertad, expansión y riqueza, valores que hoy son el lema de mi vida. Al descubrir que solo tenemos una vida para vivir y que podemos crear nuestra propia realidad, he encontrado un camino de autoconocimiento y exploración personal que me ha llevado a lugares que nunca imaginé posibles, acciones como la lectura de historias inspiradoras, probar cosas nuevas y determinar qué funciona para mí me permiten cada día avanzar en lo que realmente importa y lo que me hace sentir más plena y satisfecha. Te ofrezco mi historia como un regalo y te animo a aplicar los conocimientos que resuenen contigo en tu propia vida. Estoy segura de que los resultados que obtendrás hablarán por sí mismos y te llevarán a lugares increíbles. ¡Buena lectura!

El éxito es una habilidad que se aprende

Cada persona tiene su propia definición de éxito en la vida, y eso está bien. No estoy en contra de tener un empleo tradicional, ya que yo misma hice parte de este grupo de personas por más de 26 años 😊. Sin embargo, quiero compartir contigo que más del 85 % de las personas que tienen un trabajo «estable» nunca tendrán la libertad de elegir qué hacer con sus vidas. Están atrapados en la rutina diaria, sin la posibilidad de disfrutar de la vida, viajar a los lugares que siempre han soñado, darse algunos lujos que facilitan la vida o simplemente tener acceso a comodidades que el dinero puede proporcionar. Por eso te invito a reflexionar sobre lo que realmente significa el éxito para ti, y a considerar otras opciones que pueden llevarte a una vida más plena y satisfactoria. Escríbelo.

En mi opinión, el posicionamiento, es clave para caminar hacia el éxito, la expansión y la riqueza. Muchos no se dan cuenta de la importancia de posicionarse correctamente para lograr sus objetivos. Ser dueño de un negocio propio es una excelente forma de posicionarte y activar tu mente para la expansión y la generación de riqueza. Para que tu negocio tenga éxito, es esencial educarse y tomar medidas concretas para implementar lo que aprendes. Por supuesto, el éxito no se alcanza de la noche a la mañana, pero la constancia, la coherencia y la determinación pueden llevarte a lograr tus metas. El éxito es una habilidad que se aprende.

Cuando empecé a tener contacto con este conocimiento, empecé a querer más. Leí libros —sigo haciéndolo—, vi videos, me metí en cuanta formación con respecto a la mentalidad, ventas, finanzas, negocios, mundo digital, etc. ¡Uff! ¡Una exploración maravillosa! En ese momento, me topé con la neurociencia en mi vida... ¡Wow! Aprender de neurociencia le ha dado un toque muy especial a mi existencia. Cuando entendí cómo funciona nuestro cerebro y le di una explicación a muchos momentos y los resultados que obtengo, una ventana al conocimiento universal y oportunidades infinitas se han abierto en mi vida. Entender cuáles son los elementos que te impulsan a tomar unas u otras decisiones es algo que me apasiona y en lo que sigo profundizando hoy en día; tener una idea más clara del comportamiento humano te abre puertas a un mundo inimaginado donde puede pasar lo que tú quieras que pase!

Te voy a compartir los cuatro aprendizajes que estoy segura de que, igual que a mí, si los aplicas, te llevarán a lograr los resultados que buscas en tu vida y, como consecuencia, a disfrutar de la libertad, expansión y riqueza constante en tus días:

1. Mentalidad al dente

El cerebro es un músculo y tienes que ejercitarlo... ¡Todo está en la mente!

No somos grandes atletas, por eso, al dente o al punto es mejor en lugar de indestructible a prueba de balas. 😉

El problema más recurrente es la resistencia al cambio, el miedo infundado por el sistema de creencias que nos heredó que lo fijo y estable es mejor, es seguro. ¡Todo cambio trae oportunidades! Debes ser consciente de que tus creencias determinan tus acciones, por lo tanto, para tener una mentalidad de éxito, de expansión y de riqueza debes creer que es posible para ti vivir una vida que te plazca, en donde el dinero y la sonrisa son constantes. ¡Creer para ver! 😉 ¡Cree que es posible! Visualiza con intención y sé constante en esta práctica (la de creer para ver) y el universo se alineará para que lo consigas. Actualmente, son muy famosas las afirmaciones positivas. Empieza por esta práctica sencilla e intenta sentir la emoción como si ya lo estuvieras disfrutando. ¿No sabes por dónde empezar? Empieza con frases sencillas, cortas y contundentes; te dejo estos ejemplos:

«Acepto la abundancia y la prosperidad en mi vida».

«Soy abundante y suficiente».

«Tengo todo lo necesario para lograr lo que me proponga».

Hay muchas creencias alrededor de la riqueza y el éxito, pero es importante recordar que miles de personas han logrado alcanzarlos de manera legal y sostenible, incluyéndome a mí que estoy en ese camino. De hecho, no solo no hay nada de malo en tener una gran cantidad de dinero, sino que, gracias a la tecnología y la transición a la era digital actual, estamos viviendo un momento históricamente perfecto para lograrlo. Hoy en día, todos tenemos la posibilidad de generar ingresos significativos construyendo nuestro propio negocio y ofreciendo nuestros conocimientos y experiencia al servicio de los demás. El mundo está cambiando a un ritmo acelerado, y las oportunidades de mercado y las necesidades de las personas también están evolucionando. Es el momento ideal para compartir nuestras soluciones con el mundo y generar un impacto positivo mientras alcanzamos nuestras metas financieras y personales. 😊

Durante mi formación en neurociencia, descubrí que existe un fenómeno que divide a las personas en dos grupos: aquellos que parecen ser más exitosos, felices y que ven oportunidades en todo y todos, y aquellos que se enfocan en obstáculos, dificultades y peros. Este fenómeno se explica por el mecanismo de previsión de acontecimientos que genera expectativas y crea resultados en nuestro cerebro. De hecho, nuestro cerebro es un generador de hipótesis y una máquina creadora de historias. Ahora, soy mucho más cuidadosa con las historias que me cuento a mí misma.

Te explico, por ejemplo, si a lo largo de nuestra vida hemos visto que es necesario trabajar duro para ganar dinero, ya sea por lo que hemos experimentado en nuestra familia, en nuestro entorno o por nuestras propias acciones, se crea un patrón mental y unas creencias que generan imágenes en nuestro cerebro que nos llevan a proyectar soluciones dentro de lo que conocemos y creemos: «Hay que trabajar duro para ganar dinero». Es decir, el cerebro procesa información de acuerdo con lo que conoce y tiene dificultades para imaginar una realidad que no conoce, de la que no tiene referencias.

Sin embargo, podemos reprogramar nuestra mente para que sea más abierta y vea nuevas oportunidades. Para ello, podemos inspirarnos en otras personas, leer sobre diferentes formas de vivir y ganar dinero, buscar y recibir consejos de riqueza, visitar lugares lujosos, aunque sea para tomar un café y sentir el ambiente y el comportamiento de la gente. Todo esto nos ayudará a crear nuevas imágenes, sensaciones y referencias para enfocarnos en nuevas posibilidades y reprogramar nuestra mente.

2. El dinero es un mero recurso de intercambio de bienes y servicios

El dinero es un recurso de intercambio de bienes y servicios que ha evolucionado a lo largo del tiempo para facilitar el comercio y el intercambio en las sociedades humanas, es un símbolo que representa y mide el valor de los bienes y servicios intercambiados entre personas. Desde una perspectiva neurocientífica, el dinero está asociado con la activación de ciertas áreas del cerebro, como la corteza prefrontal y el núcleo accumbens, que están involucradas en la toma de decisiones y la motivación.

Sin embargo, muchas personas encuentran difícil conseguir dinero debido a diversas razones. La que yo encuentro recurrente es la falta de conocimientos y habilidades para generar ingresos. En este sentido, la educación y el desarrollo de habilidades pueden ayudar a las personas a obtener mejores trabajos o a iniciar negocios exitosos.

Otra razón por la cual puede ser difícil conseguir dinero es la influencia de factores emocionales y psicológicos en la toma de decisiones financieras. Por ejemplo, la aversión al riesgo y el miedo al fracaso pueden llevar a las personas a evitar oportunidades de inversión que podrían generarles buenos rendimientos.

Además, el comportamiento financiero también puede estar influenciado por procesos cognitivos como la atención selectiva y el sesgo de confirmación. Estos procesos pueden llevar a las personas a enfocarse en información que respalda sus creencias preconcebidas y a ignorar información que contradice sus puntos de vista. ¿Recuerdas que el cerebro procesa información de acuerdo con lo que conoce y tiene dificultades para imaginar una realidad que no conoce?

Para resumirte, el dinero es un recurso importante para el intercambio de bienes y servicios, pero conseguirlo puede ser difícil para algunos, debido a la falta de conocimientos y habilidades, así como a factores emocionales y cognitivos que influyen en la toma de decisiones financieras. Si comprendes mejor estos factores, puedes mejorar tus oportunidades de generar ingresos y tener oportunidad de generar mayor riqueza material en tu vida.

Las personas usan su dinero en aquello que para ellos es valioso. Punto. ¿Por qué taparse los ojos ante una realidad tangible? ¡Todo en la vida se podría interpretar como venta! Se vende todo el tiempo y se utiliza el dinero todos los días. Nos guste o no es una gran parte de nuestras vidas, lamentablemente muchas personas no entienden lo que es realmente porque no comprenden la clave en esa definición: «valor». Te lo explico con la ley de ingresos. Esta se basa en el concepto de que el valor que se entrega al mercado es proporcional al ingreso que se recibe. En otras palabras, si una persona ofrece un producto o servicio que tiene poco valor o que no satisface las necesidades del mercado, pues es poco probable que reciba un ingreso significativo.

Por lo tanto, aunque una persona tenga buenas ideas o buenas intenciones, si no está entregando suficiente valor al mercado, es posible que su producto o servicio no tenga éxito y no se le pague lo suficiente. Además, incluso si el producto o servicio es de alta calidad, pero no se está comercializando adecuadamente o no le está llegando a los clientes adecuados, puede que no se esté entregando suficiente valor al mercado.

Es importante tener en cuenta que la ley de ingresos no solo se aplica a los negocios y a los productos o servicios que ofrecen, sino también a las habilidades y conocimientos que una persona tiene. «¡He enviado más de 100 hojas de vida y nada!» o «Llevo meses presentando entrevistas y nada», ¿te suena? O peor aún, escuchar el dolor de algún conocido cuando te dice: «Llevo muchos años trabajando aquí. Hice mi especialización y me presenté para el puesto de mis sueños, pero se lo dieron a otra persona». También están los que buscan un empleo o esperan un ascenso o, por otra parte, los que empezaron un emprendimiento y fracasaron al cabo de unos cuantos meses..., ¿te suena? Ya sabes lo que pasa. Si alguien tiene habilidades valiosas que pueden ayudar a resolver un problema específico, pero no lo está comercializando adecuadamente o no lo está mostrando de la forma correcta a los clientes correctos, pues la percepción de valor que está entregando es baja y seguramente no conseguirá que le paguen lo suficiente por su trabajo o por sus habilidades.

Para tener éxito en el mercado actual, es esencial que te asegures de estar proporcionando un valor suficiente al mercado y de que se está llevando a cabo una adecuada estrategia de comercialización del producto, servicio o habilidad. Si estás entregando suficiente valor y estás llegando a los clientes adecuados, es más probable que obtengas un ingreso significativo.

En este sentido, te cuento que es importante que sepas que puedes adoptar una de estas dos actitudes: el rol de víctima o el rol del creador. Según la neuropsicología, el rol de víctima es asumido por aquella persona que cree que las cosas le suceden a ella. En cambio, el rol de creador implica ser proactivo y buscar soluciones a los desafíos, en lugar de culpar a factores externos por el fracaso o la falta de éxito. Al adoptar el rol de creador, se puede aumentar la capacidad de crear valor para el mercado y, en consecuencia, aumentar las posibilidades de obtener ingresos significativos. Te puedo sugerir amablemente que ¡esta es la posición correcta!

3. Siempre puedes ser más, hacer más y tener más

Ser más: adquiriendo conocimiento, aportándote valor constantemente.

Hacer más: organización y planificación, no solo del tiempo, sino de tus recursos.

Tener más: ganar más, adquirir más, es tu derecho divino de nacimiento.

Siempre hay espacio para aprender y crecer. En el pasado, muchos de nosotros teníamos una mentalidad limitada debido a las creencias que nos enseñaron, como buscar un trabajo estable y seguro para mantenernos durante más de 40 años y finalmente obtener una pensión que garantizaría una vida cómoda hasta nuestra muerte. Pero hoy en día, la seguridad laboral ya no existe y en el transcurso de nuestra vida experimentamos múltiples cambios trascendentales, incluyendo cambios en nuestra profesión, empleo y negocios. Cada uno de estos cambios suele durar alrededor de 7 años, lo que significa que tenemos muchos períodos de tiempo para lograr el éxito que deseamos. El éxito es una habilidad que se aprende a través de la práctica repetitiva, y el mañana depende de nuestras acciones y decisiones en el hoy. 😊

Un pensamiento que me ayudó a tomar las decisiones que cambiaron mi vida y ejecutar las acciones para vivir una vida más placentera es «Si tengo que trabajar mucho, ¡pues mejor que sea para ganar mucho!». Tu personalidad y estructura de creencias son factores determinantes. Para muchas personas, ganar mucho puede ser muy complicado, porque no se lo creen; en cambio, para otros puede ser un camino aventurero, emocionante, desafiante.

En el universo de las personalidades, hay personas que tienen ideas nuevas todo el tiempo, siempre están creando cosas y luego pasan a otro proyecto y así. Otros prefieren la «estabilidad» a largo plazo y la rutina en su trabajo. En términos de personalidad, ninguna es mejor que la otra, sin embargo, el elemento clave que determinará si una vida en libertad, expansión y riqueza es viable para ti es la fuerza de tu deseo. Debes realmente creer que ganar mucho dinero, ser feliz y tener éxito es posible para ti. ¿Cuánto deseas realmente tener una vida exitosa y feliz?

Ten presente que ganar mucho dinero, ser feliz y ser exitoso es como el GPS: dale un punto específico y te llevará por el mejor camino. No importa cuántas veces deba redireccionar la ruta, lo hará, pero si no sabes para dónde vas..., pues darás vueltas y vueltas, y no importa a dónde llegues, no sabrás si es bueno para ti.

La mayoría de las personas no obtienen lo que desean porque no saben con exactitud, con claridad, lo que quieren. La fuerza de su deseo no es lo suficientemente poderosa para encaminarse cada vez que se distraen del camino.

4. Emprende con el negocio, el momento y la mentalidad correctos

¿Te suena la frase «si la vida te da limones, haz limonada»? En el mundo de los negocios, lo importante es encontrar la oportunidad que resuene contigo y en la que puedas aportar tu propia experiencia, conocimiento y sabiduría acumulada. ¡No necesitas un magíster en negocios! Eres tú y tu única forma de resolver ciertos problemas. Piensa en eso para lo que todo el mundo acude a ti y que ellos mismos dicen: ¡Gracias!

¡No sé qué hubiera hecho sin ti! Escríbelo y estructura unos pasos. Esto te permitirá crear un sistema que aporte soluciones y transformaciones a tus clientes, y luego convertirlo en un modelo de negocio automatizado y repetible que te genere ganancias. Al igual que construir una casa sólida, comienza con unas buenas bases, tu negocio necesita un modelo sólido que te permita atender a tus clientes de manera efectiva y eficiente a medida que creces. Es importante enfocarte en multiplicar aquello que funciona y aplicar los conceptos básicos de administración de empresas: planificación, organización, ejecución y control. Piensa en grande y recuerda que tus decisiones y acciones son el resultado de una mezcla individual de emociones, conclusiones razonables, experiencias conscientes e inconscientes, y una mezcla de comportamientos sociales, enséñale a tu mente que pensar en grande ¡es completamente posible para ti!

Comienza proyectando el fin en tu mente. Uno de los principales diferenciadores de un emprendedor con una mentalidad correcta de éxito y riqueza, es sentir la emoción del éxito logrado en cualquier proyecto que emprenda antes de empezarlo, es decir, creer genuinamente y con todas tus fuerzas que el único resultado será vender mucho, ganar mucho y ser muy exitoso de manera que lo visualices y lo sientas como real en ese momento cumbre.

Te invito a que, sin límite, aprendas nuevas habilidades; adquiere y practica conocimiento a diario; estudia y experimenta diferentes estrategias, busca mentores y *coaches* que se alineen contigo y en algunos años, ¡si eres constante y decidido, nunca más tendrás que preocuparte por el dinero y tendrás tu definición exacta de lo que es tener una vida exitosa, en libertad, expansión y riqueza para ti!

El éxito es una habilidad que se aprende, ¡practica!

La fuerza de tu deseo

Entonces, ¿de qué se trata este capítulo? Te lo cuento con la siguiente reflexión:

La diferencia entre vivir una vida de m&%! $% (miedo) 😜 y vivir la vida de tus sueños, la marcará **la fuerza de tu deseo**, título de este capítulo y con lo que quiero que te quedes.

Creencias como «unos nacen con estrella y otros nacen estrellados», «la vida no es fácil», «la letra entra con sangre», «mejor pobre, pero honrado», entre otras son falsas. Cuando deseas algo con mucha fuerza, lo visualizas, lo invocas, lo manifiestas..., el universo conspira para que consigas eso que anhelas, aunque parezca «imposible» depende directamente de la fuerza poderosa de tu deseo.

Debes realmente creerte merecedor de vivir una buena y bonita vida en tus propios términos, debes realmente creer que recibir mucho dinero, tener éxito y ser muy feliz es absolutamente posible para ti. Las emociones fuertes van ligadas a una determinada bioquímica y ondas cerebrales en las que las rutas de lo que visualizamos y creemos se fortalecen. Esto hará que cada vez haya más pensamientos relacionados con lo que tienes en foco y que estos lleven esa misma carga positiva.

Reconoce tu capacidad de encontrar recursos a tu alrededor, de ver oportunidades, porque si reconoces lo que de verdad te interesa, lo que de verdad te hace bien, te hace sonreír, te hace ser y sentirte feliz, solo es cuestión de fluir.

Un ejercicio práctico que puedes hacer para reprogramar tus creencias es repetir afirmaciones positivas todos los días y visualizarte en momentos de logro. Di varias veces al día, en tu mente o en voz alta, frases como «Sí quiero, sí puedo y sí lo merezco». Este tipo de práctica te ayudará a creer en ti mismo y en tus sueños y atraerá energías positivas a tu vida, pues reprograma tu mente para el éxito, la libertad, la expansión y, por supuesto, ¡la riqueza! Con práctica y constancia, cambiarás tu forma de pensar y te darás cuenta de que todo lo que deseas está a tu alcance.

A lo largo de este capítulo, te he compartido la importancia de **la fuerza de tu deseo** y cómo puede impactar positivamente en tu vida. Mi experiencia personal demuestra cómo el conocimiento de la neurociencia ha cambiado mi realidad, y me permitió alcanzar mis sueños y objetivos con mayor facilidad. La neurociencia me ha demostrado que el cerebro humano tiene una plasticidad impresionante, lo que significa que es capaz de cambiar y adaptarse constantemente. Si enfocas tu atención en tus deseos y sueños, activarás las redes neuronales asociadas a esas metas y podrás crear nuevas conexiones neuronales relacionadas con ellas.

Recuerda que nuestros pensamientos y emociones tienen un impacto directo en nuestro sistema nervioso y, por ende, en nuestro cuerpo. El deseo y la motivación son emociones poderosas que pueden activar el sistema de recompensa en el cerebro, liberando neurotransmisores como la dopamina, nos hacen sentir bien y motivados para alcanzar nuestros objetivos y lograr esos resultados soñados.

Al creer en nosotros mismos y en nuestras posibilidades, estamos activando, entre otras áreas, la corteza prefrontal, la parte del cerebro responsable de la toma de decisiones, la planificación y el control de los impulsos. ¡Es como ir al *gym* de la mente! Al fortalecer esta parte del cerebro, podemos tomar decisiones más conscientes y enfocadas en nuestros objetivos.

Así, podemos lograr nuestros sueños con mayor facilidad y ver el futuro con optimismo y alegría.

¡Ahora te toca a ti! Puedes compartir esta experiencia y conocimiento con tus amigos, familiares y cercanos. Muchas gracias por leerme, por invertir este tiempo en ti, por sentirte merecedor de recibir este mensaje y aplicarlo en tu vida. 😉

Mi nombre Pato Coy, es mi marca, es mi triunfo, ¡es magia y realidad! Te mando muchos besos y mi mejor deseo de que tengas hoy y siempre una buena vida y buenas ventas. 🤍

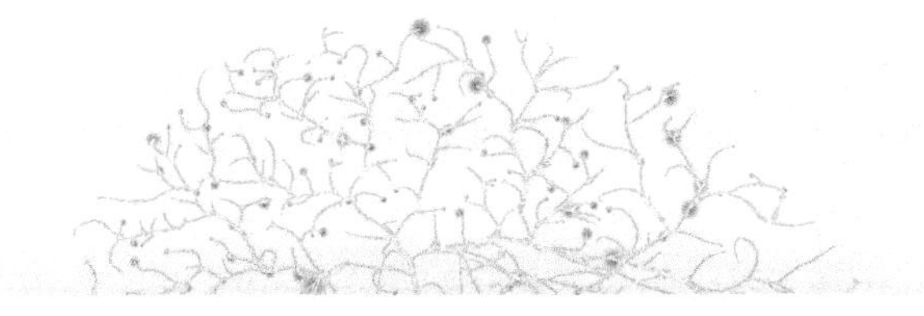

Luis Alberto Fernández

Semblanza

Luis Alberto es un hombre de familia y el anhelo de su corazón es que haya muchas más familias saludables en el mundo. Es empresario, miembro de la Fraternidad Internacional de Hombres de Negocios, pastor y consejero clínico de familia, máster en Neurociencia aplicada al desarrollo personal, Neuro Master Trainer por ANE Internacional, así como máster en Psicobiología y Neurociencia Cognitiva de UAB.

Luis Alberto es presidente y creador junto con su familia y otras familias cristianas de la Fundación Libres para amar, una organización sin fines de lucro con 20 años de existencia, dedicada a la restauración de matrimonios y familia, con base en Florida, EE. UU. y con representantes en 24 países del mundo y materiales traducidos en cuatro idiomas.

Intención

Este capítulo te ayudará a comprender los fundamentos esenciales de la neurociencia como base empírica y la Biblia —entendiéndola como libro enseñanzas para nuestra vida, para lograr y mantener un matrimonio y una familia saludable—. Hoy en día las relaciones familiares enfrentan desafíos complejos y tendencias ideológicas que atentan contra su estabilidad, uno de los núcleos de la sociedad. Si no tenemos familias saludables, no obtendremos una sociedad saludable.

TU FAMILIA ES TU TESORO MÁS VALIOSO. ¡CUÍDALO!

«El amor debe ser más grande en nosotros que nuestras fallas y las fallas de los otros».

—Luis Alberto Fernández

Este capítulo te llevará a un proceso de entendimiento de la neurociencia aplicada a la vida, las emociones, cómo se determina la conducta humana y cómo afecta la estabilidad y el bienestar de la familia. Está basado también en el estudio de conceptos espirituales que le han ayudado a miles de personas en el mundo, incluyéndome a mí como autor de este tema.

Siempre me llamó la atención la vida de una familia sencilla, vecinos cercanos cuando vivíamos en nuestra ciudad natal. La señora tenía habilidades de costurera y el esposo era mecánico automotriz. Tenían cuatro hijos y vivían en una casa muy sencilla. Pero lo que más me impactó, desde el primer día que estuve en esa casa con mi esposa, fue la atmósfera de mucha paz y alegría, a pesar de las condiciones materialmente limitadas en las que vivían. Me gustaba ir a esa casa, con el pretexto de acompañar a mi esposa a donde su costurera, por el ambiente tan agradable.

Allí comencé a entender que la familia es la esencia de la vida. Si alcanzamos grandes logros intelectuales o profesionales, pero no tenemos una familia saludable, esos éxitos a menudo significarán mucho menos. ¡Qué diferente sería el mundo si tuviéramos familias y generaciones más saludables!

Con el paso del tiempo, fui aprendiendo cómo tener una familia saludable. Esto me capacitó para hacerle frente a todas las dificultades de la vida, porque entendí que la familia es el lugar por excelencia, donde siempre tendremos la oportunidad de disfrutar lo más hermoso y valioso de la vida humana.

No hablamos de familias perfectas, sin errores o equivocaciones. Sin embargo, podemos aprender a superar las diferencias y tener familias saludables si nos esforzamos por el bienestar de unos por los otros, nos apoyamos y nos perdonamos muchas veces.

Familia es donde el amor es más fuerte que las fallas y errores humanos.

Al final de cada circunstancia, es la familia la que generalmente nos tiende la mano en caso de una necesidad, la que nos apoya en momentos difíciles. Los amigos vienen y van, pero una familia saludable permanece para siempre y le da sentido a nuestros logros en la vida. Si tuviéramos más familias saludables, tendríamos una sociedad mucho más saludable. Entre más se deterioren, más se destruye la sociedad, porque los corazones se endurecen y sufren.

El bienestar de la familia y de la sociedad en general depende en un alto grado de la conducta humana.

En mi caso, la neurociencia y la Biblia como manual de instrucciones se han complementado de una manera extraordinaria para darme la oportunidad de alcanzar la realización de nuestras vidas en familia. Desde tiempos inmemoriales, la ciencia, la filosofía y la religión han tratado de responder muchas de las preguntas que se ha hecho el ser humano: ¿cómo podemos ser más felices?, ¿qué son las emociones?, ¿de dónde surgen los pensamientos?, ¿cómo lograr relaciones más sanas y saludables?

La humanidad necesita personas que se comporten correctamente para vivir en sociedades más emocionalmente balanceadas. Si la conducta humana fuera más saludable, la vida en la Tierra sería mucho mejor.

¿Qué es una conducta saludable? La manera de ser de las personas que aprenden a desarrollar una inteligencia emocional capaz de ver siempre lo bueno y valioso de los demás. Aprenden a amar, a perdonar y a servir. Aprenden a enfrentar los desafíos de la vida con resiliencia y desarrollan una actitud altruista.

Para mi familia, la Biblia es una valiosísima herramienta que, con instrucciones, conceptos de vida, valores y principios, metáforas e historias, ha sido una guía de conducta en la vida, ya que se basa en valores como el amor, el respeto, el perdón, la humildad, la amabilidad y el dominio propio.

Todos los seres humanos tenemos la capacidad de tomar decisiones y, en consecuencia, tenemos la facultad de decidir cómo queremos vivir.

Blaise Pascal, matemático francés, físico, inventor y filósofo, reconocido en la literatura como uno de los autores más importantes del periodo clásico francés, dijo: «En el corazón de todo hombre existe un vacío que tiene la forma de Dios. Este vacío no puede ser llenado por ninguna cosa creada; solamente puede ser llenado por Dios, hecho conocido mediante Cristo Jesús». Este científico entendió que el ser humano fue diseñado con una necesidad de contacto con su Dios que no puede ser sustituido por ninguna otra cosa. De tal manera, el ser humano que no se conecta espiritualmente con el Dios de la vida, va a vivir insatisfecho en su vida.

El cerebro humano

El cuerpo humano fue diseñado de tal manera que tuviera un centro de control de todas sus funciones, acciones y reacciones. El diseño y creación del cerebro humano es tan maravilloso que es algo sobrenatural. No podemos ser simplemente producto de una evolución. Toda la información que se ha escrito en nuestras neuronas, mediante la herencia genética, las experiencias de vida y las enseñanzas adquiridas, determina nuestras reacciones y nuestras decisiones. Por lo tanto, la conducta humana está condicionada por la información que tenemos en el cerebro, y forma una realidad subjetiva en cada persona.

Hoy sabemos que gran parte de esas rutas neuronales se pueden reescribir y modificar la información contenida en las mismas. Los recuerdos pueden reinterpretarse y almacenarse con la nueva emoción de comprensión, perdón o aceptación. La memoria genética del ser humano incluye los códigos de los padres, el temperamento, talentos naturales y la apariencia física. Algunas respuestas automáticas pueden estar influenciadas por dichos genes, siendo el ambiente finalmente el que determina la expresión final de nuestra personalidad y nuestras respuestas. Es una forma de ser que se va estableciendo en el cerebro en formación en el vientre de la madre y que define en parte una base de las rutas de respuesta a los estímulos que recibirá más adelante en la vida.

Es importante destacar que, si bien hasta hace unos pocos años, antes de la investigación del genoma humano, se pensaba que la herencia determinaba nuestra vida, hoy sabemos que incluso podríamos activar o desactivar, por ejemplo, los códigos preprogramados que corresponden a enfermedades hereditarias mediante cambios en nuestro estilo de vida y nutrición. Puesto que nuestro cerebro cambia y se adapta al entorno, tanto interno, según le cuidemos, como externo según los estímulos que percibamos, también podemos influir de forma decisiva sobre el desarrollo de la personalidad, el grado de inteligencia, las cualidades de nuestros rasgos de conducta y muchos otros factores.

Nuestro sistema de creencias se forma a partir de las raíces familiares, cultura, educación, emociones y experiencias de vida, que, junto con la memoria genética, van a definir en un alto grado nuestra conducta. De esa forma, se establece un programa mental totalmente subjetivo en nuestras vidas.

Toda decisión y toda acción humana tiene una razón y una justificación subjetiva

Hay una historia detrás de cada persona y una razón por la cual somos como somos. Justo por eso no podemos juzgar a nadie. Aprendimos hábitos de vida que nos marcaron en gran medida:

¿Cómo se relacionaban nuestros padres?

¿Dónde aprendimos qué es el amor?

¿Nos enseñaron a pedir perdón y perdonar?

¿Cuál era el código de comunicación en nuestra familia?

¿Nos enseñaron a servir a los demás?

¿Cómo nos enseñaron a manejar las finanzas?

¿Cómo aprendimos a manejar las emociones?

¿Dónde y con quién aprendimos de la sexualidad?

Todo lo que aprendimos en el ambiente en donde nos desarrollamos define en gran medida cómo nos comportamos hoy. Al fin y al cabo, este fue el entorno en el que crecimos y al que nos fuimos amoldando. En el matrimonio, van a aparecer muchas de esas diferencias de aprendizaje que, frecuentemente, provocan muchos conflictos. De ahí la importancia de aprender a manejarlas en la vida familiar.

Temperamento

El temperamento se ha definido, clásicamente, como la predisposición emocional congénita, la manera básica en la que un individuo se enfrenta y reacciona ante una situación determinada. En otras palabras, constituye la tendencia constitucional del individuo a reaccionar de cierto modo ante su ambiente. El temperamento tiene una fuerte influencia sobre la conducta humana.

Hipócrates y Galeno desarrollaron las teorías de los cuatro temperamentos de conducta:

Los coléricos demandantes son esas personas que reaccionan rápidamente y toman decisiones inmediatas. Tienden a tener control de todo lo que puedan.

Los sanguíneos extrovertidos son personas a las que les gusta mucho compartir con la gente, hablan mucho y reaccionan explosivamente, pero tienden a calmarse rápido.

Los melancólicos analíticos son esas personas perfeccionistas y emocionales, que lloran y tienden a herir con palabras punzantes. También les cuesta perdonar.

Los flemáticos introvertidos son personas pasivas, que tienden a minimizar los hechos y dejarlos pasar. Son muy tranquilos y tienden a aislarse.

Este es un ejemplo de clasificación del temperamento, y puede ayudarnos a entender qué tendencia está marcada en nosotros, pues todos los seres humanos tenemos una combinación única de influencia temperamental. Aunque el temperamento no se puede cambiar por tratarse de un condicionamiento emocional genético, sí podemos aprender a modificar algunos aspectos en lo que respecta al control emocional y la conducta frente a los conflictos, mediante el conocimiento y el crecimiento espiritual.

Liderazgo y funciones en la familia

El liderazgo en toda actividad humana es esencial para evitar la anarquía. Aprendí de la Biblia que, en la familia, el liderazgo le corresponde al varón, y a la mujer le fue asignado un rol de ayuda idónea. En mi caso, tomaba muchas decisiones sin consultar a mi esposa y eso me generó muchos conflictos y elecciones equivocadas. Es indudable que el aporte de la mujer es necesario y muy valioso, pero si no hay un orden jerárquico en determinados aspectos, el riesgo de anarquía puede producir más caos que soluciones.

El matrimonio que funciona como un equipo, en el que combinan sus habilidades, dones y talentos sobre una base de amor sincero y comunicación asertiva, tendrá mucho éxito, porque podrán superar obstáculos y situaciones en la vida de una manera más sabia. De hecho, uno de los grandes problemas que enfrenta la sociedad actual es la formación de nuevas generaciones que carecen de una figura representativa del padre en su hogar, lo cual produce un desbalance en la educación y el aprendizaje de principios y valores en la familia. El varón, como líder en su hogar, se debe entender como una persona que sirve y modela principios de vida; es uno que guía con valores morales y fundamentos espirituales a su familia.

Nuestro modelo por excelencia de la Biblia es el liderazgo de un hombre que cambió la historia de la humanidad. Jesucristo. Y ese hombre estableció su liderazgo en el amor, la justicia, la humildad, la empatía con los menos afortunados y la esperanza de una vida después de la muerte. En nuestra práctica por más de 20 años con matrimonios y familias, hemos tratado miles de casos en los que comprobamos que la ausencia de un liderazgo espiritual, frecuentemente, genera caos en las familias.

¿Podemos cambiar nuestra manera de pensar?

Ya sabemos que la conducta humana es prácticamente programada por el mapa neuronal individual de cada persona, y es por eso que las decisiones y reacciones de la gente tienen una razón de ser y reaccionar. Entender esta dinámica nos puede ayudar a encontrar la llave para la tolerancia y aprender a manejar las diferencias para tener una relación saludable en la familia.

Gracias a la neuroplasticidad, hoy en día, sabemos que se pueden reescribir muchas neuronas y cambiar el mapa neuronal y la conducta. Sabemos que se pueden reescribir las rutas neuronales modificando la información contenida en las mismas. Los recuerdos pueden reinterpretarse y almacenarse de nuevo con la nueva emoción de comprensión, perdón o aceptación.

«Toda la Escritura es inspirada por Dios y es útil para enseñarnos lo que es verdad y para hacernos ver lo que está mal en nuestra vida. Nos corrige cuando estamos equivocados y nos enseña a hacer lo correcto». 2 Timoteo 3:16-17.

La Biblia enseña principios y valores que regulan la conducta de los seres humanos, y ha demostrado ser una fuente efectiva de cambio de creencias y conductas. Las teorías modernas basadas en experimentos científicos también nos ayudan a mejorar nuestras relaciones con los demás. En esta porción bíblica, aprendimos el valor de la escritura bíblica para enseñarnos a vivir correctamente y disfrutar de los beneficios de la obediencia a los principios y valores ahí enseñados.

«Pero las palabras que ustedes dicen provienen del corazón; eso es lo que los contamina. Pues del corazón salen los malos pensamientos, el asesinato, el adulterio, toda inmoralidad sexual, el robo, la mentira y la calumnia». Mateo 15:18-19.

«Sobre todas las cosas, cuida tu corazón, porque este determina el rumbo de tu vida». Proverbios 4:23.

Aquí vemos dos ejemplos bíblicos hablando del corazón para referirse a emociones y pensamientos y que, evidentemente, es una memoria en el cerebro humano. Y nos da la instrucción de cuidar lo que ponemos en esa memoria. O sea, debemos cuidar lo que ponemos en nuestro cerebro, porque esa información, positiva o negativa, va a tener mucha influencia sobre nuestra conducta y los resultados en nuestra vida.

Nuestro cerebro es un órgano emocional. Cada pensamiento, acción o decisión está impregnado y es transmitida gracias a la bioquímica de nuestras células nerviosas, los neurotransmisores, y estos, junto con resto de las hormonas del sistema endocrino, dirigen y controlan el funcionamiento de nuestro organismo.

Nuestra conducta también es motivada por hormonas producidas por el sistema de recompensas, que es estimulado por estímulos sensoriales. Tenemos, por ejemplo, una gran tendencia a ser seducidos por el placer para tomar decisiones. Si se activa el sistema de recompensa, nos invade una sensación de bienestar que nos gustaría volver a tener o mantener permanentemente. Y es aquí que no solamente podemos usarlo para obtener metas, sino que también corremos el riesgo de generar adicciones.

Las adicciones, como el consumo de alcohol o drogas, son un claro ejemplo de cómo el sistema de recompensas puede generar un cambio de conducta radical en las personas. El individuo experimenta placer al sentirse desinhibido, libre y natural. Ese placer tiende a condicionar a las personas y generar una conducta adictiva. El mapa neuronal que se formó en nuestras vidas condiciona también la forma en que percibimos las palabras y las acciones de las personas con quien nos relacionamos. Sin embargo, nosotros mismos nos percibimos de manera diferente de cómo nos perciben los demás.

La incomprensión de este tema puede generar muchos conflictos entre esposos, familia y en todas las relaciones humanas, porque, de esa incomprensión, surgen rápidamente malentendidos, reproches, reclamos, ofensas y confusiones. Cada persona percibe diferente y, por eso, se considera que cada uno es un mundo individual. Si tuviéramos la capacidad de ser al menos más flexibles con la manera en que piensan otras personas, definitivamente podríamos mejorar mucho nuestras relaciones interpersonales.

Es interesante entender que nuestra autopercepción nos puede manipular y exigir conductas de otras personas a nuestro alrededor, en nuestro favor. Tener conciencia de esto nos puede ahorrar muchos problemas. Sobre la base de esos contenidos exclusivos de la memoria, el cerebro desarrolla constantemente asunciones y suposiciones sobre el mundo en el que vivimos y en el que nos percibimos como seres activos.

Esos procesos, en gran medida, se producen de forma autónoma e inconsciente. Pero tenemos la capacidad de reflexionar sobre hechos o datos concretos para cambiar. Es evidente que todos los seres humanos somos diferentes, desde nuestra huella digital, nuestro ADN y nuestro mapa neuronal.

¿Cómo modificar la conducta?

Ahora que conocemos muchos de los detalles más importantes acerca del mapa neuronal humano y la forma subjetiva en que percibimos, vamos a analizar cómo podemos modificar nuestra conducta. Contamos con la neuroplasticidad que describe la capacidad de modelación fisiológica de nuestro cerebro para poder cambiar y aprender durante toda nuestra vida. Todas las decisiones humanas dependen de lo que nos interesa, lo que creemos, y lo que estamos dispuestos a cambiar.

La ciencia ha descubierto que se puede cambiar cuando algo nos interesa, lo creemos y estamos verdaderamente dispuestos a hacerlo. Con ese impulso, logramos vencer muchos obstáculos. La motivación es una fuerza poderosa de cambio y la obtenemos mediante la decisión de hacer lo correcto a la luz de un manual de vida que consideramos que tiene la autoridad para guiar nuestras vidas.

«No imiten las conductas ni las costumbres de este mundo, más bien dejen que Dios los transforme en personas nuevas al cambiarles la manera de pensar. Entonces aprenderán a conocer la voluntad de Dios para ustedes, la cual es buena, agradable y perfecta». Romanos 12:2 (NTV).

Esa porción bíblica generó en mí una gran motivación para no imitar las costumbres de un mundo en crisis, sino, más bien, dejarme transformar y cambiar mi manera de pensar, conforme a la voluntad de Dios, fuente de amor, quien nos diseñó y nos creó, y por eso sabe perfectamente qué es lo mejor para nuestras vidas. Se trata, por tanto, de conectar con nuestra esencia como seres humanos, de que nos vemos como una creación de salud y bienestar dispuesta a desarrollarse y crecer en una sociedad de conciliación.

Si la percepción depende de la información que tenemos en nuestra memoria genética y nuestro sistema de creencias y experiencias, entonces, podemos ajustar nuestra percepción para mejorar el estilo de vida en nuestro entorno. Podemos hacer ajustes a nuestra percepción subjetiva para mejorar nuestro estilo de vida, aprendiendo nuevas formas de comprender las situaciones de la vida.

La neuroplasticidad es la palabra mágica, surgida tan solo hace unos años, y describe la capacidad de modelación fisiológica de nuestro cerebro para cambiar y aprender durante toda nuestra vida. La ciencia ha descubierto que nuestras capacidades cognitivas —la capacidad de aprendizaje, la percepción y la memoria— pueden mejorarse independientemente de la edad que tengamos. Una excelente noticia para las personas adultas. Nuestro cerebro está diseñado para aprender siempre, si queremos hacerlo.

Las vivencias de alto valor emocional tienen la capacidad de generar cambios en nuestra conducta, pero pueden ser vivencias dolorosas. Un accidente, una enfermedad o una pérdida económica significativa pueden generar cambios, pero el precio a pagar es muy alto.

El poder del pensamiento

El poder del pensamiento va más allá de los procesos de aprendizaje o entrenamiento de habilidades físicas. Los pacientes con depresión pueden, por ejemplo, aumentar la actividad en un área del cerebro al lidiar con determinados pensamientos, lo que disminuye el riesgo de una psicosis o de episodios depresivos. Incluso otras habilidades, como la empatía o la moralidad, pueden ser entrenadas y modeladas por el poder del pensamiento. Este es una manera más segura y no dolorosa de generar cambios en nuestra percepción y en nuestro mapa neuronal de conducta. Podemos aprender a desarrollar habilidades sociales esenciales por medio del pensamiento.

> *Tus pensamientos son semillas, y lo que vas a cosechar, dependerá de las semillas que plantes.*

La calidad de los pensamientos que pongamos en nuestra mente determinará la calidad de nuestra conducta. Esta es razón de sobra para escoger muy bien en lo que debemos pensar. Cada persona tiene que tomar ventaja de esta realidad y hacer su vida más positiva y placentera a través del poder de sus pensamientos, porque muchas de las enfermedades modernas, como el estrés, los miedos o el dolor, también son altamente dependientes de nuestros pensamientos.

El éxito en todas las áreas de nuestra vida depende en un alto grado de nuestro compromiso y disciplina con los pensamientos que nos ayuden a ser una mejor persona.

«Con el paso del tiempo, el alma adquiere el color del pensamiento», Marco Aurelio.

Una frase muy reveladora acerca de la influencia del pensamiento en la mente humana. Al cabo del tiempo, los pensamientos positivos van a atraer situaciones positivas a nuestra vida. Pero cuanto más tiempo se mantengan los pensamientos negativos, más difícil será deshacerse de ellos. A lo largo de la vida, los pensamientos y experiencias van conformando una serie de rutas neuronales que se agrupan, entre otros factores, según su carga bioquímica. Esta, a su vez, está íntimamente ligada a las emociones y sensaciones corporales que experimentamos.

Teniendo en cuenta que nuestro aprendizaje se basa en la asociación de conceptos, sucesos y emociones, los recuerdos negativos atraerán a otros recuerdos de igual carga bioquímica que nos llevarán al estancamiento en las emociones tristes, de rabia o de enfado que estemos evocando consciente o inconscientemente. Esto puede convertirse en bucles de pensamiento o, incluso, en obsesiones difíciles de tratar. Es por ello muy importante observar nuestros pensamientos para encauzarlos hacia pensamientos de aprendizaje, resiliencia y fortaleza.

Esta es una razón de mucho peso para entrenar nuestro cerebro para que se deshaga lo más pronto posible de los pensamientos negativos, identificándolos para aprender del mensaje que tienen para nosotros y enfocarnos en lograr nuestras metas impulsados por lo que nos motiva y no por lo que nos da miedo. Por ejemplo, los temores. Debemos deshacernos lo más pronto posible de esos pensamientos tóxicos.

«Concéntrense en todo lo que es verdadero, todo lo honorable, todo lo justo, todo lo puro, todo lo bello y todo lo admirable. Piensen en cosas excelentes y dignas de alabanza». Filipenses 4:8. Este consejo bíblico está realmente lleno de sabiduría.

Modelos de aprendizaje

Los experimentos científicos han demostrado que, en todo proceso de aprendizaje, a partir de un determinado momento, así como a partir de cierta edad, la curva se hace más lenta, para que podamos asimilar los detalles y especializarnos o aprender en profundidad una materia. Así tendremos más oportunidad de mantener la información en nuestro cerebro y hacer los cambios que queremos en nuestra vida.

Cuanto más largo y profundo sea el contenido del aprendizaje no deseado almacenado, mayor será el esfuerzo por realizar para eliminarlo, al menos, utilizando métodos desde el consciente. La clave es reemplazar los pensamientos negativos por pensamientos positivos. Aquí es muy importante la disciplina y la constancia en los pensamientos positivos, y la paciencia hasta lograrlo.

Aunque no podemos cambiar nuestra memoria genética base de nuestro temperamento, sí podemos crear nuevas rutas neuronales por medio de pensamientos constantes y recurrentes conforme a lo que queremos modificar en nuestra vida. Diversos estudios demuestran que dar un sentido a la vida y tener un estilo de vida más espiritual o en el que se tenga una filosofía con referencias claras, ayuda al ser humano a llevar una vida con mayor motivación, seguridad y equilibrio disminuyendo los casos de depresión o estrés. Tener referencias que nos dan confianza en la vida fomenta la segregación de gaba, un neurotransmisor importantísimo en el cerebro que regula la actividad de muchos otros, y nos transmite ese estado de calma y tranquilidad.

¿Se puede entrenar la felicidad?

Tras un año investigando en la Facultad de Medicina de Harvard, el conocido neurobiólogo alemán y profesor de medicina, Tobias Esch, de la Universidad de Coburgo, ha demostrado hasta qué punto se puede entrenar la «felicidad». En su estudio participaron 147 trabajadores de una empresa de seguros que, durante siete semanas, recibieron a diario por correo electrónico ejercicios relacionados con la felicidad.

Los ejercicios, de una duración de entre 10 y 15 minutos, enseñaban a dedicar parte del día a actividades que reportaran felicidad (practicar deporte, obsequiar un detalle a un amigo, compartir sus deseos con sus conocidos o escribir un diario de la felicidad). Los participantes se mostraron más felices, contentos, descansados y atentos. Los sentimientos de felicidad y satisfacción actuaban como un psicofármaco. Y lo que es más: los sentimientos de felicidad tenían un impacto en todo su organismo. Reforzaban el sistema inmunológico y aumentaban la capacidad de resistencia de todos los sistemas del organismo.

Conviértase en el entrenador de su propio cerebro por medio de su voluntad

Podemos convertirnos en entrenadores de nuestro propio cerebro y avanzar en nuestra conducta y nuestras metas en la vida. Nuestras neuronas transmiten información que puede impactar nuestra vida cuando superan el umbral sináptico. Cuando le damos valor e importancia a la información que recibimos, puede tener el suficiente valor sináptico para cambiar nuestras convicciones.

Podemos programar nuestra mente para vivir con estos valores:

Amor, bondad, benignidad, humildad tolerancia, empatía, fe, integridad, disciplina, sabiduría, lealtad, servicio, paciencia, valentía.

Si le damos valor de alta importancia a los principios y valores bíblicos estamos en el umbral de un cambio muy positivo en nuestra vida.

El control consciente de nuestros pensamientos es fundamental para tener éxito en nuestra vida. Solo cuando logramos éxito en esto, tenemos realmente el control sobre nuestras vidas. Los pensamientos tienen la capacidad de modificar nuestro cerebro y cambiar nuestra conducta. Quizás no es algo fácil de lograr, pero es totalmente posible.

Recuerde: «Concéntrense en todo lo que es verdadero, todo lo honorable, todo lo justo, todo lo puro, todo lo bello y todo lo admirable. Piensen en cosas excelentes y dignas de alabanza». Fil. 4:8.

Una vez más la instrucción bíblica nos invita a concentrar nuestros pensamientos en todo lo positivo, porque el que diseñó nuestro cerebro sabe que, si concentramos los pensamientos en valores y principios positivos, nos irá muy bien en la vida. Entrene sus pensamientos en una dirección positiva y esperanzadora imaginando su vida como Ud. quiere que sea. Experimente esta idea tan a menudo como sea posible.

Reprogramación mental

Los pensamientos cambian la química del cerebro. Con nuestros pensamientos, modificamos los neurotransmisores y podemos reprogramar nuestros patrones de conducta.

Ejercicio: escriba sus predicciones negativas en un pedazo de papel. Luego, convierta estas predicciones negativas en positivas y escríbalas en otra hoja de papel. Ahora, queme el primer pedazo de papel e imagine cómo los pensamientos negativos también desaparecen en su cabeza.

Haga este ejercicio y practíquelo varias veces para que vaya entrenando su cerebro a deshacerse de pensamientos negativos.

Haga ejercicios de relajación constantes. Estos ejercicios son una excelente herramienta para reducir el estrés y vencer la ansiedad. Además, nos puede ayudar a mejorar la concentración y consolidar la memoria.

El poder de la imaginación

Tenemos la capacidad de usar una herramienta fabulosa de la creación, como es la imaginación, para reforzar los pensamientos positivos. Si la practicamos con frecuencia, tendremos muchas más posibilidades de reforzar nuestro cambio de conducta. La imaginación es un tremendo poder que está a nuestra disposición. Puede funcionar para lo bueno, pero también para lo malo. Es nuestra opción hacerla funcionar en función de nuestro bienestar.

La imaginación es el sustrato de la creatividad, es decir, primero imaginamos y luego nos ponemos a trabajar para materializar nuestros sueños; sin imaginación no hay creación. La meditación usando la imaginación genera hormonas que nos transmiten sensaciones de bienestar. En un mundo tan cambiante como en el que vivimos, es necesaria la imaginación más que nunca. Y, junto con la creatividad, es capaz de encontrar mejores opciones para resolver un problema, nuevas aplicaciones para un producto, etc. De hecho, son los perfiles laborales más demandados

En otras palabras, la creatividad es esencial hoy en día y su falta crea rigidez mental e inadaptación a un entorno que cambia a grandes velocidades.

«El verdadero signo de la inteligencia no es el conocimiento, sino la imaginación», Albert Einstein.

La imaginación es una facultad humana imprescindible. Las distintas civilizaciones que se han ido desarrollando a lo largo de la historia, los avances científicos o inventos revolucionarios se deben en gran medida a esta capacidad inventiva de evocar imágenes e ideas en un mundo interior distanciado de la realidad externa o física.

Un ambiente relajado, inspirador, con elementos armoniosos en forma y color, una sala ventilada o con perfume natural, un entorno de personas en un estado emocional moderado y la confianza en uno mismo son premisas determinantes a la hora de dar rienda suelta a la imaginación. Es muy interesante que la Biblia y la neurociencia confluyen para estimular la imaginación y entender mejor las ideas e instrucciones de Dios para los seres humanos. Sin imaginación, no hay creación, no lo olvides.

El poder de tus facultades mentales

> *«Una persona educada es aquella que ha desarrollado las facultades de su mente de tal modo que puede adquirir cualquier cosa que se desee o su equivalente, sin violar los derechos de los demás»*
>
> ***—Napoleón Hill.***

Todos los seres humanos tenemos barreras y creencias limitantes que muchas veces nos impiden hacer cambios en nuestro mapa neuronal y la forma en que percibimos. La ira es una reacción emocional natural del ser humano, provocada por la percepción de una injusticia, una ofensa, una mentira, la violación de un principio o valor, etc.

Se puede desarrollar la habilidad de controlar la reacción al enojo con meditación espiritual, oración y terapia calificada.

La mayoría de las mentes de las personas están controladas por sus memorias inconscientes no reflexionadas, por su razón basada en pensamientos y creencias adquiridas en su infancia. Podemos transformar los resultados que estamos acostumbrados a ver, cambiando nuestra forma de pensar, de sentir y de percibir. La razón es la capacidad humana de pensar, reflexionar y relacionar ideas. La educación consiste en aprender de fuentes confiables, como la Biblia y el conocimiento científico, que nos puedan ayudar a ser mejores personas en nuestra sociedad en la cual vivimos.

La intuición y la voluntad

La neurociencia corrobora la presencia y existencia de la intuición como una facultad extraordinaria para tomar decisiones en situaciones en las que la razón sería demasiado lenta o en las que nos falta información. Esta facultad une los conocimientos y experiencias almacenados de forma inconsciente con impulsos y estímulos del consciente y genera reacciones o ideas espontáneas.

La palabra voluntad viene del latín *vollo* o *velle*, que significa «querer, desear». La voluntad se define como la capacidad del ser humano de hacer elecciones y llevar a cabo una acción de manera intencionada, de acuerdo con ideales, valores o principios. Y es, junto con la imaginación, una de las capacidades de nuestra psique humana. La voluntad va ligada al coraje y a la determinación. Podemos redirigir el interés hacia objetivos de valor como tener una familia saludable, disfrutar del amor, vivir con honestidad, practicar el perdón, trabajar con esfuerzo, ser siempre justo y generoso.

«Si no le das un sentido a la vida, la vida no tiene sentido», Albert Einstein.

Conexión espiritual

Este aspecto ha sido fundamental en mi vida. Creo que todo ser humano necesita desarrollar una conexión espiritual en su vida para poder controlar sus emociones y sus debilidades sociales.

«Estudia constantemente este libro de instrucción. Medita en él de día y de noche para asegurarte de obedecer todo lo que allí está escrito. Solamente entonces prosperarás y te irá bien en todo lo que hagas». Josué 1:8.

Este consejo confirma el poder de la meditación para obedecer las instrucciones bíblicas con una promesa impresionante: prosperaremos y nos irá bien en todo lo que hagamos. La Biblia me ha enseñado que podemos alcanzar una conexión espiritual con nuestro creador a través de la oración, la lectura bíblica y la meditación. Esa conexión, puede producir un estado de fe y gozo sobrenatural. Hay que experimentarlo para entenderlo.

El cerebro produce previsiones constantemente. Si lo entrenamos con meditación e imaginación en valores espirituales que nos lleven hacia un plano de consciencia superior, vamos a prever acontecimientos positivos en nuestra vida. Podemos imaginarnos a Dios diseñando al ser humano. Algo realmente maravilloso. La imaginación en aspectos positivos de la vida nos ayudará a hacer cambios positivos en nuestro estilo de vida y el éxito integral.

El cerebro no solo produce previsiones constantemente, sino que también reacciona ante los errores de sus predicciones con gran agilidad, de una manera claramente mesurable. Por una parte, esos errores se compensan velozmente mediante modificaciones de la conducta. Por otra parte, el resultado se almacena como un recuerdo, para evitar cometer la misma equivocación en el futuro.

La meditación

Está considerada un tipo de medicina complementaria para mente y cuerpo. La meditación puede producir un estado de relajamiento profundo y una mente tranquila. Durante la meditación, concentras tu atención y eliminas el flujo de pensamientos confusos que pueden estar llenando tu mente y provocándote estrés. La meditación en fundamentos altruistas tiene la capacidad de transformar nuestro sistema de creencias y modificar nuestra conducta de una manera extraordinaria.

Decisiones que te sugerimos tomar

1. Enumera las áreas que quieres modificar en orden de prioridad.
2. Identifica la causa de tu percepción incorrecta.
3. Medita en una palabra de fundamento espiritual relacionada con esa área que deseas modificar.
4. Conecta espiritualmente con tu creador o tu esencia mediante la oración (hablar con él, es una experiencia maravillosa que te ayudará a enfocarte en pensamientos de amor, plenitud, bondad, entre otros).
5. Utilizar todo tipo de ayuda para modificar esa área de conducta.

Protege tu cerebro y protege tu familia

1. Medita frecuentemente para conectar con tu espiritualidad.
2. Practica el amor, el perdón, la paciencia y la tolerancia.

3. Practica el altruismo y la empatía.
4. Haz ejercicios de respiración con frecuencia.
5. Haz ejercicio físico disciplinadamente.
6. Lee frecuentemente literatura que edifique.
7. Procura mantener una alimentación saludable.

El rumbo de mi vida cambió extraordinariamente desde el momento en que comencé a aprender acerca de los principios y valores espirituales bíblicos. A través de la experiencia cristiana, aprendí a ser un esposo más conectado con mi esposa, a entenderla más claramente y a disfrutar más y mejor con ella nuestra vida matrimonial. Aprendí a ser un padre más consciente de las necesidades de mis hijos y a entender la importancia del modelaje de vida para ellos. Aprendí a ser un empresario más sensato en muchas áreas de la vida comercial y aprendí a relacionarme de una manera más empática y comprensiva con las personas a mi alrededor. No soy perfecto, pero he aprendido a reconocer mis errores, a pedir perdón y restituir a quienes lastime. He aprendido a amar y a ser un instrumento de bendición para otros.

El aprendizaje de la neurociencia ha sido un complemento perfecto para entender lo que ocurre en el cerebro humano y fortalecer los valores y principios, y animándome a la vez a compartir el conocimiento con otras personas para que puedan desarrollar una experiencia de vida más satisfactoria.

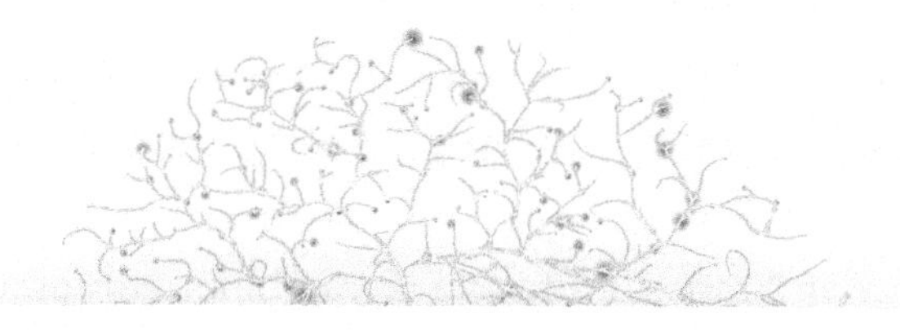

Vicky Rodríguez
(HAKRAI)

Semblanza

Vicky es neuromentora, emprendedora intuitiva, amante de la vida, la naturaleza involucrada en elevar la consciencia humana, certificada como consciouness advisor. Con más de 20 años de experiencia en el ámbito de la ayuda, aporta también su propia experiencia vivencial. Avalada por numerosas personas que han experimentado el cambio en diversas formaciones, cursos, sesiones y talleres.

Destaca por su alta sensibilidad en la inclusión social, ayuda en procesos de cambio, rupturas, duelos y emprendimiento su capacidad intuitiva conecta excepcionalmente con cualquier tipo de conflicto, ayudando a desbloquear emociones, logrando las metas propuestas. Su carácter facilita a conectar con la gente y tener una mejor comunicación y entrenarlos para el éxito.

Es colaboradora de ANE International (Academy of Neuroscience and Education) y de Fundación Stanpa como asesora en Estética Oncológica en hospitales de España. Ha participado en la Feria del libro de Lima, Perú como panelista con su ponencia Amor en tiempos de COVID, desde la neurociencia en 2020. Es CEO de Huellas Madrid, una comunidad de bienestar, y CEO de Neurotrainer Sistémico NTS.

Intención

Mi deseo es que este capítulo sea el inicio de tus vacaciones emocionales. Como aquellas vacaciones que inicié con el ascenso a la cima, aquello me inspiró. Trata de una auténtica trascendencia de personas como tú, que atravesaron un proceso de ruptura muy doloroso, que creyeron que no superarían.

Espero que descubras qué es la ruptura que te llevó a encontrarte, que da comienzo a una nueva identidad emocional, en la que empiezas a amarte reconociendo al ser humano, amoroso, generoso y compasivo del que estás hecho.

LA RUPTURA QUE ME LLEVÓ A ENCONTRARME

«Considera que un tropiezo es una gran zancada para avanzar hacia adelante».

—Vicky Lucinda Rodríguez Rodríguez

Era uno de esos días en los que a Katherine le daban vueltas unos pensamientos recurrentes, en todo lo que había vivido hasta ahora, se daba cuenta de que era como una superviven-cia constante. Casi nunca había tenido la oportunidad de ele-gir nada. Había tenido que acoplarse a la vida como en un tren en marcha y esta vez no tenía idea de manejar una situación de «libertad» como en la que se encontraba ahora. Le costaba decidir, porque antes siempre había tenido en cuenta muchos factores, los pro y los contra, pero siempre en beneficio de los demás.

Se presentaban sus vacaciones y había que hacer algo. No lo pensó dos veces, se puso a hacer la mochila, donde cabía justo lo necesario, y fue directo al aeropuerto.

Desde la muerte de su única hermana, sabía muy bien lo que significaban las pérdidas de los seres queridos y también sabía harto de ruptura de parejas. Tener que pasar por esas situaciones en soledad, con el agravante de que en esos proce-sos, ya te sientes solo, hasta los amigos huyen despavoridos, porque tu conversación se torna en un mismo tema. Recuerda cuando un día llamó a su amiga, le propuso para verse y la amiga respondió: «Ahora mismo creo que debemos dejar pasar un tiempo para vernos...». Y ella preguntó por qué. Laura respondió: «Es que llevas tanto tiempo hablando de lo mismo, que me cansa oírte repetir lo mismo día tras día». Aquello la hizo reflexionar.

¿Cómo es que podía estar tanto tiempo hablando de lo mismo? Y se dio cuenta de que había caído en un secuestro emocional.

Esto te da una idea de cuán malo puede ser mantener esa situación por mucho tiempo.

Pierdes el contacto con la realidad, no te das cuenta lo que estás proyectando a los demás, hasta puedes resultar tóxico para las personas que te rodean y, por tanto, debes tomar acción inmediata.

Eran las 17:00 y Katherine se encontraba abordando el avión, ni siquiera se imaginaba ni por asomo que esas vacaciones le darían la confirmación a lo que se dedicaría mas adelante podríamos decir su propósito. Horas más tarde, el avión había aterrizado, todo salió bien. Con mochila en mano y gafas de sol, se dirigió hacia un taxi. La charla con el taxista se tornó muy amena, es así como preguntas van y vienen: «¿De dónde eres?», «¿A qué dedicas el tiempo libre...?». Y ella dijo: «¡Me encargo de zurcir corazones rotos!». «Guau, conozco a alguien que está pasando por circunstancias difíciles. Le vendría bien hablar contigo». «¡Claro!».

Enseguida llegaron a su destino y Katherine, desde la terraza del apartamento, observaba el mar y escuchaba el vaivén de las olas que rompían al llegar a la orilla. El ruido de las gaviotas aleteando en medio de un atardecer de colores cálidos, surcando ese horizonte tan amplío entre el cielo, el mar y la tierra, la lleva a dar un suspiro profundo, y así estaba, sumida en sus pensamientos más placenteros, en donde se pasa el umbral de las ondas beta y se llega a alfa, del consciente al inconsciente. Cuando la mente entra en esa especie de ensoñación, conectando con la creatividad y la consciencia.

Es precisamente en dichos instantes de aparente inactividad cognitiva cuando se activa la llamada RND (red neuronal por defecto). Esa actividad, así como todos esos procesos empleados en seguir manteniendo el cerebro alerta y en funcionamiento, pero a la vez un poco «desconectado de la realidad o ambiente externo», recibe el curioso nombre de energía oscura, que permite que mientras no estés en modo cognitivo consciente, funcione casi de manera automática y te envuelva en esa especie de ensoñación. Es un estado en el que entramos en la onda alpha, incluso destellos de theta, las cuales nos conducen a un estado semiconsciente, en el que estamos sumidos en nuestros pensamientos y solo algo que nos llama la atención puede sobresaltarnos. A su vez también la red neuronal por defecto tiene un papel clave en la rumiación pensamientos, y estos en muchas ocasiones son negativos y repetitivos, según el neurocientífico Marcus Raichle y otros estudios neurocientíficos de la Academia de Neurociencia y Educación; luego hablaremos bastante de ello.

Ese momento de ensoñación fue interrumpido por un mensaje: «Hola, soy Erick. No nos conocemos, me acaban de dar tu número, me gustaría comentarle lo que estoy buscando... Me gustaría hacer algo que me lleve a sentirme mejor...». Katherine estaba extrañada con ese mensaje, entonces, ¿acaso había aparecido el taxista mágicamente para que esos dos seres se cruzasen?

Sin perder el tiempo, leyó el mensaje y respondió: «Hola, Erick. ¿En qué puedo ayudarte?». «Tengo mucho estrés, quiero aprender a relajarme y empezar a hacer algo, quizás puedas ayudarme». Luego, prosiguió con un segundo mensaje indicando lo que le ocurría. Katherine le propuso hablar por teléfono. Cuando se escucharon las voces, aquello ya estaba más relajado, menos tenso, porque Katherine tiene esa capacidad de conectar con las personas de manera intuitiva y estuvieron intercambiando impresiones hasta que... «¿Podemos vernos y ver qué puedo hacer?», dijo Erick. «No sé dónde podríamos vernos». «Dime por dónde estás y podría acercarme». Ella le dio las referencias y él respondió: «Ah..., yo conozco la zona, me acercaré...».

Ella pensó: «Mira qué bien, así también pregunto por las cosas locales». Estaba aún en plena pandemia y ella también había tenido sus desajustes emocionales que, gracias a las herramientas que tenía, había logrado restablecer. Tenía una rutina matinal: el desayuno del éxito *(adjunto como ejercicio-E1).*

Katherine se puso a reflexionar: hay que tener la fuerza, coraje y valentía de coger el teléfono y escribir un mensaje en plan SOS a una persona que no conoces. «¡Es de locos!», pensaba ella. Y es así como muchas veces suceden las cosas que, sin saber, cómo ni cuándo, de pronto hay algo o alguien que podrá darte un poco de luz a esa oscuridad que no te deja avanzar, porque está claro que nadie puede caminar por ti, solo puede ser tu compañero de viaje de ese tramo de tu vida.

Si te encontraste alguna vez en esa situación de profunda tristeza y dolor, ¿qué es lo que le dirías a Erick que haga para sentirse mejor?

En este caso, lo mejor que hizo Erick fue buscar ayuda, porque se estaba dando cuenta de que no podría salir solo de ello.

Algunas personas recurren, por ejemplo, a que les lean las cartas, invocando a lo divino o les piden a los duendes del «milagro» que le hagan volver a la persona con la que acaban de romper. Lo peor en una ruptura es la esperanza de volver, porque te mantiene enganchado, no te deja cortar definitivamente y empezar a tomar decisiones para salir de esa situación.

Cuando nos enamoramos, no pensamos que cada uno es de su padre y de su madre, como quien dice, y que lo más probable es que tengamos los mismos errores, virtudes y hábitos, incluido cómo llegas a esta relación, *con esa mochila,* y no se han detenido un momento para hablar de ello. Aunque, luego de ese punto de inflexión, pueden evolucionar cada uno por su lado y volver a la relación, desde una mirada distinta y habiendo trabajado de manera individual su mochila de vivencias. Porque, al unirse como pareja y no haber hablado de esas vivencias individuales, no se han permitido evolucionar juntos.

Cuando estás en esta situación de ruptura y de dolor, si tuvieras la oportunidad de negociar para volver con esa persona, estarías... ¡dispuesto a negociar casi cualquier cosa! Con tal de recibir tu dosis de dopamina y oxitocina, es decir, calmar tu deseo y sentir esa situación de pertenencia, familia de los que... ¡ahora te han privado!

Estás rabioso, enfadado, triste y, sobre todo, con un enorme vacío que no sabes con qué llenar, y si tuviste una convivencia, sientes que la casa se te cae encima como muchos lo afirman. Lo peligroso de esto es que, en esas circunstancias, hasta podrías agarrarte a un clavo ardiendo con tal de no sentirte solo, te mientes diciendo que un clavo saca otro clavo, y te pones en peligro emocional otra vez.

Porque estás como un adicto: te hace falta tu camello, tu traficante, el proveedor de tu adicción.

Las chicas, algunas, van a la peluquería, cambian de peinado, se ponen ese vestido corto que deja relucir sus largas y estilizadas piernas con tacones rojos. En el caso de los chicos, salir de discoteca, apuntarse al *gym* para moldear los bíceps que siempre quisieron tener y hacerse unas fotos con la camiseta remangada, para que se vean bien o presumir los abdominales.

Un comentario típico es: que todos los hombres y mujeres son iguales, y que nunca más se van a volver a enamorar. Apuntarse a las *apps* de contacto para conocer gente también es común. Según quien vea tu foto y perfil, te dará un *match*, que, para empezar, no sabrás si todos dicen la verdad, incluso la foto que viste puede que sea más antigua que tu muela del juicio... Mientras, estarás al otro lado impaciente por escuchar la campanita del *like*, como si se tratase de una subasta, porque estás compitiendo, te vendes al mejor postor y no tienes idea de cuántos están apuntados en esa página de contacto y ¿qué será lo siguiente? Salir a conocer a esa persona. Según avance la hora y las circunstancias, te llevará a una cosa u otra y habrás terminado haciendo algo que ni te habías pensado y... ¡otra vez terminas mal o peor!

Porque empezarás con esas odiosas comparaciones y estás allí otra vez, con los mismos pensamientos. Y si, por casualidad, lo pasaste bien durante ese encuentro, ¿cuánto tiempo crees que te va a durar ese subidón? Tu cuerpo y tu cerebro seguirán comparando y terminarás escuchando en tu mente *La costumbre es más fuerte que el amor...* o *Tú me acostumbraste a todas esas cosas...*

Porque, en efecto, cuando estabas en esa etapa de enamoramiento, generabas neurotransmisores, como endorfinas, oxitocina, dopamina, noradrenalina, etc., que hicieron que, poco a poco..., ¡te inclinaras a su terreno! Hasta cuando algunas frases les salían igual, alegremente decías «¡Estamos taaan conectados! ¡Nos entendemos con solo mirarnos!»; situación que probablemente ahora odias.

Lo que pasa es que vuestros cerebros fueron resonando, influenciados por muchos estímulos, ya que el cerebro está hecho para disfrutar, no solo para la supervivencia y cuanto más gustito, más serotonina, oxitocina y gaba se segregan, lo que fomenta resonancia al máximo.

¿Y qué está pasando ahora? ¿Es que se fue esa resonancia idílica, casi mágica?

«¡No hay nada más terrible para nuestro cerebro que no encontrar resonancia!».

«Da igual si es que porque no se verbalizan los reconocimientos o si se trata de falta de amor o de atención, el caso es que lo pasa fatal, haciendo que tú sientas todos esos efectos secundarios de falta de resonancia en tu pareja, en este caso, ¡con tu ex!».

¿Qué ocurre ahora? Ya se está pasando ese momento de enamoramiento, pero aprendiste su rutina, a hacer su comida favorita, aguantaste que ponga los pies encima de la mesilla para jugar a la PlayStation, que deje subida la tapa del wáter o te sumabas a ver los partidos del domingo con los chicos o jugar al pádel. Entendías que ella se fuera de marcha con sus amigas los viernes de chicas, que ahora que lo hace todas las semanas, ya no te sienta bien o porque pasa más horas en casa de su madre, en el *gym* o haciéndose la uñas.

Y si se conocieron por alguna *app* de contacto, pensarás que, tal vez, está haciendo lo mismo ahora con otra persona, ¡eso te consume! Hasta imaginas que llevará la misma ropa de aquel primer día en el que se conocieron porque eso le sienta mejor y entrarás en una cascada de angustia trayendo a tu mente innumerables imágenes, entre ellas, imaginándote las peores situaciones, regodeándote con esos sentimientos y castigándote una y otra vez para sentirte aún más víctima, y ahora es momento de un...

Rito de iniciación

¡Ponte de pie!

Endereza ese cuerpo que, por momentos, se te ha escurrido como un flan hacia abajo.

Ensancha el pecho, muestra tu corazón como si fuese un diamante.

Afianza bien los pies.

Coge fuerza y golpea el suelo fuertemente como si bailaras flamenco.

Siente la energía y que ahora eres tú quien toma el control.

Grita si es necesario como los jugadores de rugby cuando se enfrentan a un partido; es una jaca ancestral, recuerda que tú también tienes la fuerza de tus ancestros.

Toma aire profundamente tres veces.

Cierra los puños.

¡Decide!

Toma acción como un adulto, que ya bastante estuviste en modo niño, quejándote y haz un compromiso contigo mismo o con quien se te venga en gana, pero que sea alguien que te inspire. ¡Grita! Hasta que se te hinchen las venas del cuello (gritar libera endorfinas y produce placer, actúa como un sedante y relaja las tensiones, la ansiedad).

¡Voy a convertirme en lo que realmente quiero ser sin dependencias externas! Sin que mi felicidad dependa de alguien, de un desconocido/desconocida que un día llegó a mi vida y, según yo, puso mi vida patas arriba y ahora no sé para dónde tirar.

Busca ayuda inmediatamente... porque en el tiempo que tardas, estás perdiendo... ¡horas de vivir nuevas experiencias y de canto a la vida!

Por tanto, se podría decir que no fue fácil para Erick coger el teléfono y escribir, intentando plasmar su atormentada situación en un mensaje de texto a una desconocida, pero él sí sabía que se merecía algo diferente, algo distinto... ¡su ser lo sabía! Y tú también lo sabes...

Por eso, ahora Erick va al encuentro de Katherine para, por fin, empezar ese camino desconocido, para realizar ese gran cambio que quiere, aunque su saboteador le dirá: «Y si no lo logras..., ¿qué?

Por fin llega el encuentro esperado: «Hola, Erick. Estoy aquí para escucharte y si es posible, ayudarte». Esa frase fue la que los llevó a ambos a conocerse y ayudarse mutuamente. No olvidemos que estaban en plena pandemia. Con toda naturalidad, se dirigieron a la playa y decidieron sentarse encima de unas piedras, ninguno puso objeción y allí estaban charlando dos desconocidos hablando de lo más íntimo de su ser, de aquellas cosas que no le contarías ni a tu mejor amigo.

Erick pensaba: «¿Estará disponible para coger el teléfono y leer el mensaje? ¿Me responderá inmediatamente? Mi ansiedad va en aumento». «Diooos, qué momento», decía entre risas. Le comentó a Katherine: «Me dedico a las finanzas y no estoy contento en ese trabajo. Me absorbe demasiado y tengo que robarle tiempo al tiempo para dedicarme a mi mujer y mis hijos...». Hizo una pausa y balbuceó: «Estoy muy orgulloso de ellos», y sonrió con ojos vidriosos.

«Si no estás a gusto en ese trabajo, ¿por qué sigues allí? ¿Sientes que no podrías encontrar otro?»

«Realmente no lo sé, quizás debería buscar otro empleo que me dé más tiempo y, por otro lado, me siento en deuda con mi amigo, que me trajo a esta empresa para ayudarlo y no me gustaría defraudarlo. Creo que tengo mucha inseguridad en todo, incluso para tomar decisiones en el hogar, pero siento que yo asumo toda la responsabilidad, que hago más de lo que puedo dar, aunque mi mujer lo ve de otra manera. Ella me lo dice siempre: está cansada de mis cosas, mis altibajos, pero yo no lo veo así porque me deshago haciendo cosas por ella y los niños».

Mientras Katherine intenta argumentar, se le pasa por la cabeza que las cargas de su *mochila emocional* le estaban pasando factura a Erick. De alguna manera, había entrado en cascada, ya estaba con *burnout*, literalmente quemado. Sabía que, de todas formas, esto no había pasado de un día para otro, la mujer ya le había comentado lo difícil que estaba siendo todo esto y ella, por su cuenta, también intentaba buscar ayuda para si misma, pero se sintió desbordada: «Erick, te tienes que ir de la casa, ya no puedo sostener más esta situación» y, entonces, se tuvo que ir de casa.

«¿Qué hiciste?, ¿a dónde fuiste?».

«A mi piso de soltero, lo había seguido manteniendo, por si más adelante lo necesitaba y ahora veo que efectivamente he pisado fondo. Estoy sin mujer, sin niños», y rompió a llorar. Intentó disimular, pero no pudo controlarlo y pidió perdón por ese momento de vulnerabilidad: «Últimamente, lloro por todo, yo no era así». Prosiguió con su relato, ella lo escuchó con mucha atención y cuidado, respetando sus tiempos y él iba descubriendo cosas en sí mismo a medida que ella le hacía preguntas, como si estuviese hablando con un amigo.

Ella sintió el sol abrasador cada vez más, sentía que la piel le picaba. Ya había cambiado varias veces de posición, pero sentía que no era el momento de interrumpirlo, pues él necesitaba soltar. Las piedras en las que estaban sentados eran duras y ella lo empezaba a notar, encontrar otro lugar rápidamente no va a ser posible y no quiere que se rompa esa conexión.

«Me siento abandonado, solo, y siento que no puedo estar solo. A estas edades, no podré rehacer mi vida y tampoco es que me interese, porque al final no encontraré alguien como ella».

«¿Cuándo fue la primera vez que te sentiste así?».

«Cuando mis padres se divorciaron. Mi padre se marchó de casa, mi madre estuvo siempre trabajando desde que amanecía y llegaba tarde por las noche y me quedaba solo».

«¿Y ahora te sientes así?».

«¿Así cómo?».

«Solo, como cuando tu madre no estaba...».

«Bueno, eso era antes, cuando era niño. Ahora me siento solo porque no estoy con mi familia, mi mujer, mis hijos; estoy desesperado».

Siguieron conversando y le contó también la historia de cómo, cuando era niño, tenía problemas. En el colegio, le hacían *bullying* porque era gordito, y no se defendía, solo se ponía a llorar o montaba en cólera y una vez golpeó a su compañero de clase porque estaba cansado de recibir insultos y que, por todo ello, se sentía con poca autoestima y mucha inseguridad. Había hecho muchas cosas para que su madre le dijera algo bonito, un «¡Qué bien lo has hecho!», pero eso nunca llegó a ocurrir, y así fue creciendo, en la adolescencia se fue de casa a otra ciudad.

«¿Por qué te fuiste?».

«Porque mi madre tuvo una nueva pareja y él bebía mucho, tenía muy mal carácter cuando bebía. Yo no estaba dispuesto a aguantar más. En esa ciudad, conseguí un trabajo. Trabajaba y estudiaba a la vez. Tuve que dejar la universidad varias veces porque el dinero no alcanzaba y me tocó trabajar muchas horas para terminar la carrera. Tuve un par de novias, nada importante, es la primera vez que formo una familia».

No comentó nada acerca de su padre, solo habló de esos temas aquella tarde.

Katherine le preguntó: «¿En qué crees que te puedo ayudar?».

«Enséñame a hacer algo que me ayude a cambiar porque, de lo contrario, perderé todo: mi mujer, mis hijos, hasta mi trabajo. Quiero volver con ella porque es todo para mí, es mi vida».

«Bueno, de momento, no podemos hacer nada para que ella vuelva contigo, porque es su decisión.

La pregunta es si quieres empezar a hacer algo para ti».

«La verdad nunca hice nada para mí, me gustaría hacer algo para sentirme bien».

«Según me cuentas, llevas sintiéndote con mucha inseguridad desde hace mucho».

«Eso es verdad».

«¿Entonces, ya sabes lo que quieres mejorar?».

«La inseguridad, la sensación de abandono y el estrés, luego, según pase el tiempo, si ella ve que estoy cambiando, quizás volvamos».

«Este trabajo será para ti. Independientemente de lo que pase con tu relación, no puedes condicionarlo a una vuelta con ella, porque, entonces, aunque no vuelvas con ella, repetirás los patrones en una nueva relación».

«Es que así le pondré más ganas, tendré una razón, un objetivo».

«Ahora lo primero eres tú. Si, como dices, antes hacías todo por los demás hasta que te olvidabas de ti, es momento de que empieces a encontrarte, a saber quién eres y, desde allí, saber lo que quieres realmente...».

Se derrumbaba otra vez. Mientras charlaban, le decía entre sollozos: «¿Cómo he llegado a este punto? Siento que no tengo nada, estoy devastado, no sé por dónde cogerlo. Hace tiempo debí hacer algo, pero no lo vi venir y aquí estoy hablando contigo, por si me echas un cable y aprendo alguna técnica para relajarme, calmar el estrés y ver si así puedo tener más claridad para remontar».

Katherine empezó a darse cuenta de que Erick no estaba siendo consciente de la magnitud de los hechos, su mujer le había dejado, pero aún no lo estaba asumiendo. Entonces, volvió a preguntar para ver si caía en la cuenta: «¿Tu mujer qué te ha dicho?».

«Que lo dejemos, me dijo: "No quiero seguir con esta relación y, por eso, quiero que te vayas de casa y puedes venir cuando quieras a ver a los niños, solo avisa para coordinarnos».

«Bueno, entonces, esto es una ruptura, una separación...».

Y otra vez se pone a llorar y asiente con la cabeza: aceptación. Cuando él termina de llorar, Katherine le pregunta: «¿Quieres saber qué entrenaremos? Entrenaremos tu cerebro para que hagas nuevas redes neuronales, crees nuevos hábitos y encontrar distintas formas de sentirte bien, explorando, haciendo cosas diferentes con resultados que irás viendo poco a poco. Tampoco es una varita mágica, hay que trabajar en ello, en tu neuroplasticidad, etc. Podemos empezar con eso».

«Sí, porque no puedo estar más así. Llevo llorando varios días y no puedo dormir. He vuelto a fumar varias cajetillas y eso me empieza a preocupar. También he ido al médico para la cita con el psicólogo, pero, como tardará, quiero empezar con algo».

Con esa frase, después de casi 3 horas bajo el sol abrasador, terminaba aquel encuentro y empezaron juntos aquel viaje en el que ambos se fortalecerán.

Empieza el ascenso a la cima

Llegó el primer día y Katherine le dijo: «Lo primero que haremos es empezar con la neuronutrición e ir creando nuevos hábitos, dejando "aparcado" los antiguos, que ahora no te están ayudando».

Semana 1. Quitar telarañas (Acondicionar cuerpo y mente)

1. Respiración Pranayama (5 minutos) y 5 minutos de silencio.
2. Meditación trascendental. Si no estamos iniciados, mantenernos en silencio 5 minutos.

La respiración de 5 minutos no logró terminarla, le parecía mucho tiempo, además, la nariz la tenía congestionada de tanto llorar. Entonces, bajaron a 2 minutos y lo hicieron juntos.

Mantenerse en silencio fue tarea titánica porque se ponía a llorar, y bajaron a 2 minutos. Katherine le dijo: «Observa de manera objetiva esos pensamientos que te vienen, después anotarás en la bitácora». Así Erick logró mantener los ojos cerrados en silencio y una vez que abrió los ojos empezó a hacer sus anotaciones.

Cuando estamos sin hacer actividades cognitivas nuestra red neuronal por defecto (RND) se activa y, como en este caso estaba rumiando sus pensamientos repetitivos, eso era lo que emergía. El truco que ella le dio para que observase objetivamente sus pensamientos lo calmó; porque le dio una tarea al cerebro, y así calmó sus pensamientos repetitivos, aunque este truco es temporal, para que nos permita seguir.

Un ejemplo de cuándo es más notorio es durante la noche. Al no poder dormir, te asaltan los pensamientos.

Realiza el ejercicio, son 5 y 5 y anótalo en tu bitácora. Lo encontrarás en el QR descargable.

«¿Cómo te ha ido?, ¿cómo te sientes?».

«Bueno, por lo menos, se me ha despejado la nariz». Se rieron. «Pero la verdad, no sé en qué podría ayudarme taparme la nariz y respirar e intentar estar callado esos minutos que parecen eternos».

«Ahora no lo entiendes. Créeme que si lo haces a diario, lo sentirás y disfrutarás». Se despidieron después de que él volviese a rumiar los mismos pensamientos... y decía: «¿Tú crees que ella está saliendo con otro?», buscaba opinión en el exterior.

«¿Importa lo que yo crea?», y él dijo: «Pues no. Es que, con las RRSS, ahora todo el mundo está a la caza y me da miedo que encuentre a alguien que le guste y allí sí que la perdería, pero sé que nadie la amará como yo. A veces la veo en línea a altas horas de la noche y me pregunto con quién habla». Ella observa que está nervioso, que quiere encender el cigarrillo, pero se aguanta, y tiene las piernas temblorosas, ojos vidriosos, la mirada perdida por momentos, y luego vuelve hacia ella y le dice: «Me tengo que marchar. No sé si podré volver la semana que viene..., tengo mucho que hacer».

Tener RRSS en esta situación te pone peor, stalkeas para seguirlo y ver que están haciendo, es una especie de morbo y ¡esto no ayuda en nada! Hasta te haces cuentas falsas, tu cerebro, desesperadamente, está buscando una solución a la falta de dopamina, oxitocina, serotonina, de las que lo has privado; estás con el mono hasta arriba.

Erick se marcha con los apuntes bajo el brazo. A medida que se aleja, empieza a encender el cigarrillo, ella va viendo cómo desaparece en el pasillo que lleva a la salida; y es cuando escucha una voz que le dice: «Holaaaa... ¿Tú por aquí?». Era Candy, la vecina, una persona encantadora, amorosa y generosa. Se abrazan y se alegran mutuamente de verse, puesto que el año anterior habían compartido muchas confidencias y alegrías. Deciden bajar al paseo marítimo a tomar algo fresquito y ponerse al día en sus historias. Así, ambas bajo el sol, empiezan a desnudar sus almas y Candy dice: «Sigo con aquella relación intermitentemente. No he podido ponerle fin, sabiendo que es una relación tóxica, de maltrato y manipulación, pero no quiero aburrirte con mi historia. Una vez me dijiste: "Cuando llores, moquees, babees y vomites supongo que habrás tocado fondo, mientras tanto, puede que no sea suficiente". Aún no he babeado ni vomitado, será que no he tocado fondo todavía», echan unas carcajadas, cling cling, y a beber.

Katherine recuerda el porqué de ese comentario. Un día, las circunstancias hicieron que descubriera algo inesperado, con lo que sintió que el suelo se abría bajo sus pies y caía en picado mientras sentía decepción, rabia, tristeza y empezó a llorar dando gritos, prácticamente chillando, encogiéndose, mientras sus rodillas se le doblaban... y cayó al suelo. Aquello le dio tanto miedo que empezó a vomitar, y en ese instante apareció la imagen amorosa de sus padres y fue cuando decidió que nunca más volvería a pasar por aquello otra vez. Esto la conmueve aún más y la ayuda a apreciar los pequeños detalles de la vida.

De pronto Candy gritó, sonriendo a la vez que agitaba las manos: «Eyyy, hellooo». Es que Katherine por un momento se había ido de la conversación. Reanudando, Candy, entre risas, le dice: «Por cierto, ¿ese chico que acabo de ver es tu ligue?». Ella sonríe y le dice: «Como si no me conocieras, y tú sigues con las *apps* de contacto, ¿eh?». Ambas se ríen y Candy dice: «Mi psicóloga me ha dicho que explore lo que me guste y vaya probándome a mí misma; pero tú me dices que me quite de todas la *apps»,* más carcajadas, «... Además, me aburro, pero con las *apps* no. Cuando quiero, lo cojo y lo dejo». «Claro, unos días de subidón, luego te hacen *ghosting* y te vienes abajo. Te propongo algo: este mes vamos a trabajar fuerte y lo harás en equipo con Erick».

«¿Erick?, ¿ese quién es?». «Pues, el chico que acabas de ver. Trabajaremos a tope, si después de eso no hay resultados, pensaremos que es tu karma», las dos carcajean, y finalmente Candy acepta el reto.

Semana 2 (cierre de ciclos)

Ya ha pasado una semana y Erick vuelve a la cita (recuerden que dijo que no volvería) y le comenta, tembloroso: «Estoy muy mal, he visto de lejos a ella y a los niños por la calle y eso me ha roto. Ella iba tan guapa y me he hundido y no he podido hacer nada. Lo único que hice al llegar a casa fue hacer los ejercicios, pero me ha costado mucho», sigue llorando, «¡Ayúdame, por favor! Pienso que no lo lograré, pero aun así quiero seguir, para volver con mi familia. He hablado con mi amigo, el del trabajo, le he comentado mi situación y me ha dicho que me tome el tiempo que necesite, pero sigo mal. Pienso que, mientras yo me deprimo y lloro, puede que ella ya esté saliendo con otro».

«¿Qué es lo peor que te imaginas?». «Pues que ella esté relacionándose íntimamente con él; eso me da rabia y me pone mal». «Pues imagínatelo y damos un final a tus preguntas». «No seas cabrona. ¿Cómo me dices eso?», y ríe irónicamente. «Pues, por lo menos, te he sacado una sonrisa. Voy a presentarte a tu compañera de viaje, se llama Candy. ¿Te parece bien?». «Sí, claro». Llaman a Candy para que se una al grupo y ella acepta.

Katherine estaba recordado que unos días antes ambos habían comentado que, en su infancia, se habían sentido solos, echaban de menos un te quiero, un abrazo, por parte de sus padres; esos sentimientos aparecían en el presente con regularidad. ¿Sería que su cerebro los llevaba a buscar la forma de completar esa búsqueda y dar por concluido ese deseo con un «final feliz»?, y recordó el efecto Zeigárnik.

Según la Dra. Bliuma Zeigarnik, nuestras mentes olvidan rápidamente las tareas terminadas. Sin embargo, están programadas para interrumpirnos continuamente con recordatorios de tareas pendientes; estas intrusiones constituyen el efecto Zeigarnik. Esta investigación fue realizada tras observar el comportamiento de los camareros durante el trabajo. Lo cual nos recuerda que al cerebro no le agrada dejar las cosas a medias o, más aún, que nos den información ambigua o imprecisa. Esta característica también estaría detrás de esa angustia vivida cuando alguien nos deja sin dar ninguna explicación, por ejemplo, en situaciones afectivas.

Una buena solución es terminar las tareas pendientes, en este caso, en temas afectivos. Erick tendría que hacer la tarea dar un cierre a la relación para que su cerebro lo dé por concluido y deje de atormentarlo. Por tanto, Katherine hizo un ejercicio que los llevó a completar esa búsqueda inconclusa. Lo bueno es que al terminar el ejercicio se sintieron más aliviados. Ver ejercicio E2

Semana 3 (*hacking* 1)

Katherine les dice a ambos: «Vamos a hacer un ejercicio en el que hay que pensar en un asunto que nos ronda la cabeza, en este caso, vuestras exparejas. Planteamos la situación y, luego, toca hacer el ejercicio, saltar, gritar, verbalizar y pensar en un determinado orden, todo eso a la velocidad de un rayo». Ellos se miraron frunciendo las cejas, movieron las orejas, y elevando la nariz y los hombros, gritaron: «¡¡QUEEEE!!». Katherine dijo: «¡¿Hay huevooooos? ¿Hay ovarioooos?! Quiero oirlooooo». «Síííí», respondieron ambos, acojonados.

En este ejercicio se hace un neuro y *biohacking*

Y se pusieron a hacerlo. Al terminar el ejercicio, estaban tan extenuados que no podían ni pensar. Ver ejercicio - E3

Después de ello, se fueron por la recompensa (la dopamina), unas bebidas fresquitas y, salvado el día, reemplazaron el dolor por el disfrute. Diariamente, ambos debían hacer todos los ejercicios antes mencionados y luego disfrutar de alguna recompensa. En este ejercicio, plantear una situación de dolor y, luego, empezar a jugar.

Semana 4. Volviendo con sus ancestros y amigos

Katherine sabía que esa ruptura había generado una tremenda necesidad de afecto, como aquello que vivieron con la separación de los padres y, como el cerebro no distingue situaciones, pero sí las asocia, les dijo a ambos: «Reconecten con vuestros padres y sientan qué pasa. La familia es un gran generador de oxitocina», y así lo hicieron. No es que fuese la bomba, pero les ayudó mucho. Además, volvieron a contactar con antiguos amigos que les hicieron revivir momentos entrañables.

Prueba hacerlo tú también; verás que el beneficio siempre será más, que no hacerlo.

Semana 4. *Hacking* 2

Katherine había visto unas fotos hermosas de una montaña, pensaba en lo espectacular que sería hacer las fotos allí y trazó una plan. Al verlos llegar, se dirigió a Erick: «¿Ves aquella montaña?», le dijo señalando con el dedo hacia el horizonte, «¿Podrías llevarme allá? Necesito hacer una fotos». Aquello le desconcertó y solo atinó a decir que sí, pero ella sabía que a Candy no le gustaba nadita caminar. «Uuuy», soltó un grito «Candy, hacemos unas fotos y luego nos tomamos algo fresquito, hoy toca disfrutar». Ellos no entendían nada, pero tomar algo es mejor que hacer esos odiosos ejercicios.

Querido lector, ¡el factor sorpresa es la mejor arma! En este caso, el mejor recurso. Aquella excursión será el ascenso a la cima donde por fin podrán encontrar las primeras piedras para poner los cimientos que los llevarán a encontrarse. Ellos aún no lo saben, deben vivir la experiencia. Ver el ejercicio - E4.

Ahora están allí para decir «Lo he alcanzado», y ven la vida desde otra perspectiva de consciencia, según cómo se sientan, así lo vivirán... Aquella ruptura los ha llevado a encontrarse, como lo hizo conmigo. Conocer el uso adecuado de los mecanismos del cerebro hace que tu gente ya no huya despavorida ante una conversación, porque en vez de un único tema con resultado tóxico, tendrás entrenamiento para tu bienestar.

Realizar aquel entrenamiento con ellos me recordó que así empecé a conocerme y amarme como ellos ahora lo hacen, ya no estamos en plan «víctima, arrastrándonos por la avenida del dolor», al contrario, es crear nuevas habilidades, nuevas experiencias que signifiquen amor, compasión, generosidad y consciencia.

Ellos me inspiraron y me dieron claridad, reafirmaron mi vocación, para ahora dedicarme a ayudar a elevar la conciencia humana a través del cerebro.

«Porque es un puente para poder llegar... al cuarto estado de consciencia que es la de trascender hacia la consciencia pura», Tony Nader, neurocientífico.

Cada uno tiene su montaña, sus Andes, su Himalaya..., ¿cuál es el tuyo?

Te acompaño a coronar la cima como lo hice con ellos. Gracias a ellos, estás leyendo ahora estas páginas, por tanto, tú también eres mi inspiración... Ahora tú tienes la posta.

¡Vamos a hacerlo juntos!

Erick y Candy entendieron que había que hacer los ejercicios las veces que fueran necesarios hasta sentirse ¡auténticos! Ahora ya conocen el camino hacia la cima.

¿Volverá con su mujer después de lograr manejar el estrés, tener autoconfianza y sentirse completo?

¿Candy logrará terminar con esa relación tóxica y dejar las *apps*?, ¿tocará fondo o el amor sano hará toc-toc?

¿Katherine por fin nos contará cuáles fueron sus circunstancias?

Continuará...

«El amor es un comportamiento muy delicado, muy refinado, muy enriquecedor y muy gratificante. Amo a todos mientras me gusta este proceso. El momento en que me detengo a disfrutar, todas las corrientes de amor cesan. Todo el propósito de la relación es la expansión del territorio de influencia de uno. El propósito del comportamiento, el propósito del amor es simplemente expandirse en su estructura, expandirse en su estado de vida».

—Maharishi.

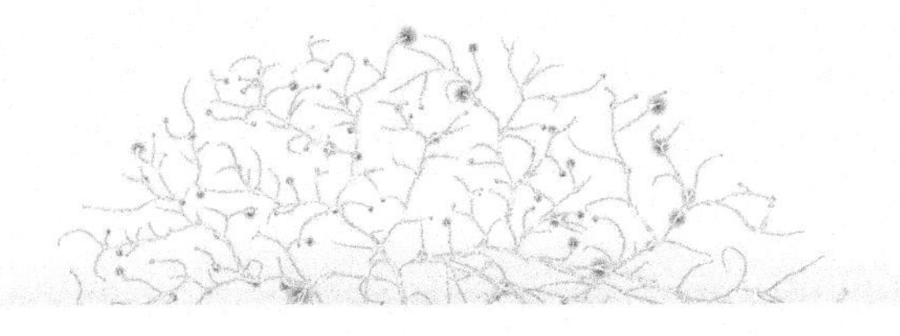

Tibisay Vera

Semblanza

Tibisay es la fundadora de Sparkling Performance, una empresa de consultoría y entrenamiento que ofrece soluciones basadas en la neurociencia para facilitar el cambio, bienestar y el desarrollo del liderazgo. Directora en el Reino Unido de la Academia de Neurociencia y Educación (ANE) y Neuro-mentora científica en ANE International.

Posee una Maestría en Neurociencia Clínica (MSc) por la Universidad de Roehampton en Inglaterra, una Maestría en Administración de Empresas (MBA) por la Universidad de Oxford Brookes y un Diploma Superior en Neuroeconomía. También es miembro Fellow del Institute of Leadership and Management (ILM) en el Reino Unido, y Miembro de la Asociación Británica de Neurociencia (BNA) y la Federación de Sociedades Europeas de Neurociencia (FENS).

Autora del renombrado modelo PEPE©, una solución estratégica para facilitar el cambio y la adaptación positiva al cambio a través de la ciencia del cerebro.

Antes de fundar a Sparkling Performance, Tibisay trabajó en programas de gestión del cambio durante más de 20 años, ocupando cargos directivos en finanzas corporativas, cambio organizacional y desarrollo de liderazgo en organizaciones líderes, banca de inversión y grandes firmas de consultoría.

Intención

Es mi intención pasarle a cada uno de ustedes un pedacito de mi conocimiento adquirido por investigación, practica y experiencia propia en el área de stress durante procesos de cambios y proveerles algunas técnicas prácticas y poderosas para romper el ciclo del estrés y facilitar el cambio positivo. Espero, asimismo, incentivar su curiosidad y el deseo de seguir explorando más aplicaciones prácticas de la neurociencia en vuestras vidas diarias y, sobre todo, durante momentos de cambios importantes.

ROMPER EL CICLO DEL ESTRÉS EN TIEMPOS DE CAMBIO: LECCIONES APRENDIDAS DE LA NEUROCIENCIA

> *El verdadero poder está en abrazar el estrés y el cambio con las enseñanzas de la neurociencia, para transformar nuestra vida en tiempos turbulentos.*
>
> **—Tibisay Vera**

El cambio es una parte inevitable de la vida que aporta tanto emoción como desafío. Altera nuestras rutinas familiares, introduce incertidumbre y nos empuja a salir de nuestra zona de confort. Tanto si se trata de emprender una nueva carrera profesional, trasladarse a otra ciudad, implantar un nuevo sistema operativo en una organización o afrontar un acontecimiento de vida importante, estas transiciones pueden desencadenar una cantidad significativa de estrés. Al fin y al cabo, el estrés no es más que una respuesta del cerebro que nos prepara y nos hace actuar con rapidez para afrontar los retos y las amenazas de nuestra vida, proporcionándonos un impulso de energía para enfrentarnos a la situación. El cambio activa el sistema de respuesta a la amenaza como una forma que tiene el cerebro de abastecerse de energía para afrontar la incertidumbre y el trabajo extra que supone salir de la zona de confort y hacer algo nuevo.

En mi caso, esta historia se remonta a hace casi 14 años, cuando tuve a mi primera hija y me convertí en madre. La llegada de mi hija ha cambiado para siempre mi mundo y el lente con el que veo el mundo. Antes de ser mamá, nunca había sentido que mi corazón se rompía en millones de pedazos cuando no podía contener un llanto ni que alguien tan pequeño tuviera una influencia tan profunda en mí. El amor, la alegría, la magia y la diversión que podía tener con una criatura tan pequeña.

Nunca imaginé el vínculo tan estrecho y la relación tan especial que puede existir entre una madre y su hijo, pero, desde luego, nunca imaginé lo abrumadora, agotadora y estresante que puede llegar a ser la maternidad. Si alrededor del 80 % de las mujeres de todo el mundo se convierten en madres en algún momento de su vida, me preguntaba cómo no me había dado cuenta de la abrumadora sensación de cambio y transformación que experimenta una mujer cuando se convierte en madre.

Antes de ser mamá, tenía la casa reluciente todo el tiempo, la ropa sin manchas, tacones altos, usaba trajes más horas que pijamas en un día. Me iba a dormir todo lo tarde que quería los fines de semana sin preocuparme de madrugar el sábado o el domingo. Siempre fui de las que decían que quería centrarme en mi carrera y disfrutar de mi estilo de vida. Al fin y al cabo, siendo yo expatriada, la vida consistía en viajar, ascender y disfrutar del estilo de vida.

Antes de ser mamá, había trabajado durante muchos años ayudando a corporaciones que pasaban por transformaciones, cambios y transiciones y ahora me preguntaba cómo es que no era consciente de la profunda transformación y cambio que se produce de la feminidad a la maternidad. La pérdida de mi identidad profesional, la reestructuración de la relación con mi marido, las presiones de ser una madre «responsable y buena» y los cambios hormonales fueron algunos de los motores de una etapa de mi vida muy feliz, pero estresante.

El gran cambio hormonal que sufrí y la percepción que tenía en ese momento de una necesidad que creía que no iba a ser satisfecha (libertad, buena madre responsable, más horas de sueño, mi carrera profesional, etc.) desencadenaron una gran respuesta de estrés y, aunque el cambio fue positivo y emocionante, la neurobiología del estrés se mantuvo en niveles máximos durante demasiado tiempo, cambiando la forma en que mi cerebro equilibra la respuesta de amenaza y, por lo tanto, desencadenó un largo ciclo de estrés crónico. Durante más de un año después del nacimiento de mi hija, estuve en el círculo vicioso del estrés crónico y la ansiedad.

Hoy, 14 años después, todavía tengo recuerdos vívidos de la pesadez en el pecho, los fuertes dolores de cabeza, los ataques de pánico, los fuertes dolores en el cuello y los hombros y los fuertes calambres en el estómago que sentía. Además, mi sistema inmunitario se desequilibró y me causó problemas en la tiroides y el sistema vascular. Me diagnosticaron vasculitis. Una rara condición autoinmune que, en mi caso particular, se desencadenó por los niveles extremadamente altos de estrés.

Pronto descubrí que algo tenía que pasar en mí para romper el ciclo de estrés en el que estaba cayendo en espiral. Tuve la suerte de apuntarme a un taller sobre natación en frío para reducir los niveles de estrés. Dos semanas después, estaba nadando en un lago del norte de Inglaterra a unos 12 grados centígrados. Hacía frío... Ese día me sentí tan tranquila y relajada que decidí reservar unas vacaciones de una semana cerca del lago y nadé 10 minutos cada día por siete días consecutivos, lo cual me llevó a una profunda sensación de tranquilidad y libertad.

Fue el punto de partida de mi recuperación; de alguna manera, conseguí romper el ciclo del estrés y me volví más funcional para hacer más ejercicio y participar en más actividades sociales. Después de 8 semanas era una persona diferente, sin duda mucho más tranquila, abierta a mi nuevo yo y, lo que es más importante, podía estar presente al 100 % en cuerpo y mente disfrutando de mi nueva vida y cuidando de mi joven familia. Nunca volveré a mi vida anterior y aprecio que fue el mejor cambio que pude tener en mi vida, tanto personal como profesional.

¿Qué me pasó en ese lago y por qué salí del ciclo de estrés y agotamiento?

1.1. El ciclo del estrés y el cambio

En un mundo acelerado y lleno de cambios constantes y complejos, el estrés se ha convertido en un compañero inoportuno para muchos. Pero ¿y si le dijéramos que el estrés no es una carga inevitable? Al adentrarnos en el fascinante mundo de la neurociencia, podemos desvelar los secretos del ciclo del estrés y descubrir las herramientas para liberarnos de sus garras y, en su lugar, abrazarlo y «utilizarlo» de forma proactiva para prosperar en tiempos de cambio.

En este capítulo, exploraremos la ciencia que hay detrás del estrés, desentrañaremos el intrincado funcionamiento de nuestro sistema nervioso y nos embarcaremos en un viaje hacia la recuperación de nuestro bienestar y la búsqueda del equilibrio en el caos del cambio para, en última instancia, «rebotar hacia delante» y prosperar a través del cambio.

El cambio desencadena un proceso de adaptación en nuestro cerebro y nuestro cuerpo. Cuando nos enfrentamos a una nueva situación o reto, nuestro cerebro realiza una serie de ajustes para intentar adaptarse y encontrar la estabilidad. Este proceso adaptativo implica la activación de varias vías neuronales y respuestas fisiológicas para ayudarnos a hacer frente a las exigencias del cambio. Por ejemplo, la amígdala inicia la respuesta al estrés, el hipotálamo libera hormonas del estrés, como la adrenalina, la noradrenalina (también conocida como norepinefrina) y el cortisol, y el sistema nervioso simpático prepara al cuerpo para la acción.

Amígdala: *Es una pequeña estructura en forma de almendra situada en las profundidades del cerebro. Desempeña un papel vital en el procesamiento y la regulación de las emociones, sobre todo el miedo y la agresividad. La amígdala interviene en la formación de recuerdos emocionales y en la detección de amenazas potenciales en el entorno, desencadenando la respuesta de amenaza del organismo, en la que intervienen la adrenalina, la noradrenalina y el cortisol.*

Hipotálamo: *Es una pequeña estructura vital situada en la base del cerebro. El hipotálamo controla y regula funciones esenciales, como la temperatura corporal, el ciclo sueño-vigilia, las emociones y la liberación de hormonas de la hipófisis para garantizar el funcionamiento y el bienestar general del organismo.*

Al principio, estas respuestas adaptativas tienen un propósito crucial. Nos proporcionan la energía, la concentración y el estado de alerta necesarios para navegar por un territorio desconocido y realizar los ajustes necesarios. En los últimos 30 años, se ha desarrollado un nuevo concepto denominado alostasis, que describe la capacidad del organismo para lograr la estabilidad mediante cambios adaptativos en respuesta a factores estresantes y desafíos. Se refiere al proceso dinámico por el que nuestro cuerpo mantiene el equilibrio fisiológico y psicológico ante demandas cambiantes.

El término alostasis fue acuñado por los neurocientíficos Peter Sterling y Joseph Eyer. Introdujeron este concepto como una ampliación del de homeostasis, que se refiere a la capacidad del cuerpo para mantener la estabilidad mediante mecanismos reguladores internos. Mientras que la homeostasis se centra en mantener un estado estable, la alostasis reconoce que el cuerpo debe adaptarse y ajustarse a condiciones variables para mantener la estabilidad general.

La alostasis reconoce que los factores estresantes y los desafíos pueden provocar respuestas fisiológicas que van más allá del simple restablecimiento del equilibrio. Reconoce que las respuestas del organismo al estrés son dinámicas y pueden implicar fluctuaciones en diversos sistemas fisiológicos, como el cardiovascular, el endocrino y el inmunitario, entre otros. Estas respuestas adaptativas tienen por objeto optimizar nuestra capacidad para responder y afrontar eficazmente los factores estresantes.

De hecho, la alostasis es la base de la resiliencia, ya que subraya que, para desarrollarla, adaptarse a los cambios y mejorar el bienestar, necesitamos exponernos a niveles de estrés bajos y moderados, ya que ayuda a «crear memoria» en nuestro cerebro y nuestro cuerpo para adaptarnos y responder de forma más proactiva a los cambios. Sin embargo, si no se regula o gestiona adecuadamente, este proceso adaptativo puede transformarse en un círculo vicioso de estrés crónico.

He aquí cómo sucede: cuando se produce un cambio, la respuesta inicial de estrés nos ayuda a movilizar nuestros recursos y a hacer frente a las nuevas demandas. Sin embargo, si los factores estresantes persisten o se vuelven abrumadores, nuestra respuesta al estrés puede permanecer activada durante un periodo prolongado, dando lugar al estrés crónico. La exposición prolongada a las hormonas del estrés, como el cortisol, puede tener efectos perjudiciales sobre nuestro bienestar físico y mental.

El estrés crónico altera el equilibrio de nuestro cuerpo y nuestra mente. Compromete el funcionamiento del sistema nervioso parasimpático, responsable de promover la relajación y restablecer el equilibrio. Lo ideal sería que el sistema parasimpático contrarrestara la respuesta al estrés activando la respuesta de «descanso y digestión», lo que permitiría a nuestro cuerpo recuperarse y recargarse. No obstante, durante el estrés crónico, el sistema parasimpático puede tener dificultades para activarse completamente, lo que perpetúa la respuesta de estrés e impide que nuestro cuerpo alcance un estado de calma.

Esta desregulación crea un círculo vicioso. La respuesta continua al estrés merma nuestra capacidad para gestionar el cambio con eficacia, ya que deteriora las funciones cognitivas, la toma de decisiones y la regulación emocional. En consecuencia, cada vez nos resulta más difícil adaptarnos a las nuevas circunstancias y hacer frente a las exigencias del cambio. Esta dificultad exacerba aún más la respuesta de estrés, y continúa el ciclo de estrés crónico que obstaculiza nuestro bienestar general.

El destacado endocrinólogo Bruce McEwen también introdujo un nuevo término denominado «carga alostática». La carga alostática es el precio que nuestro cuerpo tiene que pagar por verse obligado a soportar niveles constantes de estrés y la carga fisiológica acumulada que resulta de los esfuerzos continuos para adaptarse a los factores estresantes, básicamente, el «desgaste» de nuestro cuerpo.

Los trabajos de McEwen demostraron que el estrés crónico y la exposición prolongada a las hormonas del estrés, como el cortisol, pueden tener efectos perjudiciales en varios sistemas del organismo, como el cardiovascular, el inmunitario y el propio cerebro. Demostró que el estrés crónico puede contribuir al desarrollo de enfermedades cardiovasculares, obesidad, depresión y deterioro cognitivo.

Para romper este círculo vicioso, es crucial intervenir y regular eficazmente el proceso adaptativo.

1.2. El sistema parasimpático: nuestro restaurador natural del equilibrio

El sistema parasimpático es el mecanismo de restauración integrado en nuestro organismo. Este sistema actúa como contrapeso de la respuesta al estrés y desempeña un papel crucial en la relajación, la curación y el rejuvenecimiento. Mientras que la respuesta al estrés nos prepara para la acción, el sistema parasimpático ayuda a restablecer el equilibrio, permitiendo que nuestro cuerpo y nuestra mente se recuperen de los efectos del estrés.

El sistema parasimpático es como un suave director de orquesta, que dirige una sinfonía de respuestas fisiológicas que favorecen la relajación y el bienestar. Cuando se activa, ralentiza el ritmo cardíaco, reduce la tensión arterial y facilita la digestión. Promueve una sensación de calma y tranquilidad, permitiendo a nuestro cuerpo reponer las reservas de energía y reparar cualquier daño causado por el estrés.

Como he mencionado antes, el estrés crónico altera el buen funcionamiento del sistema parasimpático, y nos deja desprovistos de sus efectos calmantes. La activación persistente de la respuesta al estrés y el bombardeo constante de hormonas del estrés socavan la capacidad del sistema parasimpático; lo que en neurociencia llamamos un «bucle negativo» en el que el cerebro se vuelve resistente a las señales que le dicen al cuerpo que se calme. En lugar de experimentar una relajación y restauración profundas, nos encontramos atrapados en un estado de tensión e hiperactivación perpetuas.

Una consecuencia notable de la desregulación parasimpática es una mayor susceptibilidad a las enfermedades. El sistema parasimpático desempeña un papel vital en el apoyo al sistema inmunitario, ayudándole a funcionar de forma óptima para defenderse de los agentes patógenos. Sin embargo, cuando la respuesta parasimpática se ve comprometida, nuestro sistema inmunitario puede perder eficacia a la hora de combatir infecciones y mantener la salud en general. Como resultado, podemos encontrarnos más propensos a la enfermedad, experimentando resfriados frecuentes, infecciones y una reacción exagerada del sistema inmunológico que puede conducir a enfermedades autoinmunes (como, en mi caso, la vasculitis).

El deterioro de la función cognitiva es otro impacto significativo de la disfunción parasimpática durante el estrés crónico. El sistema parasimpático interviene en procesos cognitivos como la consolidación de la memoria, la regulación de la atención y la resolución de problemas. Cuando no se activa correctamente, nuestras capacidades cognitivas se resienten. Podemos experimentar dificultades de enfoque, concentración y recuperación de la memoria, lo que dificulta nuestra capacidad para realizar tareas con eficacia y adaptarnos a nuevas situaciones.

Además, la desregulación parasimpática puede alterar los patrones de sueño, exacerbando los efectos negativos del estrés crónico. Una respuesta parasimpática sana favorece la relajación y nos prepara para un sueño reparador. Sin embargo, cuando esta respuesta se ve comprometida, podemos tener dificultades para conciliar el sueño, sufrir despertares frecuentes durante la noche o despertarnos sin sentirnos descansados. Los trastornos del sueño resultantes pueden contribuir a la fatiga, el deterioro de la función cognitiva y una menor capacidad para afrontar el estrés.

Si el sistema parasimpático se deteriora durante el estrés crónico y no consigue activarse de forma natural, ¿cómo podríamos romper el círculo vicioso del estrés crónico?

En busca de hackear del sistema parasimpático

Pocos meses después de liberarme y recuperarme de la mayor parte de los efectos del círculo vicioso de estrés por el que pasé hace 14 años y que me llevó a un importante *burn out* en mi vida; me obsesioné y apasioné por comprender cómo el cambio, ya sea en el trabajo o en casa, impacta nuestro cerebro, cuerpo y bienestar.

Antes de ser madre, trabajé en finanzas corporativas y banca de inversión, dirigiendo grandes cambios y programas de transformación desde una perspectiva organizativa y financiera. En aquella época, la gestión del cambio para mí y, para ser sincera, para la mayoría de las organizaciones de hoy en día, consistía en crear un enfoque estructurado para que una organización pasara de un estado actual a un estado futuro deseado, lo que incluía la evaluación y planificación del estado actual y la evaluación de los riesgos y retos del nuevo estado, la comunicación y el compromiso con las diferentes partes interesadas, la formación y el desarrollo, entre otras cosas.

Aunque la gestión del aspecto humano del cambio ha sido un proceso importante dentro de la función de gestión del cambio, la gestión de la adaptación positiva al cambio y el bienestar de las partes interesadas sigue teniendo menos importancia.

En el año 2013, decidí hacer una pausa en mi vida empresarial y me embarqué en una búsqueda para comprender el cambio organizativo e individual desde una perspectiva centrada en el ser humano y el impacto del cambio en el bienestar y las respuestas emocionales de los que confrontan el cambio. Volví a la universidad y realicé un máster (MSc) de dos años en Neurociencia Clínica en la Universidad Roehampton de Londres, donde llevé a cabo una amplia investigación sobre el impacto del cambio en el sistema de amenazas y recompensas del cerebro. La investigación incluyó la observación y entrevista de cientos de líderes, directivos y personas en proceso de adaptación al cambio. Tanto cambios en las organizaciones como cambios en la vida personal.

Los resultados fueron muy reveladores desde el punto de vista de cómo nuestro cerebro la mayoría de las veces se adapta a los cambios debido a la plasticidad cerebral, que es la capacidad del cerebro para adaptarse a los cambios del entorno. Sin embargo, lo que fue revelador para mí que, aunque el cerebro se normalmente se adapta a los cambios, la realidad es que en muchas circunstancias, el cerebro puede «maladaptarse» a los cambios, causando estrés crónico, falta de compromiso, adicciones, ansiedad y muchas otras formas de lo que llamamos en neurociencia «mala plasticidad». La plasticidad cerebral tiene las dos caras de la moneda: la plasticidad positiva, como el aprendizaje de nuevas habilidades, la mejora de la memoria, etc., pero también la plasticidad maladaptada.

El estudio de la neurociencia puede proporcionarnos datos tangibles que pueden traducirse en herramientas, marcos y estrategias pragmáticas para gestionar nuestra vida cotidiana, el cambio organizativo y el cambio individual teniendo en cuenta el cerebro. Esto significa convertir al cerebro en nuestro principal interesado y encontrar formas naturales y proactivas de aplicar la investigación científica para apoyar una adaptación positiva al cambio, lo que incluye ayudar a las personas que atraviesan un cambio a evitar el agotamiento, la falta de motivación, el compromiso y, más importante aún, ayudar a las personas a liberarse del ciclo de estrés crónico, que, en última instancia, contribuye a facilitar la adaptación al cambio.

Desde este punto de vista, hoy en día, cuando trabajo con organizaciones o individuos que atraviesan un proceso de cambio, primero, introduzco la aplicación de la neurociencia durante el proceso de cambio y su relevancia a la hora de gestionar el cambio y, a continuación, avanzamos juntos en la búsqueda de formas prácticas de equilibrar la amenaza y la recompensa cerebral para evitar la mala plasticidad y, en su lugar, promover la plasticidad positiva en los individuos que se enfrentan al cambio.

Una de las mayores lecciones que podemos extraer de las últimas investigaciones en neurociencia es cómo podemos «hackear» o «sacudir» el sistema parasimpático cuando no se activa por sí solo como resultado de la mala plasticidad causada por el estrés crónico.

1.3. Sacudir el sistema parasimpático para romper el ciclo del estrés

En los últimos 20 años, los neurocientíficos han avanzado enormemente en la comprensión de las causas de la activación del sistema parasimpático y su implicación en la regulación del estrés crónico y del sistema inmunitario. La mayoría de los neurocientíficos coinciden ahora en que una de las formas más eficaces de romper el ciclo del estrés y regular el impacto de la carga alostática es estimular el sistema parasimpático, incluido el nervio vago.

El nervio vago representa el principal componente del sistema nervioso parasimpático, que supervisa una amplia gama de funciones corporales cruciales (incluido el control del estado de ánimo, la respuesta inmunitaria, la digestión y el ritmo cardíaco). Establece una de las conexiones entre el cerebro y el tracto gastrointestinal y envía información sobre el estado de los órganos internos al cerebro a través de fibras aferentes.

Existen numerosas pruebas de que la estimulación del nervio vago es una de las formas más eficaces de tratar el estrés crónico, la depresión, el trastorno de estrés postraumático y las enfermedades autoinmunes. El tono vagal (cantidad de actividad del nervio vago) está correlacionado con la capacidad de regular las respuestas al estrés y, por lo tanto, podemos estimular proactivamente la activación del nervio vago.

Los beneficios de activar el sistema parasimpático van mucho más allá de la relajación. La neurociencia ha descubierto su profundo impacto en numerosos aspectos de nuestro bienestar físico y mental. Algunas de las técnicas para activar proactivamente el sistema parasimpático y estimular el tono vagal son

- Ejercicios de respiración profunda: la respiración profunda y diafragmática estimula el nervio vago, un componente clave del sistema parasimpático. Técnicas como la respiración abdominal, la respiración coherente y la respiración con fosas nasales alternas pueden ayudar a activar la respuesta de relajación y promover el dominio parasimpático.
- Atención plena y meditación: las prácticas de atención plena cultivan la conciencia del momento presente y ayudan a regular las respuestas al estrés. Las técnicas de meditación de atención plena, como el escáner corporal, la meditación de bondad amorosa y la meditación centrada en la respiración, activan el sistema parasimpático y fomentan un estado de calma y relajación.
- Yoga y tai chi: estas prácticas ancestrales combinan movimientos suaves, control de la respiración y atención plena, lo que las convierte en potentes herramientas para la activación parasimpática. Se ha demostrado que la práctica regular de yoga o tai chi reduce el estrés, mejora el bienestar y favorece la salud en general.
- Inmersión en la naturaleza: está comprobado que pasar tiempo en la naturaleza provoca una respuesta parasimpática y reduce los niveles de estrés. Participar de forma proactiva en entornos naturales, mediante actividades como baños en el bosque, paseos por la naturaleza o jardinería, puede ayudar a activar el sistema parasimpático y restablecer el equilibrio.

- Conexión a Tierra: también conocida como *earthing* o *grounding*, es una práctica que consiste en conectar con la superficie de la Tierra para aprovechar su energía eléctrica natural. Ha ganado reconocimiento como método para reducir el estrés y promover el bienestar general. El objetivo de las técnicas de conexión a tierra es restablecer el equilibrio mediante la conexión con la Tierra y sus energías.

  Aunque se trata de una técnica nueva y la investigación es aún limitada, ya hay algunos artículos neurocientíficos que sugieren que el *grounding* tiene varios efectos fisiológicos en el cuerpo humano. Al estar en contacto directo con la Tierra, nuestro cuerpo absorbe electrones cargados negativamente de la superficie terrestre, que tienen propiedades antioxidantes. Estos electrones ayudan a neutralizar la carga positiva y los radicales libres de nuestro cuerpo, reduciendo la inflamación y favoreciendo el equilibrio general. Se ha descubierto que tiene un efecto calmante y reductor del estrés en el organismo. Al establecer una conexión con la energía de la Tierra, el *grounding* ayuda a equilibrar el sistema nervioso autónomo, sobre todo activando la respuesta parasimpática.

  Existen varias prácticas que pueden incorporarse a la vida cotidiana basadas en la técnica *grounding*, especialmente en épocas de cambio:

  - Caminar descalzo sobre grama, arena o tierra.
  - Sentarse o tumbarse en el suelo.
  - Realizar actividades al aire libre en entornos naturales, como jardinería o senderismo.
  - Hacer pausas para conectar con la naturaleza, ya sea sentándose bajo un árbol u observando el cielo.
  - Bañarse en un río, lago o agua de mar.
- Inmersión en agua fría: ha ganado atención como método poderoso para romper el ciclo del estrés y activar el

sistema parasimpático. Varios artículos e investigaciones han sido realizados por científicos demostrando el impacto en la activación del sistema parasimpático.

De hecho, se ha demostrado que es una de las formas más eficaces de estimular el sistema parasimpático y experimentar una profunda liberación del estrés. Esto es lo que ocurre en nuestro cerebro y nuestro cuerpo cuando nos sumergimos en agua fría:

- Se activa el reflejo de inmersión: cuando nuestro cuerpo se encuentra con agua fría, especialmente en zonas sensibles como la cara, se activa el reflejo de inmersión. Este reflejo activa el sistema parasimpático, lo que provoca una reducción del ritmo cardíaco y de la presión arterial. El reflejo de inmersión induce un estado de calma y relajación que permite al sistema parasimpático ejercer sus efectos beneficiosos.
- Se liberan endorfinas y mejora del estado de ánimo: la inmersión en agua fría estimula la liberación de endorfinas, las sustancias químicas naturales de nuestro cuerpo que nos hacen sentir bien. Las endorfinas no solo alivian el dolor, sino que también mejoran el estado de ánimo, proporcionando una sensación de euforia y bienestar general. Esta liberación de endorfinas contribuye a la activación del sistema parasimpático, fomentando la relajación y el alivio del estrés.
- Se mejora la circulación sanguínea y la función inmunitaria: la natación en agua fría provoca vasoconstricción, seguida de vasodilatación, lo que mejora la circulación sanguínea en todo el cuerpo. Esta mejora del flujo sanguíneo lleva oxígeno y nutrientes a los tejidos y órganos, favoreciendo su salud y funcionamiento. Además, la exposición al agua fría puede estimular la producción de glóbulos blancos, y refuerza

el sistema inmunitario y aumenta la resistencia a las enfermedades.

- Se mejora la resistencia mental: la natación en aguas frías nos pone a prueba tanto física como mentalmente. Al someternos voluntariamente a la incomodidad y adaptarnos al frío, se eleva nuestra resistencia mental y desarrollamos la capacidad de manejar el estrés con mayor eficacia. La experiencia de nadar en aguas frías sirve como metáfora para superar los retos, inculcando un sentido de confianza y empoderamiento en la gestión de los factores estresantes de la vida.

Es importante abordar la natación o inmersión en aguas frías con precaución y tomar las medidas de seguridad necesarias. La aclimatación gradual al agua fría, la supervisión adecuada y el conocimiento de los propios límites son esenciales. Se recomienda consultar a un profesional sanitario antes de practicar la natación en aguas frías, sobre todo, en el caso de personas con ciertas afecciones o sensibilidades.

Adoptar la experiencia vigorizante de la natación o inmersión en agua fría permite estimular de una manera de *shock* el sistema parasimpático y contribuir a romper eficazmente el ciclo del estrés, promover la relajación y mejorar nuestro bienestar general. Sirve como una poderosa herramienta para reconectar con nuestros cuerpos, la naturaleza y nosotros mismos, lo que en última instancia conduce a un mayor sentido de equilibrio, vitalidad y resiliencia frente al estrés y, especialmente, durante los tiempos de cambio en los que es importante salir de la zona de confort para aprovechar los beneficios de la alostasis de estar expuestos a factores estresantes cortos y controlables para poco después volver a la calma y a los valles.

1.4. Volver al principio

El cambio, aunque inevitable, suele traer consigo una cantidad significativa de estrés, excitación o, en realidad, podrían ser ambas cosas. Los resultados desconocidos y las incertidumbres asociadas al cambio pueden desencadenar ansiedad y miedo, dando lugar a un ciclo crónico de estrés si no se gestionan adecuadamente. Podemos aplicar de forma proactiva muchas lecciones aprendidas de la neurociencia, especialmente en tiempos de cambio podemos profundizar en el concepto de alostasis, que se refiere a la respuesta adaptativa del cuerpo a los factores estresantes, y cómo puede convertirse en un círculo vicioso si no se controla, especialmente debido al concepto que hemos revisado en este capítulo llamado carga alostática y el precio que nuestro cuerpo tiene que pagar para adaptarse constantemente al cambio sin tomarse el tiempo para descansar, reflexionar, divagar mentalmente o recuperarse.

El proceso de alostasis nos permite adaptarnos y hacer frente al estrés inicialmente, pero cuando el estrés se vuelve crónico, pasa factura a nuestro bienestar físico y mental y podemos entrar en una espiral descendente en un círculo vicioso difícil de romper a menos que «sacudamos» o «hackeemos» proactivamente el sistema parasimpático.

Creo que tuve suerte hace 14 años, cuando me invitaron a darme un baño frío en un lago del norte de Inglaterra. Por aquel entonces, no sabía nada de neurociencia, del sistema parasimpático ni de cómo de repente tenía esa profunda sensación de calma. Mi pasión y mi trabajo es hoy en día asegurarme de que las personas y las organizaciones comprendan el poder del cerebro humano, pero, más importante, desarrollar cada día más técnicas y modelos prácticos que nos permitan de una forma proactiva convertir el cerebro en la pieza principal para facilitar el cambio, adaptarnos positivamente al cambio, mejorar el bienestar y evitar la trampa del ciclo del estrés en tiempos de cambio.

Es mi intención pasarle a cada uno de ustedes un pedacito de este conocimiento adquirido por investigación y experiencia propia y proveerles algunas técnicas prácticas y poderosas para romper el ciclo del estrés y facilitar el cambio. Espero, asimismo, incentivar su curiosidad y el deseo de seguir explorando más aplicaciones prácticas de la neurociencia en nuestras vidas diarias y, sobre todo, durante momentos de cambios importantes.

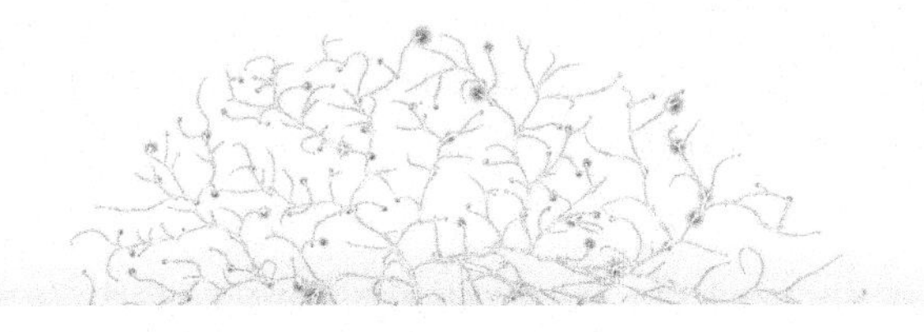

Pablo López Pérez

Semblanza

Pablo es licenciado en Ciencias Económicas por la UDC, ExMBA por la UPC-ICADE ICAI, certificado en coaching individual y de equipos con la ICC, y facilitador certificado en la metodología LEGO® SERIOUS PLAY®. Durante más de diez años creó y gestionó un grupo de empresas de consultoría con más de noventa personas. Desde hace diez años ejerce como coach ejecutivo en procesos individuales de directivos y mandos intermedios. Padre de tres maravillosas hijas, que junto a su mujer son su equipo en la vida.

Es un apasionado de la mejora de equipos, de cómo hacerlos trabajar mejor, para conseguir mejores resultados y con mayor bienestar. Y está en búsqueda continua de nuevas maneras de conseguirlo, la búsqueda eterna por dar con la tecla correcta. Facilita procesos de cambio empresariales y mejora de equipos basado en las metodologías del coaching, PNL, Design Thinking, Agile, etc. Es además formador de habilidades directivas e inteligencia emocional.

Intención

Mi intención con este capítulo es que entiendas la importancia de que los equipos sean capaces de aprender y adaptarse constantemente al cambio continuo en el que vivimos. También que adaptarse puede resultar difícil ya que nuestro cerebro tiene sistemas muy arraigados que van en contra de esto.

Y finalmente, quiero mostrarte un método que he probado decenas de veces en equipos míos y de otros líderes para ponerlo en marcha de forma sostenible, generativa, y muy productiva para los equipos y sus líderes.

GESTIÓN DEL CAMBIO. EL LIDERAZGO PARTICIPATIVO:

LA MANERA DE QUE LOS EQUIPOS APRENDAN, CAMBIEN, SE ADAPTEN...

> *«Si quieres construir un barco, no empieces por buscar madera, cortar tablas o distribuir el trabajo. Evoca primero en los navegantes el anhelo del mar libre y ancho».*
>
> **—Antoine de Saint-Exupéry**

CAPITULO X:
El liderazgo participativo: la manera de que los equipos aprendan, cambien, se adapten...

El miedo al cambio, un relato prehistórico

La neurociencia ha sido tajante al tratar de dar una respuesta al comportamiento de las personas y los equipos ante los avatares vitales de cualquier tipo: a nuestro cerebro no le gustan los cambios ya que le cuesta mucha energía adaptarse. Y, así, el miedo es una de las emociones encargadas de oponer resistencia a los posibles cambios. El miedo principal que tiene nuestro cerebro es a la MUERTE.

Nuestro cerebro, a pesar de solo ser el 2% de nuestro cuerpo, gasta entre un 20 y 25% de la energía que utilizamos diariamente. Por ello se ha convertido en una máquina de ahorro energético, y escapa de todo aquello que le supone gastar más energía, entre otras cosas la toma de decisiones. Y el cambio supone tomar decisiones. Aprender cosas nuevas, hacer cosas diferentes, todo esto le hace gastar mucha energía.

Nuestro cerebro tiene una premisa primordial: la propia supervivencia. El sentido de seguridad y la necesidad de sobrevivir son las principales motivaciones y objetivo de nuestro cerebro. Después de este está el de la evolución, trata siempre de mejorar y obtener ventajas.

Dentro de la premisa primordial, nuestro cerebro tiene dos otras premisas básicas, evitar el dolor y acercarnos al placer. Estas dos premisas son muy importantes para el cambio, por un lado escapar del que supone dolor, esfuerzo, pérdida, y acercarse al que supone evolución, descubrimiento, crecimiento.

Podríamos retrotraernos hasta la Prehistoria para comprender el por qué de esta tendencia. Cuando vivíamos en pequeños grupos, en las cavernas, en la sabana, rodeados de peligros por todos lados, con pocos medios para defenderse de un entorno profundamente hostil y que el ser humano tenía poco dominado, todo era un peligro de muerte para nuestros antepasados. Por evolución natural, nuestro cerebro se fue construyendo predominantemente con los genes de los que sobrevivían. ¿Quiénes eran estos? Los prudentes. Por eso nuestro cerebro, que no ha evolucionado mucho desde aquel tiempo, para sobrevivir, tiende a escapar de todo aquello que suponga un peligro de muerte. Ha ido acumulando experiencias y evolucionando, y está diseñado para sopesar los riesgos que puedan suponer los nuevos retos.

¿Y qué es aquello que nos pone (ponía) en peligro de muerte? Principalmente dos cosas, y como veremos más adelante, son fundamentales para la gestión de equipos.

La primera es el DESCONTROL.

Cuando la más mínima variación de la realidad cotidiana podría suponer (y de hecho suponía) un riesgo real de perder la propia vida y/o poner en peligro la supervivencia de su grupo, su tribu. Además, y muy importante, es que nuestro cerebro consume mucha energía, sobre todo en situaciones de estrés e incertidumbre y eso resta al cuerpo de su energía vital. El cerebro humano está preparado para atacar, bloquear, o huir ante cualquier desafío inesperado, asumiendo de antemano (aunque actualmente sea erróneo) que esa nueva situación que se presenta ante nosotros puede traer consigo consecuencias negativas.

Y realmente así era, el 99% de las cosas nuevas que aparecían suponían un peligro de muerte: plantas venenosas, fieras, animales, otras tribus que competían por una caza escasa. De esta manera el cerebro desarrolló lo que se conoce como el sistema de supervivencia. En el que la sangre se dirige a los músculos para luchar, huir, o quedarse paralizado en alerta, y los sistemas de digestión y reproducción se paralizan; el pulso se acelera para poder reaccionar y la respiración también se hace más intensa, preparándonos para cualquier tipo de acción inmediata que necesitemos. Así fue como nuestro cerebro fue construyendo un miedo instintivo a todo lo nuevo, diferente, desconocido. Por propia supervivencia. Entonces, nuestro cerebro cuando se enfrenta a lo desconocido, si bien puede tener la motivación de lograr una ventaja, a su vez, y especialmente si nos encontramos bajo alguna situación de estrés o presión, nos puede llevar a un estado de miedo.

Por eso nuestro cerebro busca de forma constante el CONTROL, estar en ambientes conocidos, estar con personas conocidas, parecidas a nosotros, en raza, gustos, creencias, hábitos, y por eso si dejamos que predomine este sistema, estaremos oponiéndonos a lo nuevo, diferente, distinto. Innovador. Todo aquello que nos saque de la tan manida ***zona de confort.***

Le llamamos control, porque explica muy bien lo que necesita nuestro cerebro para sentirse tranquilo ante los cambios, pero debemos tener claro un camino directo hacia la sensación de seguridad.

Y ahora tengo una pregunta para ti... como líder. ¿Qué puedes hacer para que tu equipo tenga sensación de control, de seguridad? ¿Qué acciones concretas puedes poner en marcha mañana mismo para ayudarles a tener esa sensación que tanto ansía nuestro cerebro, y por tanto para que pueda dejar de estar alerta constantemente y pueda trabajar mejor, pensar mejor, ser más creativo, innovador y adaptativo?

La segunda es el RECHAZO

¿Qué significaba en aquel ambiente el rechazo? ¿Qué significaba que te echasen de la tribu? En un ambiente tan hostil y rodeados de peligros de muerte, en el que no éramos capaces de defendernos solos ante la gran cantidad de fieras que eran nuestros depredadores, en un entorno en el que no sabíamos alimentarnos (cazar) nosotros solos... Exactamente, significaba la MUERTE. Esta es una de las razones por las que las señales de rechazo nos hacen sentir mal, tristes, y nos restan energía; a cualquier señal de rechazo el cerebro la interpreta como la expulsión de la tribu, de la zona segura, directamente como peligro de muerte. Algo que ahora nos parece ridículo instintivamente, inconscientemente lo sentimos como un peligro real para nosotros.

Por eso buscamos ansiosamente la ACEPTACIÓN, el sentido de PERTENENCIA, pertenencia a lo que sea: nuestra pandilla de amigos, nuestra comunidad religiosa, ideas políticas, club de fútbol, grupo scout. Necesitamos fuertemente sentirnos INCLUIDOS.

De ahí vienen dichos como «a dónde vas Vicente...», las modas... Diferentes estudios analizan cómo muchas veces tenemos comportamientos profundamente seguidistas tomando decisiones o dando respuestas que van contra nuestros criterios racionales, pero que nos facilitan la inclusión social, sentirnos parte del grupo. Por ello necesitamos formar parte de eso que está sucediendo a nuestro alrededor, necesitamos sentirnos valorados y que nuestras aportaciones sumen.

Y aquí viene la segunda pregunta para ti... como líder. ¿Qué puedes hacer para que tu equipo tenga sentido de pertenencia? ¿Qué acciones concretas puedes poner en marcha mañana mismo para ayudarles a tener ese sentido de pertenencia que tanto ansía nuestro cerebro, y por tanto para que pueda dejar de estar alerta constantemente y pueda trabajar mejor, pensar mejor, ser más creativo, innovador y adaptativo?

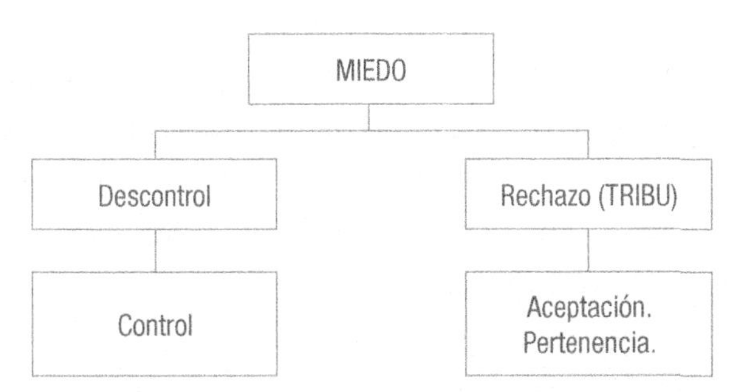

Es importante que seamos conscientes de que esto nos puede pasar a todos; por decirlo coloquialmente, es uno de nuestros pilotos automáticos. Esto tiene dos consecuencias, por un lado, que nos pasa a todos, a ti incluido, así que puedes dar por seguro que a cualquier persona con la que te encuentres, a cualquier miembro de tus equipos, incluyéndote, les cuesta cambiar; a algunos más y a otros menos, pero a todos les supone un gasto de energía extra. Y también tenemos miedo al rechazo, por tanto, todos queremos que nos tengan en cuenta, que nos escuchen, que nuestras opiniones valgan. Por ello, no lo rechaces, no te desesperes, acepta que el ser humano es así, y obra en consecuencia.

Y por otro lado, que es un piloto automático. Así que, si eres consciente de él, se puede quitar. No es fácil pero se puede. Por ello estate atento a desactivarlo cada vez que te esté limitando.

Como última reflexión de este apartado, a la vez que nuestro cerebro tiene un sistema de supervivencia, de alerta ante cualquier peligro, también tiene el sistema de recompensa, de logro, de progreso. Queremos aprender, explorar, descubrir cosas nuevas. Conseguir nuevos retos, mejorar.

Este sistema de recompensa es el que nos premia con una bioquímica que nos hace sentir felices, motivados, creativos. El cerebro tiene múltiples mecanismos y uno de sus cometidos es el de aprender siempre cosas nuevas y evolucionar. Cuando nos enfrentamos a algo nuevo, dependiendo de nuestra educación o de nuestras experiencias, tendremos una mayor o menor predisposición para dar el paso a superarlo y aprender, es decir, poder obtener la recompensa o quedarnos en el sistema de supervivencia, paralizándonos, o haciéndonos reaccionar de la forma en la que no queríamos.

Por otra parte uno de los atributos de nuestro cerebro es que es un cerebro social, por naturaleza y por evolución, el ser humano ha experimentado que uniendo fuerzas con otras personas, podía no solo protegerse y lograr obtener alimento, sino también evolucionar, llegar más lejos, crear ciudades, sociedades.

Estos dos sistemas son los que aprovechamos al usar la metodología que te quiero proponer en este capítulo.

Para mí la neurociencia ha sido muy importante porque descubrir cosas como la que te acabo de explicar me ha ayudado a entender mejor cómo funciona nuestro cerebro y por qué hacemos lo que hacemos. Cómo tomamos las decisiones que tomamos. En este caso concreto porque lo que funcionaba, lo que decía la teoría de equipos, que hace mucho hincapié en la importancia dentro de los equipos de la necesidad de perfeccionar lo tangible, lo que tiene que ver con la estructura y organización de los equipos. Pero también con lo intangible, la cultura y los valores del equipo. El clima, la relación entre los miembros del equipo. Que se relacionan perfectamente con el CONTROL Y LA PERTENENCIA.

Yo me acerqué a la neurociencia a través de su aplicación al marketing y a las ventas para entender cómo el cerebro, y por ende el ser humano, toma decisiones de compra. Y desde ahí descubrí que me servía para explicar todo tipo de decisiones y comportamientos, incluyendo los que tienen que ver con el liderazgo y el trabajo en equipo. Cómo motivar y cómo motivarnos. Cómo sacar mayor partido a nuestros recursos físicos, psíquicos, y emocionales y así obtener mejores resultados individuales y colectivos. Aparte de a mi trabajo como líder y coach, me sirvió en mi rol de padre, para ayudar a mis hijas a estudiar mejor y a estar más motivadas haciéndolo, y también en su rol como deportistas, para dar su mejor versión tanto en los entrenamientos como en las competiciones.

Para mí, saber por qué funcionan las cosas que hacíamos, me ha servido para afinar y rediseñar las metodologías que usamos en el trabajo. Hacerlo con mayor conocimiento, y más confianza en los resultados. Dicho de otra manera, a hilar más fino al diseñarlas.

Liderazgo participativo. Cómo liderar reuniones participativas

¿Qué es el liderazgo participativo? Hemos llamado así al liderazgo que promueve que los miembros de un equipo participen en las decisiones del equipo. Construyan la hoja de ruta. Participen todos en el diseño de cómo se trabaja en su equipo. Para esto un instrumento fundamental son las reuniones participativas. Como dice la metodología Lego Serious Play®, las reuniones 100-100.

Antes de nada, déjame preguntarte: ¿para qué crees que sirve el liderazgo participativo?

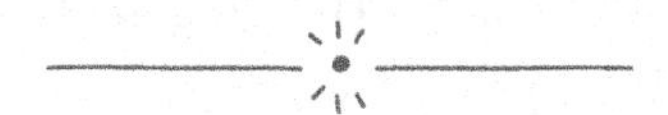

En mi opinión sirve para conseguir equipos más involucrados. Más implicados. Que crean más en lo que hace el equipo, en los retos que tiene por delante. Mejora el clima del equipo. Los hace más productivos. Y sobre todo más autónomos. Lo cual hace que la vida sea más fácil para el líder, que se pueda tomar vacaciones. Las vacaciones como síntoma de liderazgo.

Un amigo me hablaba de que sentía que dirigir era como subir una bicicleta cuesta arriba, que cuando dejas de pedalear, la bicicleta se cae. Pues de eso se trata. Al fomentar la motivación intrínseca, la autonomía y la proactividad de las personas que lo forman, los equipos liderados de forma participativa son como una bicicleta cuesta abajo; puedes dejar de pedalear (vigilar, empujar) y la bicicleta sigue avanzando.

La motivación intrínseca es un tipo de motivación donde la persona realiza una actividad sin esperar recibir una recompensa material. Mediante la cual experimenta una sensación de disfrute y control personal; no necesita recompensas o incentivos externos. Lo lleva a cabo porque realizarlo le hace sentirse bien consigo mismo.

Desde nuestro punto de vista, la motivación intrínseca es más efectiva que la extrínseca. Funciona mejor a largo plazo, mejora la creatividad de la persona, no necesita control, promueve la autonomía, es más productiva, y fomenta el aprendizaje personal y del equipo.

Los pilares de la motivación intrínseca son tres:

- Autonomía
- Capacidad
- Propósito

Desde el liderazgo, la autonomía se fomenta permitiendo que las personas y los equipos puedan tomar sus propias decisiones. Dependiendo del nivel en el que estén y de su madurez/ experiencia laboral, pueden tomar decisiones sobre dónde, con quién, cómo, cuándo, en qué trabajar. No hace falta en todas ellas, pero cuantas más áreas de decisión tenga, mayor será la motivación intrínseca. Por supuesto, todo esto con un orden, una buena orientación y coordinación de equipo, y acorde con esa madurez y capacidad profesional del colaborador. En términos de neurociencia, esta se relaciona con una motivación intrínseca del cerebro, conocida como motivación de libertad - en la que el ser humano busca la mejora personal continua, quiere superar obstáculos y acumular experiencia que le haga distinguirse, que le dé fortaleza y le reconforte en la toma de decisiones. En este caso la dopamina y la testosterona juegan un papel primordial y son los que nos impulsan a la BÚSQUEDA DE LA AUTONOMÍA y enlazando con la siguiente: CAPACIDAD de superación constante, tanto en la vida personal, como en la profesional.

La capacidad tiene que ver con que todos queremos aprender, queremos progresar, ser mejores en nuestro trabajo, ir progresando día a día. Si mi posición, mi equipo me permite progresar, mejorar, aprender, me sentiré muy motivado a seguir aportando y trabajando en él. Yo prefiero decir que no hay que retener el talento; hay que hacerlo florecer. Si estoy en un sitio en el que mi talento florece, no me quiero ir. En relación a la neurociencia, hablamos aquí de un sistema motivacional intrínseco que nos lleva a la innovación, al aprendizaje, a la investigación, y la experimentación. Y esta es la que, fomentándola, puede sacarnos de la zona de confort mencionada anteriormente o de la parálisis por miedo. Si los retos se dan en un ambiente en el que haya espacio y tiempo para aprender, estaremos fomentando el ambiente propicio para el cambio.

El propósito tiene que ver con el «¿Para qué?» de mi trabajo. Para qué me sirve, a quién beneficia, qué me aporta. ¿Le aporta algo a mi equipo, a mi organización, a mis clientes? En qué sentido ayuda de alguna manera a alguien. Y este propósito, que puede ser directo o indirecto, ayuda mucho a mi motivación intrínseca. Si tengo claro el propósito de mi trabajo, no necesito que me estén controlando, ya lo hago yo, porque me produce una satisfacción auténtica y duradera. En este caso, la función del líder tiene que ver con la orientación del equipo, favorecer este propósito y en muchos casos hacérselo ver al equipo, mostrar la aportación que el trabajo del equipo está haciendo a la organización y a la sociedad. A través de la autonomía frecuentemente las personas encuentran la manera de conseguir su propósito **EN** el trabajo.

Como dice Albert Einstein: «Si no le das un sentido a tu vida, la vida no tiene sentido». Nuestra mente necesita referencias, objetivos, metas a las que llegar, una razón que impulse al movimiento. Según mencioné al principio, el cerebro busca la seguridad, el equilibrio, y esta es justo la tercera motivación intrínseca que nos puede servir como guía para encontrar nuestro propósito. Queremos contribuir, ser parte del grupo, y los grandes propósitos son aquellos que sirven a la humanidad, a nuestro planeta, a nuestra sociedad, y a nuestro compañero, a nuestro cliente.

El proceso que te mostraré a continuación fomenta y facilita estos tres pilares.

Proceso para las reuniones participativas

Como verás a continuación, el sistema que te proponemos ayuda a calmar los miedos del cerebro que vimos en el primer apartado y, a la vez, a fomentar los pilares de la motivación intrínseca, que están basados en el sistema de logro y recompensa de nuestro cerebro.

Te proponemos un guión para llevar a cabo las reuniones con tu equipo, y que estas sean muy participativas. Para ello es importante que te convenzas de que tu papel es secundario. Tu rol será marcar el primer punto. El objetivo, el reto del equipo y de la reunión, y después, te dedicarás solo a preguntar, a escuchar, y a fomentar la participación del equipo. Si intervienes demasiado las reuniones seguirán siendo como todas, en las que sobre todo opinas tú, tú dices el cómo se hacen las cosas, y la participación del equipo es baja y la responsabilidad, proactividad, y autonomía posterior a la reunión serán también muy bajas.

Así que te animo a que confíes en nuestro sistema; lo hemos probado muchas veces. Y sobre todo que confíes en tu equipo, saben lo que hay que hacer, son adultos y de verdad que quieren trabajar bien, a gusto, y que las cosas salgan bien. Así que lo que aprendí y cambió mi manera de liderar equipos es, en resumen: orientar, confiar, y sobre todo escuchar.

Cuando utilizo este sistema, que aparte del guion, se basa en preguntar y escuchar a tu equipo, en preguntarles su opinión, ofrecerles ser parte de la decisión, las cosas me han ido más rodadas. Y cuando no lo he utilizado, las cosas han ido más lentas y he necesitado mucho más esfuerzo y energía. Dentro de esto incluyo la importancia del «¿Para qué?». El mío y el de ellos, tener clara mi motivación y que ellos también la tengan clara; la mía y la suya, para qué va a servir hacer este esfuerzo que les pido. Necesitan información, y para ello hace mucha falta la comunicación. Mucha comunicación.

El guion que te proponemos es el siguiente:

- Discurso del cambio. El QUÉ. El objetivo, el reto que quieres que tu equipo afronte.
  - ¿Qué han entendido del objetivo?
  - Consensuar una frase para definir el objetivo
  - Cómo será nuestro equipo cuando lo consigamos
- ¿Para qué va a servir alcanzar el objetivo?
- ¿Qué nos impide alcanzarlo?
- ¿Cómo podremos alcanzarlo?
- Plan de acción
- ¿Qué te llevas?
- ¿Qué vas a hacer distinto a partir de mañana?

Ahora paso a describirte cada punto, cómo llevarlo a cabo, para qué es necesario este paso y por qué funciona. Cada punto es una pregunta para lanzar al equipo y creo que es importante asegurarse de que todo el mundo la contesta, de que todos participan. En mi experiencia es importante que el líder dé voz a los que menos lo hacen.

Discurso del cambio. El «¿QUÉ?». El RETO

Como es Coaching de equipos y no individual, generalmente creemos que debe ser la persona que lidera el equipo la que debe que marcar el objetivo (en el caso de sesiones con personas que no trabajan juntas, pero que tienen/quieren colaborar, esta parte se hace de forma diferente, como se comentará más adelante).

Es muy importante que en este discurso se aclare muy bien el objetivo y las estrategias básicas para conseguirlo, así como el «para qué» del objetivo, en qué sentido es importante conseguirlo para la organización. Esto ayuda a que se entienda la importancia de este y ayuda a comprenderlo y motivar al equipo. Tener claro este punto antes de la reunión y ser capaz de explicarlo claramente es muy importante. Para ello, se recomienda seguir el modelo SMART de definición de objetivos.

¿Qué han entendido del objetivo?

Esta pregunta es útil para asegurarnos de que se comprendió el objetivo y que todo el equipo ha entendido lo mismo, y a la vez para ver a qué le dan más valor y analizar si el equipo ve la importancia del objetivo marcado por la persona líder. No es cuestión de que estén de acuerdo o no, no es para que se discuta, sino solo para asegurarnos de que se ha entendido que se les está pidiendo como equipo.

Consensuar una frase para definir el objetivo

Esta actividad nos ayuda a sintetizar la idea de objetivo, trabajarlo más, entenderlo mejor, y ver qué es lo importante del mismo. Al líder le va a servir para, de forma sencilla y rápida, hacer referencia al objetivo a lo largo de las sesiones, cuando lo quiera recordar para enfocar las intervenciones, también cuando quiera chequear con el equipo si las acciones que se van proponiendo le acercan al objetivo o no.

Al mismo tiempo seguir trabajando el objetivo ayuda a familiarizarse con él y a poner al equipo en el estado adecuado para ser creativo y propositivo, aunque a este fin ayudan más las siguientes fases.

¿Cómo será nuestro equipo cuando lo consigamos?

Como se adelantó en el apartado anterior, esta pregunta se trabaja para poner al equipo en el estado adecuado. Para que deseen alcanzar el objetivo. Para que lo entiendan mejor, sientan su necesidad y lo empiecen a ver más cercano, real y atractivo. Esta dinámica es una especie de visualización colectiva.

Asimismo, sirve para empezar a aunar la visión de futuro, del objetivo, que tiene el equipo.

También sirve para poner al equipo en el estado adecuado para ser más creativo y propositivo, como con la anterior. Visualizar e imaginarse que se ha logrado el objetivo y que esto ha creado una mejora en el equipo hace que segreguemos neurotransmisores que nos hacen sentir muy bien: dopamina, endorfinas, serotonina; guardándose en el cerebro como referencia motivacional para lograr sentirnos así otra vez más adelante.

Como último beneficio, hay que decir que en este momento suelen surgir aportaciones que más adelante se van a poder usar como soluciones, ideas para crear acciones que nos acerquen al objetivo. El líder debe estar atento a esto para ver cuáles puede sugerir o mostrar al equipo como pistas para las posibles soluciones en el momento adecuado.

¿Para qué nos va a servir alcanzar el objetivo?

Al igual que las dos anteriores, trabajar esta pregunta ayuda al equipo a ponerse en el estado adecuado para ser más creativo y proactivo. Damos aquí un paso más, al hacer el objetivo todavía más atractivo, ya que se ve el fin último del mismo a la vez que suelen salir motivos o beneficios personales para alcanzar el objetivo marcado al equipo.

Esta fase es muy importante porque es la manera de que el equipo encuentre la verdadera motivación. La que hay detrás del objetivo. Debemos darnos cuenta de que el objetivo en sí mismo no motiva. Lo que motiva es el «¿PARA QUÉ?» que hay detrás del objetivo. Esta motivación que surge es la motivación intrínseca. La que cada miembro del equipo encuentra dentro de sí mismo.

No nos importan demasiado las respuestas concretas. Sí que las haya, y que todos los participantes contesten. En lo que sí debe fijarse el facilitador de la reunión es en que haya tres tipos de respuestas: beneficios para la organización, beneficios para el equipo, y beneficios individuales. Esto es importante porque es la manera de alinear los objetivos colectivos con los objetivos personales. Si faltase algún tipo de respuesta debería preguntar por ellas.

Esta es la pregunta definitiva para que el equipo quiera alcanzar el objetivo, se dé cuenta de verdad lo importante que es para la organización, para el equipo y para sí mismo. Es la manera de seguir el consejo que nos da *Antoine de Saint-Exupéry* al principio del capítulo. Y desde mi punto de vista, la que produce la magia de este proceso.

¿Qué nos impide alcanzarlo?

En este apartado buscamos los obstáculos que tiene o cree tener el equipo para alcanzar el objetivo marcado. Al haber trabajado los tres apartados anteriores suele ser habitual que ya no surjan muchos obstáculos. Y que los que salgan sean bastante consensuados y reales. Una cosa que aprendí haciendo las reuniones de esta manera fue esto. Cuando le estás preguntando al equipo, cuando les permites participar, todos somos más proactivos, más propositivos, y menos destructivos

Esta pregunta es necesaria pero peligrosa. La persona que facilita la reunión debe decidir si la hace o no. Tal vez las primeras veces que pongas en marcha este sistema completo, no la deban usar. Aunque de todas maneras los obstáculos de forma más explícita o implícita acabarán saliendo, así que cuanto antes lo puedan afrontar mejor. Una pista de si usar esta pregunta o no sería la energía, motivación, convencimiento que están sintiendo en el grupo. Si es bajo, mejor no usarla. Aunque a veces es precisamente porque están pensando en algún obstáculo que el equipo considera insalvable.

En caso de usar esta pregunta, una vez que la hayan respondido, deben aunar y priorizar los obstáculos, hasta quedar con tres o cuatro como mucho. Verán que muchos de los que dicen son repetidos o es el mismo obstáculo con distinto nombre. Mejor agruparlos para que sea más manejable. Una vez que están agrupados los convertiremos en objetivos:

No tenemos recursos → Conseguir recursos.

¿Cómo podremos alcanzarlo?

En este apartado lo podemos hacer de dos maneras. Si nos hemos saltado el paso anterior, hacer una lluvia de ideas para ver cómo se les ocurre que podemos alcanzar el objetivo. Una vez que tenemos una buena lista de ideas, se pueden elegir las mejores y trabajarlas para convertirlas en acciones concretas.

Si hemos realizado el paso anterior, como decíamos, elegir los obstáculos más importantes y ponerlos en positivo, entonces convertirlos en objetivos serán los sub-objetivos de nuestro objetivo principal.

Una vez hecho esto, haremos dos o tres grupos, dependiendo del tamaño del equipo, y por grupos trabajaremos los sub-objetivos marcados.

Para ello, podemos usar una lluvia de ideas, un brainwriting, una estrategia Disney, o cualquier otra dinámica de creatividad para buscar soluciones. Siempre hace falta una divergente y una convergente.

Plan de acción

Este es el momento de priorizar las acciones que salieron en el apartado anterior. Ponerle fecha y responsabilidad. Es recomendable recopilar estos compromisos en un documento al que todo el mundo tenga acceso para que sirva de guía, recordatorio, y de herramienta de seguimiento del avance para las siguientes reuniones.

Una buena técnica que solemos usar para decidir entre todos si una acción es correcta o no es una especie de check list (lista de control). Las acciones buenas sobre las que contestamos afirmativamente a estas tres preguntas:

Esta acción:

- ¿Nos acerca al objetivo? En el proceso de creatividad y generación de ideas, incluso cuando ya estamos en el proceso de selección, a veces elegimos una acción sin darnos cuenta de que, aunque nos pueda gustar, puede ser que no sirva para el objetivo en cuestión, por tanto, debería ser excluida.
- ¿Depende de nosotros? Si no depende del equipo, no se va a poder realizar y, por tanto, sólo generará frustración a sus miembros.
- ¿Es sostenible? Es importante que seamos objetivos. Que no nos dejemos llevar por la energía o el entusiasmo del momento. Esta acción que estamos proponiendo, ¿realmente la podemos llevar a cabo? ¿Es compatible con el día a día? ¿De verdad nos creemos que la vamos a poder realizar? Si requiere un esfuerzo extra, que es puntual, y vemos que es necesario, que nos va a impulsar mucho, está bien, pero si ese esfuerzo extra debe ser continuado en el tiempo, no va a ser una buena acción. No la deberíamos elegir ya que es difícil que se mantenga en el tiempo, no es viable, no es creíble.

¿Qué te llevas?

Es una manera de que el equipo y el facilitador saquen conclusiones de la sesión. Es como un resumen. Una manera de darnos cuenta todos del valor que ha tenido la sesión que acabamos de hacer. Y para que todos, al escuchar a los demás, sigamos aprendiendo. Deben contestar todos por turno, de forma ordenada. Es una manera de ponerle el lacito.

¿Qué vas a hacer distinto a partir de mañana?
Esta pregunta ayuda a hacerles más conscientes de la importancia de cambiar y de que el reto depende de cada uno de ellos, de que cada uno debe aportar su granito de arena. También les ayuda a plasmar el cambio en algo concreto, lo que incrementa la probabilidad de que lo lleven a cabo. Como en la anterior, deben contestar todos por turno y de forma ordenada.

Otra manera de dirigir

Un caso de éxito en la gestión de equipos.

Para que puedas visualizar cómo se lleva a cabo este proceso y el valor que puede aportar a tu equipo, te cuento un caso real en el que un líder, al que ayudé a cambiar su estilo de liderazgo, sigue este proceso que acabamos de explicar.

Antecedentes
Un jefe con veinte años de experiencia gestionando equipos, diez en su puesto actual, y dos y medio con su equipo. En este momento es jefe de dieciocho personas, que a su vez dirigen equipos de entre dos y seis personas cada uno. Es una organización con mucha presión por la consecución de objetivos tanto a corto, como a medio y largo plazo. Esta persona no estaba a gusto con su manera de dirigir, con los resultados obtenidos, que sin ser malos le producían mucho desgaste personal y tenía la sensación de ir con la lengua fuera continuamente. Siempre preocupado por el día y día, sin posibilidad de mirar al largo plazo. Demasiado metido en la operación diaria

y menos en la dirección estratégica. Con la sensación de tener cada vez menos energía y una creciente desmotivación. Todo esto llevándole a problemas de estrés y salud.

Medidas adoptadas

Se decidió a tener una reunión con sus colaboradores, en la que los protagonistas fueran ellos. Partiendo del hecho de que en una organización tan grande los objetivos les vienen fijados de arriba y lo único que pueden hacer es aceptarlos, en esta reunión les lanzó el reto de conseguirlos, fueran los que fueran, pero con una nueva manera de trabajar, una nueva forma que les hiciera la vida más fácil a todos. En resumen, que consiguieran los objetivos sin tanto sufrimiento. Como líneas estratégicas para conseguir este objetivo les sugirió centrarse en tres líneas de trabajo:

- Mejorar la comunicación, entre ellos y en sus oficinas;
- Priorizar mejor, trabajar de forma más sistemática; y
- Compartir sus mejores prácticas.

Y los dejó trabajar en equipos sobre dichos objetivos. Después se pusieron las conclusiones en común y sobre las acciones propuestas se eligieron las que ellos creyeron más adecuadas y con mayor probabilidad de hacerles conseguir el objetivo.

Para decidir cuáles ideas valdrían y cuáles no, se usaron dos criterios: que les acercasen al objetivo, y que estas medidas dependiesen de ellos. Al final de la sesión se encargó a cada equipo profundizar sobre una de las líneas de trabajo. Se decidió que se reunirían un mes después.

Se hizo una segunda reunión en la que se pusieron en común las acciones diseñadas por cada equipo y se acordaron poner en marcha toda una serie de medidas concretas de común acuerdo.

En esta segunda reunión, el jefe fue sin expectativas, dispuesto a escuchar, abierto a lo que propusiera el equipo.

Aquí la actitud de los directores fue aún mejor, las conversaciones fueron más abiertas, se demostró mayor confianza, mejor actitud, más propositivos. Fue una reunión más productiva. Se notó que se creían lo que les había propuesto. También se notó que se habían creado vínculos afectivos entre ellos y con el jefe.

Para esto fue muy importante lo que el jefe hizo entre una sesión y otra; hizo su trabajo, cumplió su parte, no flaqueó, apostó por el nuevo método, confió en el equipo. Puso en marcha las medidas que le solicitaron en la primera reunión y que le tocaban a él. También, y como algo muy importante, hizo lo que se comprometió a hacer: inmiscuirse menos, darles más autonomía, no hacerles seguimiento continuo.

Ahora se hacen reuniones virtuales todos los lunes en las que el jefe pone foco en algún tema concreto que entiende que es el fundamental para esa semana o en algún objetivo que se está quedando retrasado, para que entre todos se propongan soluciones.

Cuatro meses después, una vez que se empezaron a ver grandes resultados de estas medidas, se hizo otra reunión para buscar la sostenibilidad de las medidas adoptadas y mejorarlas.

Resultados

El jefe reconoce que con este nuevo método ha conseguido colaboradores más comprometidos y responsabilizados con los resultados. Los colaboradores se sintieron más comprometidos con su trabajo y con la consecución de los objetivos. De esta manera se hicieron más proactivos, proponiendo nuevas acciones para conseguirlos.

Esto hizo que hubiese menos necesidad de seguimiento continuo, menos cantidad de reportes y presión por parte del jefe.

La mayor proactividad hizo que sus colaboradores mejoraran la gestión de sus respectivos equipos, consiguiendo mayor apoyo y compromiso del personal, lo que facilitó la consecución de los objetivos.

Todo esto llevó a obtener mejores resultados económicos y que este departamento mejorase en el ranking de la empresa. Y todo esto de forma menos traumática por parte de todos.

Además, se consiguió mejorar el clima laboral y la relación jefe-colaborador debido a la consecución de los objetivos. Sobre todo, gracias a que los colaboradores se sintieron respetados por su jefe, se les dio mayor autonomía, y se les demostró mayor confianza en su capacidad, y esto, en cambio, les hizo sentirse mejores profesionales.

Lo que sus colaboradores valoraron mejor fue la autonomía, que les hizo crecer como profesionales. En algunos casos, se sintieron un poco perdidos, al principio, debido a que no estaban acostumbrados a que no les dijesen en todo momento lo que tenían que hacer, pero rápidamente empezaron a asumir el nuevo rol con buen desempeño.

Esta confianza también repercutió en que la relación jefe-colaborador fuera más abierta y honesta, y que se dijeran las cosas, tanto buenas como malas. Una cosa que notó el jefe fue que sus colaboradores estaban más pendientes de su estado de ánimo.

Otra consecuencia fue que los directores reprodujeron esa manera de dirigir en sus oficinas, con buenos resultados, y consiguiendo con su personal el mismo fruto de mayor compromiso, más aportaciones, y mayor satisfacción del personal.

El jefe se ha sentido mejor líder; ha crecido y madurado. También ha notado que se le escucha y le obedecen más. Básicamente, porque da menos órdenes. Para ello, ha tenido que cambiar y ahora tiene que priorizar mejor, diseñar claramente la estrategia, y racionalizar su comunicación con ellos.

Temas pendientes

Hay algunas oficinas, menos del 20%, que se han quedado rezagadas, que no han respondido bien al nuevo método. Está pendiente ver qué acciones acometer con ellas. Esto posiblemente requerirá mayor atención por parte del jefe, pero sin caer en la forma antigua de dirigir, sino ayudándoles a encontrar a cada uno su estilo de trabajo en el nuevo sistema.

También tienen pendiente realizar una tercera reunión en la que se mejore el nuevo sistema de trabajo y se busque la manera de hacerlo sostenible y con garantías.

Todo este proceso que les acabo de mostrar lo descubrí cuando tuve que enfrentarme a reuniones en contextos muy adversos. Con público, vamos a decir, «No a favor». Yo tenía ya experiencia trabajando como coach de equipos. Haciendo dinamizaciones de equipos, de todo tipo y sector. Mi trabajo era primero con un jefe que me daba un objetivo para el equipo, cómo quería que cambiara o que quería que consiguiese, y después, yo trabajaba con el equipo. Estaban en el mismo barco, mejor o peor, pero eran un equipo que tenía que conseguir unos resultados. Había una jerarquía, una historia, y sobre todo una autoridad. Para esos trabajos yo tenía un tiempo de preparación con el jefe, unos antecedentes y el «permiso» para hacer ciertas cosas «out of the box» (fuera de la caja).

El problema vino cuando quise usar la misma metodología participativa, innovadora, co-creativa, en entornos en los que no había ni equipo, ni supuestamente objetivo común, ni autoridad, ni permiso para hacer cosas «innovadoras». De esa necesidad saqué virtud, buscar un método aparentemente tradicional, sencillo, rápido y que consiguiese lo mismo. Encontrar un objetivo que les interesase a todos, que lo compraran casi desde el principio y cada vez más, que se centrasen en aportar y no criticar.

En ese entorno fue donde un alcalde me pidió que hiciese un plan de acción para el sector turístico de su ayuntamiento. Y que fuese participativo, con los empresarios. El problema era que, en cuanto vienes de parte del ayuntamiento, todo son críticas, reivindicaciones, y exigencias. No hay pensamiento colectivo, ni propositivo, y cada uno va a reclamar lo suyo. Así que tuvimos que buscar la manera de que viesen que sí había un objetivo común, que lo comprasen porque a todos les interesaba, y que propusiesen medidas coherentes y positivas, y que se pudiesen realmente llevar a cabo. Esto es lo que nos llevó a destilar el proceso. Simplificarlo (tenían muy poco tiempo) y solo dejar lo que realmente toca las teclas de la colaboración, el positivismo, la motivación, y la colaboración. Y así nos salió un proceso muy claro, muy sencillo, que nos dimos cuenta que era fácil de enseñar a gente con pocos conocimientos de coaching, dinámicas participativas, y con sistemas más tradicionales de liderazgo.

Y este es el proceso que he tratado de explicarte en este capítulo. Yo lo uso constantemente en reuniones que no puedo preparar mucho o en las que no sé cuál es el objetivo de cada uno, cuando no hay mucho tiempo, o cuando no tengo autoridad sobre los participantes. Porque se basa, como ya expliqué, en la que la gente tenga el control, se sienta incluida en el proceso y en las decisiones, y que toquen los pilares de la motivación intrínseca; ese sistema del cerebro que sí quiere cambiar.

Anímate a probarlo, a mí me ha funcionado siempre que lo he usado, y he fracasado muchas veces por no usarlo. Es fácil y eficiente. Y, como le gusta al cerebro, gasta menos energía. ;)

Solo me queda animarles a que prueben este sistema. Ustedes y sus equipos lo agradecerán. Por poco que pongan en marcha de este sistema, les garantizo que notarán importantes mejoras en la forma de trabajar del equipo y del clima en el que lo hacen. ¡¡¡¡Atrévanse!!!!

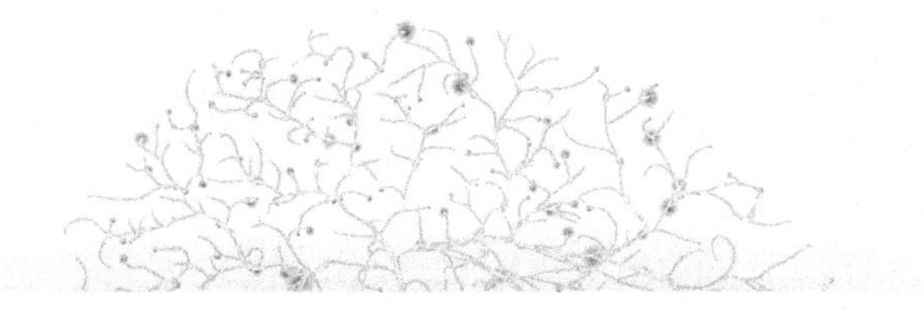

Jasmín Oropeza

Semblanza

Jasmín tiene estudios universitarios en administración y gerencia de recursos humanos, con más de 20 años de experiencia en el área de gestión humana y relaciones laborales, en los que ocupó cargos estratégicos en empresas de diferentes sectores. Fue formada en neurociencias aplicadas en la Academia de Neurociencia y Educación (ANE International). Además, fue productora de las primeras conferencias virtuales para Latinoamérica y España en 2018, dirigidas a las neurociencias, llamadas Neurociencia y éxito, y Con cerebro y corazón, las cuales reunieron más de 50 expertos de dos continentes y más de 20.000 participantes. Esto la impulsó a ser fundadora de la Academia Neurociencia y éxito, y a colaborar con ANE International.

Su mayor interés está en explicar las cualidades del cerebro que son favorables para el logro de objetivos de bienestar, satisfacción con la vida personal y profesional, de una forma fácil de entender y sencilla de aplicar, con argumento científico.

Intención

Mi querido lector, en el capítulo que te ofrezco, verás cómo todo en el cerebro se entrelaza, se mueve a tu favor y cómo puedes usarlo de manera sabia para tener éxito y reducir el fracaso. Si eres un profesional de la ayuda o quieres serlo, conocerás los beneficios de adentrarse en las neurociencias y las ventajas competitivas de los proyectos mundiales más vanguardistas que estudian el cerebro, pero sobre todo de lo que puedes beneficiarte tú y beneficiar a otros.

CUIDADO, DESCIFRAR LAS CUALIDADES DEL CEREBRO, TIENE RELACIÓN DIRECTA CON EL ÉXITO

«Es un privilegio conocer sobre la mente y el cerebro, pero prefiero la sabiduría de aplicar y compartir ese conocimiento».

—Jasmín Ch. Oropeza A

Mi querido lector, me gustaría comenzar por lo básico: la mente y el cerebro tienen una relación compleja e intrincada.

Considerando que la mente se refiere a los procesos cognitivos y emocionales, y que el cerebro es el órgano que sustenta estos procesos, entonces, sería lógico pensar que dichos procesos mentales tienen un efecto en el cerebro y que los cambios en el cerebro, pueden afectar a la mente.

Pudiera decir que se relacionan como lo hacen un conductor y su vehículo. La mente es el conductor que puede dirigir al vehículo porque aplica los conocimientos que tiene sobre manejo y el vehículo, como el cerebro, responde. El conductor puede hacerle cambios a su vehículo, de la misma manera en que la mente puede moldear físicamente al cerebro, sea con pensamientos displacenteros o placenteros. El conductor puede influir en el rendimiento de su vehículo, pues su cuidado y mantenimiento le asegurarán que el vehículo funcione de manera óptima a lo largo de los años. El vehículo lo llevará a donde él quiera, porque el conductor es el que lo dirige. Siempre y cuando el conductor sepa a dónde quiere ir, aunque nunca haya ido, podrá llegar y tiene la certeza de que su vehículo lo puede llevar a cualquier lugar o muy cerca.

Ahora bien, ¿qué tanto sabes sobre las Neurociencias? Muchos la confunden con la Programación Neurolingüística, pero no son lo mismo.

La PNL se enfoca en técnicas de comunicación para mejorar el rendimiento personal y profesional de las personas, mientras que las neurociencias son un campo de la ciencia en varias ramas, que comenzaron por el estudio del cerebro y el sistema nervioso, pero hoy abarcan el comportamiento humano, la cognición, cura de lesiones neurológicas, enfermedades, implantes, farmacología, tecnología, inteligencia artificial y mucho más, basándose en principios científicos y metodologías replicables que miden su efectividad para desarrollar modelos y teorías que expliquen los procesos cerebrales, minimizar la posibilidad de errores de sesgos y poder confirmar o refutar los resultados en diferentes contextos y por diferentes investigadores.

Cuando comencé a leer sobre el argumento científico, me encontré con muchas cosas que podía trasladar a la vida real, es decir, a la que tenemos y conocemos, la que estamos viviendo aquí y ahora.

Pero antes de continuar, déjame contarte mis inicios

Después de muchos años trabajando para empresas y estar acostumbrada al sistema de bonos por resultados y vivir para las metas, me di cuenta de varias cosas. Entre ellas, cuánto esfuerzo ponía en lograr lo que me pedían, cuán competitiva y tolerante al estrés y a la presión podía ser. Desconocía cómo podía lograr lo que deseaba sin exponerme a exigencias que más adelante me traerían consecuencias en materia de salud y cómo aprovechar las capacidades de mi cerebro en función del bienestar, la satisfacción y el éxito.

Por eso surgió el deseo de conocer y comprender sobre la conducta humana y, con eso, conocerme a mí misma, lo que me llevó a un largo camino que finalmente me hizo conocer las neurociencias.

Al principio, me pasaron tres cosas:

La primera fue que desconocía por dónde empezar, qué libros comprar para que se me hiciera fácil la lectura y comprensión, pues yo no era una académica y podía elegir mal. Así que investigué sobre autores de libros de neurociencias, los busqué en YouTube y, al verlos, era tan reducido mi conocimiento sobre el cerebro, sus áreas, sus sistemas y funciones, que sentía que cada video y cada lectura me llevaban de la pecera al mar.

La segunda era que dudaba de que esto fuera para mí. Pensaba que yo no tenía las habilidades que se necesitaban, no era médico ni estaba familiarizada con los términos. Lo que dio pie a preguntarme cuáles eran esas habilidades. Y la respuesta fue sencilla: las mismas que aplicamos todos al estudiar una carrera. Tenía que inscribirme en un instituto académico, invertir horas en lectura y estudio, pasar por el proceso de evaluación, preparar materiales de presentación e ir incorporando estos conocimientos a mi día a día. Lo que me llevó a investigar dónde podía estudiarlo y me sorprendió encontrar cuántas universidades e institutos reconocidos en todo el mundo había para hacerlo. El pececito tenía para escoger en un océano de oportunidades.

La tercera, que había demasiada información para procesar. Me sentía abrumada al mirar ese océano representando todo lo que no sabía y tenía que aprender, pero decidí tomarlo con calma, no había ninguna razón para acelerar mi aprendizaje, no tenía que aprenderlo todo de una vez, pues, todos esos especialistas a quienes yo seguía lo habían aprendido por partes.

Y así fue como, paso a paso, fui aprendiendo y, a medida que me exponía a esa información, fui entendiendo mejor, pero también he tenido claro que aún falta y que lo aprendido puede cambiar en el futuro.

Para entrar en contexto me gustaría contarte sobre los proyectos que están cambiando la forma de entender el cerebro y la práctica profesional en el presente y el futuro:

El proyecto Connectoma humano de USA,
La Iniciativa Brain de USA,
Blue Brain de Suiza,
Cajal Blue Brain iniciativa conjunta entre Suiza y España,
Brain/Minds de Japón y
Human Brain Project de Europa.

Aunque tienen particularidades, se asemejan en el objetivo de comprender el cerebro humano y sus procesos, a través de simulación, mapas tridimensionales y modelización virtual, desarrollando nuevas herramientas y tecnologías, para avanzar en las neurociencias, la informática, encontrar tratamientos para las enfermedades mentales y mejorar la calidad de vida de las personas.

Para entender un poco su importancia, imagina que estás construyendo una imagen por píxeles, pero tienes que crear cada píxel desde cero. Al principio puede ser difícil y puede tomar mucho tiempo, pero, a medida que más personas trabajan en ello, comienzan a descubrir patrones y formas repetitivas. Finalmente, se pueden crear herramientas y técnicas que aceleran el proceso de creación de píxeles. De la misma manera, en las neurociencias, cada estudio es como un pixel, una pequeña parte de la gran imagen y a medida que se realizan más estudios y se descubren patrones, se pueden crear herramientas y técnicas para acelerar el proceso de descubrimiento y comprensión del cerebro y su comportamiento, con una imagen cada vez más completa, hasta que sea completada.

Te preguntarás: ¿qué es lo relevante?, ¿qué de estos proyectos y las neurociencias puede ser útil para ti y aquellos que se dedican a la ayuda, como los profesionales del *coaching*, *mentoría* y *terapia*, de la que voy a hablar en este capítulo?

Basada un poco en mi experiencia al trabajar con las personas, considero que lo más aplicable a considerar está en:

La neurociencia cognitiva, la cual se enfoca en entender cómo procesamos y utilizamos la información, cómo aprendemos y cómo tomamos decisiones. Esto es útil para diseñar estrategias didácticas y de entrenamiento mental. Esta neurociencia abarca los procesos afectivos o emocionales y también los sociales, relacionándolos entre ellos.

En los procesos afectivos investigan cómo funcionan las emociones, cómo las procesa el cerebro, cómo influyen para identificar y regular emociones, su implicación en la toma de decisiones, etc.

En los procesos sociales se enfocan en comprender cómo interactuamos con los demás y cómo la habilidad social, la capacidad para relacionarnos, para desenvolvernos de manera interdependiente, la capacidad de adaptación y cambio en respuesta a diferentes situaciones sociales influyen en nuestras vidas.

Según he ido descubriendo, las neurociencias son una ventaja competitiva transferible a otras áreas de la vida y de las carreras.

Lo que puede llevarte a preguntar qué problema puedes resolver tú y cómo puedes beneficiarte y beneficiar a otros.

Veamos algunos aspectos:

En el aumento de la conciencia sobre la salud mental y del cerebro. Conocer y comprender las enfermedades mentales no significa que vas a abordarlas como psicólogo o psiquiatra si no eres especialista, pero sí puedes crear conciencia. Puedes incluir en tus cursos o abordajes, los factores de protección del cerebro. ¡Cuidar la salud cerebral en todas las etapas, es cuidar la vida misma!

En el área de la capacitación, educación y aprendizaje. Para los estudiantes que tienen dificultades de aprendizaje o dificultades de atención, se pueden involucrar múltiples sentidos para mejorar la retención y recuerdo de la información.

En materia laboral. Cada vez son más las empresas que están contratando *coaches* y mentores con especialidades en neurociencias; neuropsicólogos en el área de gestión humana, y neurocientíficos asesorándolos para potenciar los talentos de sus colaboradores y sus marcas.

En materia de liderazgo. Contribuye a que los gerentes o las personas que manejan las áreas estratégicas, tácticas y operativas, puedan comprender mejor su cerebro y el de sus equipos y colaboradores, lo que puede mejorar su capacidad para liderar con éxito y lograr los objetivos comunes. Por ejemplo, si una empresa tiene a alguien que muestra habilidades para crear estrategias de venta, pero tiene debilidades en la gestión del tiempo, se puede diseñar un plan de entrenamiento de no menos de 66 días, el promedio para crear un hábito, con la intención de desarrollar la capacidad de priorizar y pueda manejar el tiempo de manera más efectiva.

En el *coaching*, la *mentoría* y la *terapia*. Puedes desarrollar estrategias personalizadas para mejorar tu propio desempeño, rendimiento cognitivo y creatividad, como también el de tus clientes, equipo de trabajo, etc. Te doy una idea: al comprender cómo funciona el cerebro respecto al éxito y el fracaso, dejarás de perder tiempo y esfuerzo, sabrás qué y cómo aplicarlo y al dominarlo, serás más efectivo.

Por eso te voy a compartir algunos de los aspectos que, en mi experiencia, han sido los más reveladores y relevantes para aplicarlos en función del éxito y el fracaso.

La primera revelación fue que los seres humanos somos una especie que evolucionó con la ayuda, la colaboración, la empatía y la confianza, y todo eso, además de la reproducción, nos hizo prosperar.

Luego de entender eso, no podía dudar del valor que tienen el *coaching*, la mentoría y la terapia. Porque sucede algo maravilloso: todos ayudan a otros a mejorar.

Estas disciplinas o profesiones están diseñadas para que las personas se puedan elevar, tener logros emocionales, profesionales, patrimoniales, intelectuales y de cualquier tipo. Todas nos ayudan a avanzar, a desarrollar habilidades, lograr metas y mejorar la calidad de vida.

Por ejemplo, ahora que se pueden conocer las investigaciones y argumentos neurocientíficos para llevarlos a las prácticas de la ayuda e integrarlas a la vida real y actual, podemos utilizar herramientas novedosas como *neurofeedback*. Esta es una herramienta que mide las ondas cerebrales y utiliza la retroalimentación en tiempo real para ayudar a las personas a aprender a controlar la actividad cerebral y mejorar el bienestar.

Al conocer esta herramienta, pude ver que, cuando las personas ven el comportamiento de sus ondas cerebrales, pueden darse cuenta del efecto que tienen sus pensamientos displacenteros o placenteros, y esto hace que las personas se incentiven a realizar las prácticas que se les proponen. Cualquier herramienta o tecnología como esta, que puede ayudar a las personas a desarrollar habilidades para mejorar su rendimiento cognitivo, su capacidad para manejar estrés, la ansiedad y la atención, es un recurso útil para el logro de otros objetivos.

Sobre la oxitocina y su importancia en la interacción y el éxito

Estas prácticas de la ayuda involucrarán al éxito y el fracaso, donde tienen protagonismo el córtex prefrontal, la amígdala cerebral, los neuroquímicos, las hormonas, algunos sistemas y otras funciones.

La relación de los neurotransmisores y hormonas con el cerebro y el cuerpo pueden afectar nuestro estado emocional y comportamiento, los cuales de manera voluntaria puedes aumentar o disminuir en su producción, al realizar algunas acciones como disfrutar con las personas que interactúas creando ambientes de confianza para producir oxitocina.

Según el neuroeconomista Paul J. Zak, quien ha investigado sobre la relación entre la moral y la oxitocina, ayudar a los demás parece preparar al cerebro para liberar más de ella, en algo parecido a un ciclo virtuoso que genera empatía y gratitud.

¿Sabías que, además de ser la hormona del amor, la felicidad y el bienestar, la oxitocina nos conecta con los otros? Cuando tú sientes confianza, liberas oxitocina y así es imposible estar estresado y liberar cortisol; la amígdala cerebral no se activa tanto, así que no hay posibilidad de huida, ataque o parálisis. Puedes pensar, puedes razonar, porque se activa tu córtex prefrontal, así como otras áreas cerebrales implicadas en la evaluación consciente de las emociones y la respuesta a las relaciones sociales. Además, estarás más relajado, tu cerebro estará fluctuando entre las ondas *alpha* y beta, y podrás entrar en una especie de estado en el que las cosas se dan. Si sientes confianza, haces conexión con el otro y puedes fluir, es decir, puedes hacer, dejar que se desenlace el efecto de tu acción, hacer algo nuevamente, dejar que se genere el resultado y así sucesivamente, inclusive en medio del caos.

Lo explico así con este ejemplo: imagina que vas con un bote por el río, remas hacia la izquierda y el bote avanza, remas a la derecha y el bote avanza. Si el bote se atasca y accionas en función de ello para desatascar el bote, el bote se moverá y generarás otra acción. ¡Eso es fluir! Incluso con obstáculos. Una sesión o una clase fluye porque se genera una acción y un resultado, ambos (coach-coachee, mentor-mentee, psicólogo-paciente) determinan el próximo paso y ese fluir genera confianza, ¡así lo registrará el cerebro!

Para que se pueda crear conexión y confianza, tiene que haber empatía. Ella es como la varita mágica, es la herramienta que te permitirá entender a los otros para fomentar los cambios y poder guiarlos hacia el éxito. Si te cuesta ser empático, difícilmente podrás crear conexión emocional y confianza, pero si te esfuerzas en entender las necesidades del otro, sus motivaciones y desafíos, podrás adaptar tus estrategias. Generar esa conexión permitirá que la oxitocina les haga sentir confianza en ustedes y en el proceso.

Para explicarlo más claro: es tan alto el valor de la conexión con los otros, que es considerado un factor de protección del cerebro, y esto se debe a que somos seres sintientes que pensamos, como dice el neurocientífico Antonio Damasio.

Cuando se genera confianza y conexión, la gratitud se abre espacio, activando las emociones placenteras relacionadas con el bienestar y a la oxitocina, lo que puede influir en los procesos mentales y comportamentales.

Esto me recuerda al primer grupo *online* de un programa de entrenamiento que hice en la pandemia por COVID-19, llamado Cerebro feliz, en el que había una estrategia semanal dirigida a generar acciones de bienestar y felicidad. Cada semana, yo les explicaba las áreas del cerebro que se relacionan con el procesamiento emocional y social, los neurotransmisores y hormonas que nos hacen sentir bien y, por último, recibían unas especificaciones para elegir a una persona de su entorno y dedicarle un agradecimiento con significado. Para algunos practicantes, esta fue la estrategia preferida y para otros, fue lo más difícil porque no acostumbraban hacerlo como se les estaba pidiendo.

Pero lo que te quiero contar es que este ejercicio produjo una especie de contagio en algunas de las personas que recibieron dichos agradecimientos, pues sorpresivamente recibí, de parte de ellos, mis propios agradecimientos con significado. Sin conocerlos, ellos me dedicaron unas palabras para que yo conociera lo que sintieron y el bien que les hizo esa experiencia. Lo que quiero decir es que ocurrió algo como el efecto que tiene una gota que cae en una cantidad de agua, generando ondas expansivas. Todo lo que esté en su cobertura se moverá con su efecto. Solo que hubo muchas gotas: la de los alumnos y la de sus elegidos.

Yo no sabía que esta estrategia sería algo más que un ejercicio mental para experimentar de manera voluntaria emociones placenteras y reducir las displacenteras. Yo estaba en la cobertura de sus ondas, fui incluida en agradecimientos de personas que no eran mis alumnos y eso fue algo inesperado. Fue un momento mágico y ahora que lo estoy escribiendo, créanme, la neuroquímica asociada al bienestar y la felicidad se está produciendo.

Las acciones de cualquier persona influyen en las personas que tienen a su alrededor y dependiendo de lo cerca o lejos que estas personas se encuentren de ella, también sentirán los efectos de sus cambios y transformaciones. De hecho, los cerebros son capaces de sincronizarse y activarse casi en las mismas áreas cuando hay una fuerte conexión entre ellos.

Las estrategias de un *coach* o *mentor* pueden volverse poderosas si conocen las cualidades de la mente y el cerebro que están a nuestro favor. Imagina que el cerebro es un jardín y nuestra mente es el jardinero, al igual que el jardinero puede cultivar un jardín en un pequeño espacio o en uno grande, nosotros con los patrones de pensamiento podemos cultivar en pequeña o gran medida a nuestro cerebro también. Elegir pensamientos nutridos de soluciones y posibilidades enriquecerá al cerebro, será como regar el jardín con el agua necesaria, eliminar hojas secas y evitar la plaga. Al igual que el jardinero prepara la tierra para que sea fértil y las plantas se desarrollen en su máximo esplendor, tú puedes elegir tener experiencias novedosas, exigentes y estimulantes para tener un cerebro fuerte, hábil y saludable. Tú puedes elegir qué habilidades cultivar, cuáles hábitos reemplazar y cómo estimular los pensamientos, neuroquímicos y hormonas asociados con ellos.

No puedo olvidar mencionar lo que necesitas saber sobre la relación cerebro, éxito y fracaso

Todos sabemos que el éxito se trabaja y que, quizás por eso, pocos logran la mayoría de las cosas que quieren. El éxito exige el desarrollo de habilidades, energía, capacidad de resistencia, adaptación y fuerza de voluntad para decir no a las cosas que nos alejan de nuestro objetivo y la fuerza de voluntad para decir sí a las cosas que nos acercan a ello, como bien lo explica la Psicóloga Kelly McGonigal.

A finales de 2021, decidí desafiar mis límites y cerrar el año subiendo la montaña más alta de mi ciudad natal. No quería hacerlo como meta, solo quería hacer algo especial.

Comenzamos el trayecto de noche y quedé maravillada por la belleza que ofrecían la naturaleza y el cielo, sin embargo, ese pensamiento fue cambiando cuando las energías se fueron agotando al usar la fuerza de mis piernas y brazos para subir. A pesar de contar con excelentes guías, abrigo, zapatos adecuados, agua y *snacks* energéticos, a la séptima hora de las diez de camino, solo quería devolverme. Aquello se volvió agotador y desafiante. Tuve un enfrentamiento entre mi deseo de hacer cumbre y ver el amanecer, con mi deseo de regresar y ver mi cama. Literalmente caminaba porque veía a los demás caminando.

Solo me quedaba la voluntad, una de las más valiosas capacidades de nuestro cerebro al que tenía que apelar y gracias a eso llegué. Pero fue tan retador, que se convirtió, más que en un logro físico, en un inmenso logro mental.

Cuando regresé a casa, compartí la historia con mi padre a través de mensajes por WhatsApp, teníamos 6 horas de diferencia y me respondió de forma reveladora «¡Un reto superado!». Ese fue el último logro que pude compartir con él, ya que tres semanas después, falleció. Desde entonces, ese logro adquirió un significado profundo. Me fue concedido ese regalo y ahora, al pasar por los retos que me pone la vida, lo recuerdo.

En ocasiones, tú o tus clientes se encontrarán con la decisión de abandonar o seguir adelante. Quizás no crean que puedan lograr lo que desean o sientan que han agotado sus fuerzas. En ese momento, es vital recurrir a las reservas de nuestra fuerza de voluntad y después, apreciar el significado del desafío, para que el cerebro y la mente lo registren y lo tengan presente cuando sea necesario.

No se logran metas con el optimismo mágico o ingenuo. Una vez vi una imagen de un mono y un elefante malabaristas. En un extremo, el mono se balanceaba colgado de un columpio, preparado para sostener al elefante, quien ya estaba volando por los aires en dirección al mono para ser atrapado por este. El resultado queda a tu imaginación y creo que coincidirás conmigo al concluir que el optimismo se debe manejar con realismo. El optimismo nos ayuda a tener una mejor actitud ante la vida y esto hace que ejercitemos el córtex prefrontal involucrado en la toma de decisiones, pero cuando lo manejamos con ingenuidad obviando la probabilidad de los resultados, tendremos una menor actividad de la amígdala y no responderemos adecuadamente a situaciones de riesgo.

El córtex prefrontal (en particular áreas de la corteza orbitofrontal, la corteza cingulada anterior y la corteza dorsolateral), la amígdala y el hipocampo son como un equipo en la oficina. Tú eres el director, el que lidera todo. El córtex prefrontal es el jefe de los proyectos en los que están involucrados los procesos emocionales conscientes, la planificación, organización y toma de decisiones. La amígdala, el departamento de distribución emocional inconsciente que reacciona de manera rápida y sin filtros a las situaciones, pero da las alertas. Si esta distribución se hace sin pasar por revisión y planificación, será impulsiva y se hará por inercia, basado en lo que ha aprendido hacer hasta el momento. El hipocampo, por su parte, relacionado con los procesos de la memoria y los emocionales, participará como mediador.

Tú, como director, puedes hacer que trabajen juntos de manera efectiva. Con el conocimiento en neurociencias puedes ayudar a mantener al jefe de proyectos al mando, y al mediador, manteniéndolo humanizado y atento a lo que advierten los impulsos inconscientes, para que funcione el equipo sin problemas.

La amígdala cerebral tiene aspectos interesantes. El más conocido es que cuando los pensamientos se vuelven displacenteros, por negatividad u otro, aparece la ansiedad. Mientras más se estimula, más crece, pero al enfocar la atención en cosas posibles y soluciones, se activa el córtex prefrontal, con su pensamiento crítico y la lógica, y se ve activación en el hipocampo, la amígdala se relaja y al disminuir su actividad, cambia la emoción. Esto fue compartido por Joseph E. LeDoux, el neurocientífico que habla de la importancia de los aspectos emocionales sobre los racionales, y después, el psicólogo Daniel Goleman, lo llamó «secuestro de la amígdala». El menos conocido es el revelado por diversos estudios, entre ellos el realizado por el Instituto Tecnológico de Massachusetts en Estados Unidos, que demuestra que la amígdala también responde a emociones relacionadas con el placer y el sistema de recompensa.

Las emociones son respuestas ante estímulos que nuestros sentidos reciben, tanto provenientes de nuestra vibración y estímulos internos, como de los estímulos externos. Cuando las sensaciones percibidas representan una gran alerta para nuestro ser o cuando, de manera repetitiva, hemos guardado alguna respuesta automática ante un estímulo concreto, los impulsos que envíe la amígdala se dirigirán rápidamente al hipotálamo, donde se dará aviso para la segregación de hormonas y así obtener la reacción física correspondiente. Esta central emocional de alarma —por así llamarla— que trabaja con el tálamo (detector de novedades), sirve para saber qué es importante y qué es valioso o esencial para ti. De esta manera, el cerebro procesa información, busca en su archivo de experiencias previas, predice y toma decisiones.

Por eso, los objetivos tienen que estar alineados con el proyecto de vida que se tiene. Las emociones serán el medidor. Cuando la meta no está alineada, las emociones serán displacenteras e irán ligadas a un tipo de pensamiento y a una toma de decisión determinada. Si esto se obvia, los altibajos serán gestionados con deficiencia y la persona caerá en un laberinto. En ese caso, no tienes que revisar la estrategia o su aplicación, como tampoco si es falta de habilidad. Esta puede ser la primera resistencia que hay que descartar, la que se relaciona con la meta y el proyecto de vida.

Seguro has escuchado que el cerebro busca en primera instancia tu sobrevivencia, para lo cual necesita energía, y para consumir lo menos, se apoya en las rutinas, pero cualquier meta generará cambios en dichas rutinas y probablemente notarás que comienzas a generar respuestas de evasión y excusas, que serán otra forma de resistencia.

Nuestro cerebro tiene preferencia innata por las recompensas inmediatas, especialmente si nos encontramos dominados por el sistema de supervivencia. La dopamina, el neurotransmisor de la expectativa, la motivación y el logro, tenderá a llevarnos a obtener estas recompensas cortoplacistas para compensar o saciar aquello que nos esté faltando en ese momento, haciendo que evitemos las tareas que requieren mayor tiempo y esfuerzo, procrastinando.

Otra versión de resistencia es la actitud facilista y descuidada. Puede ser que nuestro cerebro use sus cartuchos en contra del cambio. Al establecer metas, debes tener en cuenta que habrá retos, retrasos, fallos y aunque no los preveas todos, cuando se presenten, tienes que atenderlos sabiendo y creyendo que sí puedes, y actuar desde el sistema de evolución y no de supervivencia, porque el cerebro sigue nuestros hábitos y segrega dopamina cuando nos encontramos en el camino hacia una meta que es importante para nosotros. Por eso, hay que incluir la visualización y creación de imágenes claras con alta carga emocional.

Piensa en esto: cuando nuestras metas incluyen relacionarnos con otras personas, debemos recordar que nosotros tenemos nuestras metas y ellos las suyas, es decir, cada uno tiene su propia agenda y ellas pueden interferir entre sí, haciendo que ocurran cosas no previstas. De allí que lo más importante es enfocarse en lo que sí podemos controlar, en el proceso y lo que podemos hacer para mejorar. Al hacer eso, lideras a tu cerebro y le das el registro de una experiencia, un registro mental y, a medida que esto se repite, el cerebro se entrena mejor para el éxito.

El cerebro puede ser perezoso para los cambios, así que tendrás que ser comprensivo, paciente y persistente. El éxito requiere crear hábitos y evitar el fracaso requiere debilitar otros, pero los nuevos hábitos no se formarán en 21 días y aunque es mucho más atractivo creer que sí, la verdad es que, dependiendo del hábito, puede llevarnos semanas o meses. Que nuestras neuronas generen conexiones habituales y se queden conectadas, dependerá de la frecuencia en que repitamos una nueva acción y, a su vez, eso dependerá de su contexto, las circunstancias, las experiencias en la implementación de cambios en su vida, su poder de decisión, deseo y voluntad. Por eso, hay que incluir en las estrategias, la repetición de acciones, pensamientos y narrativa. Eso es lo que conocemos por el proceso de neuroplasticidad autodirigida.

El cerebro puede ser moldeado a través de la experiencia y la práctica, por lo tanto, el establecimiento de objetivos realistas, la repetición constante de acciones dirigidas al objetivo, el aprendizaje de nuevas habilidades y nuevos conocimientos contribuyen a fortalecer las conexiones neuronales en función de la meta.

Entonces, reencaminar las rutas neuronales, formará parte del plan

Antes de explicarlo, voy a aclarar qué es *coaching, mentoría y terapia*: el *mentoring* te aporta aprendizaje, asesoría y guía en el desarrollo de habilidades en un área específica, por ejemplo, un emprendimiento. El *coaching* se enfoca más en el «para qué» y en el «cómo», está dirigido al presente y futuro, con estrategias concretas para alcanzar metas y se basa en hacer preguntas de reflexión al cliente. La *terapia* en el desarrollo personal indaga en por qué se tienen ciertos comportamientos o actitudes, se enfoca más en el pasado, debido a que están relacionados con aspectos profundos y complejos como suele ser la crianza o la historia personal y las experiencias traumáticas.

Pero hay dos aspectos en común con el que todos se van a encontrar. El primero, las distorsiones cognitivas. Pensamientos automáticos o interpretaciones aprendidas y sesgadas que pueden afectar la capacidad de adaptación, como filtrar solo lo negativo, sobre generalizar, dramatizar, etc. El segundo, las creencias limitantes. Estos pensamientos que se nos han construido a través del tiempo, basados en experiencias pasadas que hacen interpretar las experiencias actuales de la misma manera, cuando puede no aplicar la misma interpretación porque las posibilidades y capacidades actuales son otras.

Ambas son una pieza clave en el cambio y el progreso. Cuando revisas o investigas su origen, hacia dónde se inclinan tus lealtades u otros, entra en juego lo emocional y al abordarlas, surgirán las causas y probablemente lo que bloquea tu transformación, el desarrollo de nuevas habilidades y de experiencias gratificantes.

Hay personas que tienen miedo al fracaso o al éxito, a quedar expuestos ante los demás por un resultado o por otro, y sin revisar las ideas que los sabotean, será difícil superarlo. Nuestro cerebro, que es una máquina predictiva, tiene un sistema de alerta temprana, lo que puede generar, por un lado, la detección de situaciones potencialmente peligrosas, que generan una respuesta de miedo que nos impulsa a evitar situaciones de incertidumbre o inciertas y a mantenernos en lo conocido, y por el otro, si nuestras experiencias han sido positivas, hemos logrado superar retos y tenemos fortalecida nuestra autoconfianza y confianza en la vida, esta misma predicción tenderá a crear un ambiente positivo.

Por tanto, si tenemos metas y aparecen ideas saboteadoras como las distorsiones cognitivas y las creencias limitantes, tienes que resignificar las ideas y apoyarte en tus registros de retos superados.

El cerebro registra información y la almacena para recuperarla cuando la necesite. Resignificar las creencias será cómo renovarlas o actualizarlas. Las traemos a la realidad actual y evaluamos conscientemente cómo encajan en nuestro proyecto de vida o en nuestra meta y una vez decidido, tendrás el nuevo significado o la nueva forma de pensar al respecto. Necesitarás pensar frecuentemente en ello para que se debiliten las conexiones neuronales relacionadas con la creencia que perdió vigencia y se creen y se fijen las conexiones relacionadas con la creencia replanteada.

Esto hará que se reencaminen las conexiones neuronales o se creen nuevas rutas. Será fácil, pero requiere esfuerzo y repetición.

La neuroplasticidad nos sirve para fortalecer las conexiones neuronales que estamos creando en función de nuestros objetivos. Tiene un efecto en las funciones cognitivas y es una de las cualidades del cerebro que siempre debemos tener presente en nuestras estrategias cuando hablamos de éxito y fracaso.

Entre las más apropiadas que he encontrado y aplicado cuando empiezan las preocupaciones, es hacer listas de posibles soluciones, aplicar la autorregulación emocional con la respiración, buscar o mantener la conexión social y abrir espacios de bienestar.

Al hacer eso, reduces los fallos porque atiendes los retos y aprendes a descartar los problemas de menos impacto, reduces la posibilidad de activación y crecimiento de la amígdala, la producción de cortisol y los patrones de pensamiento que impiden acceder al potencial y a la evaluación para la toma de decisiones.

Sabemos que el éxito no se trata solo de alcanzar metas materiales, también puede ser medido en bienestar y satisfacción en la vida, pero sea cual sea tu proyecto, será exigente y manejable.

Para mí, las sesiones de *coaching, mentoría o terapia* son un intercambio de dar y recibir.

El *coaching*, la *mentoría* y la *terapia* son como los guías en un viaje hacia el Everest. Así como llevan a las personas a través de un terreno difícil, peligroso y un clima que dificulta el objetivo de hacer cumbre, los profesionales de la ayuda llevan a sus clientes a navegar por los desafíos de la mente y el cerebro, para llegar a un lugar de bienestar, crecimiento personal o profesional.

Una de las cosas que más me ha impactado en mi aplicación es que cuando he mostrado a mis clientes en sesiones individuales, videos o imágenes de las áreas y sistemas que me interesa mostrarles sobre el cerebro, se han sorprendido y les ha generado interés, produciendo en ellos una diferencia en su forma de percibir estos conocimientos. Quiero que se conozcan mejor, se comprendan a sí mismos y dejen de pensar que tienen algo malo que no se puede cambiar. ¡Eso es poderoso! Y es lo que me gustaría compartirte.

Descubrirás que tenemos muchas cualidades modificables y que el cerebro y el cuerpo están interconectados, trabajando juntos para ti. Entender este entrelazado sistema que hay entre la mente y el cerebro ha sido lo más revelador para mí. Saber que necesitamos creer que sí podemos para darle dirección al cerebro y que podemos dirigir de manera intencional sus cualidades para estar bien, para recuperarnos más rápido que lento de las adversidades, que nuestro cerebro puede ser entrenado para el bienestar, la felicidad y el éxito, me cambió la forma de verme a mí misma y de ver a los demás. Pero no se trataba solamente de tener el conocimiento, tenía que aplicarlo en mí misma, probar en qué circunstancias se me hacía fácil y en cuáles no, para poderlo compartir con otros.

Me di cuenta de que aplicar las neurociencias es fácil, pero no mágico ni de resultados inmediatos, que sería un desperdicio dejar de compartir lo que nos brinda y obviar los avances que están a nuestro alcance actualmente. Te invito a utilizarlos para elevarnos con ello y ayudar a otros a lograrlo.

¡Eso también es tener éxito!

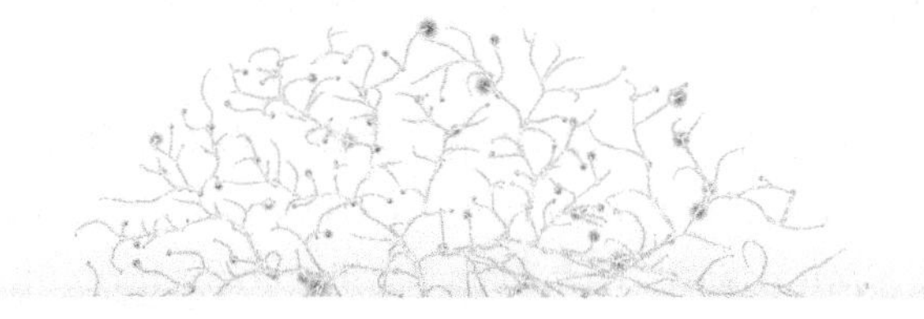

María Gilabert Hernando

Semblanza

María es apasionada por el cerebro humano y las relaciones entre personas y equipos. Fundadora de BeValue, con headquarters en Miami (Florida, EE. UU).

Licenciada en Psicología y certificada en coaching. Licenciada en Publicidad y Relaciones Públicas, máster en Recursos Humanos, posgrado en Psicología Deportiva y con varias certificaciones (DISC, dinámicas de alto impacto como firewalking, etc.).

Tiene +15 años de experiencia como coach, formadora y conferenciante internacional en empresas como Danone, Deloitte, Inditex o Microsoft. También ha sido coach de ejecutivos de empresas y deportistas de élite como el futbolista Enric Vallés o la nadadora de élite, cuatro veces olímpica, Erika Villaécija. Miembro de la Cámara Internacional de Conferencistas, miembro del comité directivo de varias asociaciones y empresas. Fundadora también de HR Xperience, comunidad internacional para profesionales de Recursos Humanos con el objetivo de humanizar las empresas. Creadora del programa más top para hablar en público: BE TOP SPEAKER, que incluye formación presencial con top speakers, magos, actores... y entrenamiento innovador con realidad virtual e inteligencia artificial.

Intención

Este capítulo tiene la intención de transmitir algunos de los pilares neurocientíficos de la felicidad. Aportar luz, conocimiento y prácticas que puedan acercarte a elaborar tu cóctel de la felicidad. Destino: tu felicidad.

EL CÓCTEL NEUROCIENTÍFICO DE LA FELICIDAD.

> *«Siembra un pensamiento, cosecha una acción; siembra una acción, cosecha un hábito. Siembra un hábito, cosecha un carácter; siembra un carácter, cosecha un destino», dice el proverbio.*
>
> **—María Gilabert Hernando.**

1. Felicidad. ¿Qué es eso y de qué depende?

¿Qué es la felicidad? ¿Cómo ser feliz? Es algo que, a lo largo de la historia, nos hemos preguntado continuamente los seres humanos. La felicidad es muy relativa. Dicen que es una medida de bienestar subjetivo que influye en nuestras actitudes y conductas. Muchos creen que se experimenta cuando conseguimos objetivos, y esa felicidad que sentimos nos motiva a proponernos y conseguir nuevos objetivos. Ahora bien, hay muchos matices que van a hacer que no seamos felices, por muchas metas que tengamos y conquistemos. Hay quienes dicen que la felicidad es amarse a uno mismo; otros que es amar a los demás; otros dicen que es ponerte objetivos y conseguirlos; y otros que es aportar algo a la sociedad.

Es cierto que lo que le hace feliz a una persona puede que no le haga feliz a otra. Pero hay unos factores comunes que hacen feliz a cualquier persona. Para la psicología, la felicidad tiene diferentes definiciones, dependiendo de la corriente psicológica. En general, es una combinación entre la satisfacción que una persona tiene con su vida personal (familiar, de pareja, trabajo...) y el bienestar mental que siente. La felicidad no depende exclusivamente del entorno, sino que es la aceptación de que existen factores más influyentes que nuestra voluntad, modificando nuestra actitud hacia la vida. Ser feliz significa encontrarse en un estado mental de bienestar compuesto de emociones positivas. El significado de felicidad puede variar para distintas personas y culturas. El bienestar, la calidad de vida, la satisfacción y la plenitud así como el foco y el *locus* de control son aspectos clave para la felicidad.

La Psicología Positiva se enfoca en estudiar aspectos positivos que causan bienestar psicológico y felicidad, como la inteligencia emocional, el humor, la resiliencia, la creatividad, etc. Martin Seligman, pionero en la Psicología Positiva, desarrolló el modelo PERMA (2011) donde señala cinco componentes clave para ser feliz:

P - *Positive Emotions*. Las emociones positivas.

E - *Engagement*. El involucramiento/compromiso.

R - *Relationships*- Las relaciones interpersonales.

M - *Meaning*- Darle un significado a tu vida.

A - *Accomplishment*- Fijarse metas y alcanzarlas.

No obstante, la genética, el entorno social y cultural, el dinero, la salud, las relaciones, el trabajo, el desarrollo personal y profesional, el propósito, la satisfacción personal, la cultura y religión impactan en el nivel de felicidad de una persona. Sin embargo, no por tener una carga genética determinada significa que vas a ser más o menos feliz. Los genes pueden marcar una tendencia, una predisposición, pero que un gen se active o no se active (manifestando así la enfermedad o característica concreta), depende de muchos factores. Y es allí donde entra el impacto del entorno, el nivel de estrés, los recursos disponibles (externos e internos) para gestionar niveles altos de estrés, etc.

Para ser feliz es importante no solo conocer los ingredientes de la felicidad, sino ser líder de tu barco, coger el timón.

Imagina un barco que sale de Miami. Si justo al salir varía tan solo 5 grados su dirección, el lugar al que va a ir a parar va a ser muy diferente que si no hubiera variado esos 5 grados. Por lo tanto, el recorrido (tu día a día) tiene que ir dirigido y regulado por tu consciencia, no por la inercia.

En vez de actuar de manera inconsciente (que entonces liderará tu barco tus miedos, creencias limitantes, etc.), debes poner al mando tu consciencia para que tu barco sea guiado por tu voluntad, por tu fuerza, tu disciplina... destino felicidad.

Si pones mucha energía (y entendamos energía como foco, creencias, esfuerzo, tiempo, dinero, relaciones...) en la dirección equivocada sin saber para dónde vas o, lo que es peor, creyendo que lo sabes, pero realmente solo lo imaginas (inconscientemente inconsciente), es muy posible que llegues a un lugar que no esperabas ni querías, y querrás volver atrás y rehacer el camino. Pero, amigo, es importante que tengamos claro que la experiencia humana es finita. Así que cuanto antes despertemos, y tengamos mayor consciencia, será mejor para tener una vida feliz y plena.

Algunos mitos de la felicidad es pensar que...

- si soy rico, seré feliz;
- si tengo muchas propiedades, seré feliz;
- si tengo un alto cargo, seré feliz;
- si tengo pareja, seré feliz;
- si tengo un hijo, seré feliz;
- si soy famoso o tengo muchos *likes* o seguidores en RRSS, seré feliz.

Por ejemplo, hay muchas personas que creen que siendo ricas económicamente serán felices o que consiguiendo un físico concreto, un coche, una casa, una pareja, un estatus, una reputación, un puesto de trabajo concreto, serán felices.

Y la mayoría de estas personas, cuando consiguen aquello que creen que les hará feliz, se dan cuenta de que les falta algo, que la felicidad no estaba allí. Si bien es cierto que, a corto plazo, la sensación de recompensa al conseguir un objetivo que uno se propone tiene su función (influenciado por la dopamina y otras sustancias bioquímicas que se generan y veremos a continuación), durante un ratito pueden estar contentos. Pero es probable que, incluso a corto plazo, aparezcan otras carencias que tendrán que llenar o, más bien, bajo mi punto de vista, equilibrar.

En este capítulo, vamos a tratar de dar luz a los pilares de la felicidad desde un prisma neurocientífico.

Los descubrimientos que se realizaban antiguamente sobre el cerebro se enfocaban en el ámbito clínico, en las patologías. Hoy en día, la neurociencia no solo se enfoca en la mejora de la calidad de vida, sino en el desarrollo de habilidades de las personas, equipos y organizaciones. A lo largo de los años el conocimiento sobre diferentes temas se fue separando en varias disciplinas dando lugar a estudios como la sociología, psicología, filosofía, medicina, biología, etc. Ahora, con la neurociencia, convergen todas estas disciplinas con un único objetivo: el avance en el estudio y desarrollo del cerebro.

Cuando yo era pequeña sufrí trastornos alimentarios, no conocía todavía la magia del cerebro: la neuroplasticidad. Pensé durante años que iba a ser anoréxica toda mi vida y que la vida no valía la pena ser vivida, pues solo veía y vivía sufrimiento. Siempre alerta, con la mente hiperactivada y desconectada totalmente de mi cuerpo. Tanto fue así que, con 17 años, estuve dos veces a punto de morir: la primera vez por un *shock* anafiláctico. Mi cuerpo se hinchó de pies a cabeza y no había forma de que disminuyera la inflamación, parecía que, de tanto desear la muerte, esta estaba llamando a mis puertas. Gracias a la medicina actual, consiguieron estabilizarme y, con los meses y mucha medicación, la inflamación de todo mi cuerpo fue bajando.

Posteriormente, estuve de nuevo a punto de morir, en este caso, por falta de oxígeno. Era asmática y, debido a mi inconsciencia y desconexión con mi cuerpo, estaba en bucle obsesivo dentro de mis pensamientos, desconectada de la realidad que estaba viviendo. Segunda vez que lograron salvarme, enchufada a máquinas de oxígeno varios días y, un año sin poder hacer deporte y apenas subir ni bajar escaleras, pues me ahogaba, mis pulmones no me daban tregua.

Aunque hay una tendencia genética (tres de cuatro hermanos, somos asmáticos y alérgicos), también es cierto que solo por tener los genes no quiere decir que se vaya a manifestar la enfermedad, ni que se vaya a manifestar de igual medida. Puede no manifestarse o manifestarse de forma gradual (poco grave a muy grave).

Gracias a la neurociencia, hemos podido comprobar científicamente la neuroplasticidad del cerebro y cómo se pueden modificar las conexiones neuronales y crear nuevas rutas de manera que la felicidad puede desarrollarse. ¡Qué gran capacidad tenemos de desarrollarnos! ¡Y nosotros sin saberlo hasta hace relativamente poco!.

Espero que no vivas lo mismo que yo y puedas aprovechar los conocimientos y herramientas que tenemos sobre nuestra mente para vivir una vida plena y feliz.

El cerebro procesa los pensamientos gracias a la bioquímica que se encuentra en nuestras neuronas. Al final estamos hablando de luz o información y bioquímica. La información que entra en nuestro sistema nervioso viaja de neurona en neurona a través de los mensajeros químicos que son los neurotransmisores y a través de determinada áreas, como la hipófisis o el hipotálamo, se pasa la información recibida hasta nuestro torrente sanguíneo, provocando una reacción en nuestro cuerpo (sudoración, aceleración del corazón, parálisis, respuesta de huida, etc.). Esta información, que puede pasar o no pasar de unas neuronas a otras, puede coger diferentes rutas dependiendo de la bioquímica (de los neurotransmisores), y según cómo se creen estas rutas desarrollaremos una personalidad u otra influyendo así en nuestro comportamiento y en nuestros resultados.

Aquí puedes ver la cadena de influencia, por lo que para modificar los resultados va a ser clave que partamos de la bioquímica de nuestro cerebro.

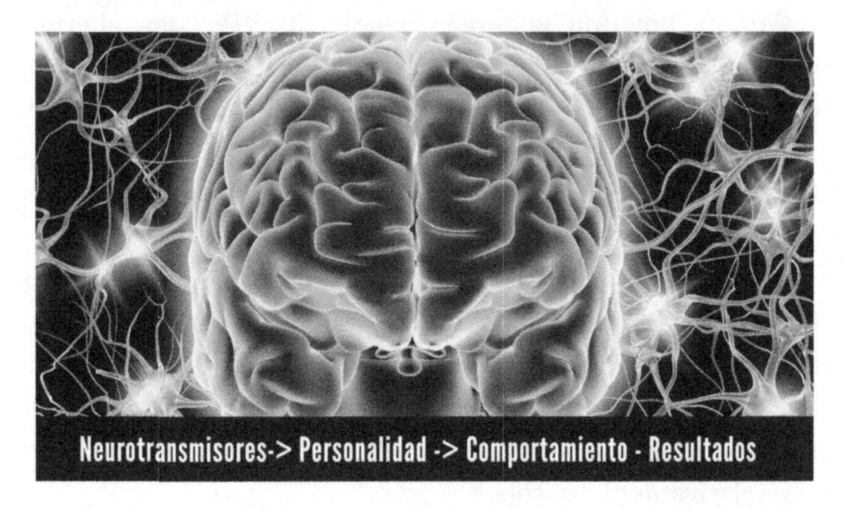

Neurotransmisores-> Personalidad -> Comportamiento - Resultados

Y esos resultados, al mismo tiempo, retroalimentan los neurotransmisores que impactan en nuestros pensamientos y emociones, y éstos en nuestra personalidad y comportamiento. Por lo tanto, cuida de todas las partes: de tus pensamientos, tus emociones, conductas, tu bioquímica... desde la voluntad, construyendo hábitos que dirijan tu barco hacia buen puerto.

¿Cómo podemos aplicar la neurociencia para ser felices?

Como visualizar un cerebro nos resulta algo complejo, voy a hacer una metáfora con un ordenador. Resumidamente, y simplificando, pongamos que...

Hardware -> estructura cerebral.

Software-> bioquímica (neurotransmisores).

Virus-> pensamientos tóxicos, personas tóxicas, lo contrario a los pilares del coctel de la felicidad (o la falta de ellos).

Antivirus -> autoconocimiento, creencias potenciadoras, objetivos y valores alineados, los pilares del coctel de la felicidad.

API's (Application Programming Interfaces)-> plasticidad cerebral.

Imagina que el cerebro es un ordenador. El *hardware* sería las diferentes partes que constituyen el cerebro y el software la bioquímica. Los virus y antivirus serían tus creencias, pensamientos, alimentación, ejercicio físico, postura corporal... unos te favorecerán protegiéndote y haciéndote feliz y, otros te perjudicarán dañándote y haciéndote infeliz. Incluso puedes encontrar API's (que corresponderían a los hábitos diarios que tengas, estos hábitos podrían llegar a modificar las rutas neuronales dando lugar a la plasticidad cerebral). Es decir, gracias a la plasticidad cerebral puedes abrir «puertos» en ti que te permitan acceder a lugares que ni hubieras imaginado (nuevas funcionalidades).

A nivel informático, sería por ejemplo si conectas una web con las funcionalidades de otra web o aplicación informática, resulta que tu web o software sabe hacer también las funcionalidades de la otra (de la cuál coge la programación) uniéndolo con la información que le quieras dar (ten en cuenta que los virus y antivirus siempre están atacando o protegiendo tu ordenador..., es decir, es importante que dirijas tus pensamientos y emociones de manera que los conviertas en antivirus en vez de virus que jueguen en tu favor en vez de en tu contra. Sí..., ¡a veces somos nuestros propios ciberdelincuentes! A veces porque traemos el virus desde dentro, con nuestros pensamientos y emociones nos intoxicamos, y otras veces por falta de filtro (antivirus) de la información que llega de fuera o entornos que sean perjudiciales para uno mismo. Por ejemplo, cuando alguien no cree en nosotros o nos dice o exige algo que nos daña o nos incita a realizar conductas dañinas contra nosotros o contra otras personas).

Y... ¡cuidado! Hay veces que un antivirus (pensamientos o incluso mecanismos de defensa como el autoengaño) puede ser funcional y útil para tu ordenador y, a medida que va avanzando y evolucionando tu programa o el entorno... ya no sea adaptativo ese antivirus y te haga más daño que bien. Es decir, se convierta en virus. Por ejemplo, quizá cuando eras niño te autoengañabas porque no podías asumir la realidad que estabas viviendo, porque estabas en un entorno «roto», descohesionado, o porque te abandonaran o te agredieran... Quizá no tenías recursos y tu cerebro se «engañaba» fingiendo estar en una realidad no real. Eso puede llevarte luego consecuencias negativas, a no ver ni percibir los peligros reales.

O, por ejemplo, lo contrario, si de pequeño te acostumbraste a pedir las cosas a gritos, quizá tu madre o tu padre no te pusieron límites o te agradaban en todo. Es posible que pedir las cosas a través del enfado te sirviera en un momento de tu vida, y después ya no, sino al contrario, que esa forma de comportarte aleje algunas relaciones que para ti son importantes. O puede que te hayan sobreprotegido y, en cierta etapa de tu vida fuera funcional e incluso positivo porque te facilitaba las cosas, pero puede que cuando seas adolescente o adulto, eso suponga un problema en vez de una acción adaptativa. Es decir, lo que en algún momento fue adaptativo, se puede convertir en un recurso inadaptativo en otra etapa de tu vida.

Al fin y al cabo, no se trata de culpar a nadie. No es culpa de tus padres, ellos probablemente hicieron las cosas lo mejor que supieron y pudieron (piensa que ellos también tienen su propio «ordenador» con toda la complejidad comentada... y no siempre de forma consciente, sino que en la mayoría de los casos, más del 90 % de nuestro sistema operativo es inconsciente). Se trata de responsabilizarte. De tomar consciencia, voluntad y coger el timón de tu barco para no ir a la deriva y acabar en mal puerto. Destino: felicidad.

Hay que ir actualizando el sistema operativo, para que sea funcional y adaptativo. Que sea útil, que te dirija hacia la felicidad y el bienestar. Vigila que un antivirus no se haya convertido en virus o que quizá tengas un antivirus que tengas que actualizar porque tu sistema operativo actual no lo puede interpretar porque ya no sean compatibles. En ese caso, estará interpretando incorrectamente la información (es decir, interpretando situaciones, pensamientos, emociones, incorrectamente, de manera disfuncional).

2. Estructura cerebral (hardware)

¿Sabías que, aunque nuestro cerebro funciona siempre como un todo, hay partes estructurales del cerebro que tienen especialmente relación con la felicidad?

La activación de la corteza prefrontal izquierda se correlaciona con sentimientos de felicidad y bienestar emocional, ya que está involucrada en la regulación de las emociones y el pensamiento. La corteza prefrontal derecha y el lóbulo frontal derecho están involucrados en las emociones negativas mientras que la corteza prefrontal izquierda y el lóbulo frontal izquierdo están más involucrados en las emociones positivas.

Otra estructura cerebral importante en relación con la felicidad es la estructura situada en el diencéfalo, lo que se conocía hasta ahora como sistema límbico (aunque según cada experto varían en su definición, sin contemplarse siempre las mismas áreas); en todo caso se relacionaba con los procesos emocionales. Hoy sabemos que el cerebro es emocional, que los neurotransmisores con su carga bioquímica recorren todas las áreas cerebrales y que cada pensamiento, decisión o acción va ligada a una carga bioquímica y tiene una expresión en nuestro estado físico y anímico. En este sistema predominan áreas centrales en lo que es la recogida de estímulos y su evaluación. Estos incluyen estructuras como el hipocampo, la amígdala y el núcleo *accumbens*, estructuras involucradas en procesos de recompensa, la regulación del placer, la motivación, la memoria y el aprendizaje y se sabe que están relacionadas con la sensación de bienestar emocional y la felicidad.

La activación de estas estructuras está relacionada con la respuesta de estrés y la ansiedad, lo que puede disminuir la sensación de bienestar emocional. Si tenemos estas áreas hiperactivadas, es posible que nos cueste más sentir tranquilidad y serenidad.

Si nuestra amígdala está hiperactivada, estaremos excesivamente alerta y el nivel de miedo y ansiedad es mayor y la respuesta al estrés, peor, lo que aumenta los niveles de cortisol. También puede ocurrir el caso contrario, cuando estamos alterados por algo muy positivo o emocionante, de euforia descontrolada que al final tal nerviosismo y alegría termine en algún tropiezo. La amígdala es una de las principales centralitas de recepción emocional.

Por ejemplo, cuando viví el atentado del 17 de agosto de las Ramblas de Barcelona, mi amígdala quedó hiperactivada; sufrí estrés postraumático. Realmente el atentado fue solo una tarde, durante unos minutos. Caí al suelo, pero no me atropellaron ni me hice ningún daño. Sin embargo, durante 5 horas estuve encerrada escondida en un lugar donde no sabía si en cualquier momento entraría alguien a pegarme un tiro. Imaginaba una y otra vez a los terroristas entrar y pegarme un tiro. No tenía información, por lo que mi cerebro rellenaba la falta de información con visualizaciones creadas por mi propia mente desde el miedo. El cerebro es capaz de hacernos vivir como algo real algo que simplemente estamos imaginando.

Me llegaban informaciones de varios tipos que aumentaban mi miedo, llegando en algunos momentos a entrar en pánico. Esa situación quedó grabada en mi cerebro, creando una señal de alerta constante. Para poder relajar mi amígdala tuve que ser consciente de la situación y aplicar herramientas, recursos aprendidos.

Podría haber tomado medicación para bajar el nivel de ansiedad, pero aunque hubiera tomado medicación, sería importante que, poco a poco, aplicara otras técnicas como el aprendizaje de conocimiento y racionalización, técnicas de relajación (respiración, visualización, asociación...) así como la exposición progresiva controlada para ir «relajando» la amígdala.

En mi caso, puse en práctica tres puntos importantes para gestionar el miedo y el estrés postraumático:

1. **Compasión:** perdonar y soltar aquello a lo que uno se resiste. Me invadía mucha rabia, el hecho de que me hubieran intentado matar y hubieran matado a otros seres humanos, no me entraba en la cabeza. Además, el cerebro tiende a generalizar y asociar. Es decir, meter en «el mismo saco» a todas las personas con características similares (en este caso, raza, religión, parecido físico...) por lo que, inconscientemente, la cabeza se alejaba de cualquier parecido. Tuve que hacer un trabajo de perdonar, comprender a través de la empatía (dentro de lo que un humano puede comprender) pensando y sintiendo que esas personas probablemente no habrían tenido otras oportunidades ni educación. Incluso cuando mi mente no entendía, soltar lo incomprensible para no llenarme de rabia y así poder avanzar destino felicidad.
2. **Conocimiento:** tener conocimiento, estadísticas y otros datos e información sobre el riesgo real de que mi vida corriera peligro (si cogía datos, mi vida corría poco peligro de

muerte, aunque mi cerebro percibiera y me hiciera sentir lo contrario debido a la situación vivida).

3. **Exposición progresiva:** al día siguiente del atentado, fui a plaza Cataluña (donde inició todo) a recoger mi coche, pues estaba todavía en el *parking*, debajo de donde habían muerto unas personas hacía unas horas. Para mí fue muy duro, pero a la vez muy necesario. Estaba hiperactivada, iba cogida al brazo de una amiga y poco más y se lo arranco. Todo me asustaba, una pisada, un portazo, una luz, un claxon..., cualquier estímulo provocaba una hiperreacción en mí: un grito, un salto y un apretón al brazo de mi amiga (como si cogiendo fuerte su brazo pudiera salvarme de cualquier situación...). Al exponerme al lugar, iba repitiéndome los datos mentalmente, la baja probabilidad real y reestructurando conscientemente mi pensamiento. Posteriormente, tardé un mes en volver a vivir a Barcelona, pues las imágenes invadían mi mente sin poder controlarlas. Pero, volver a vivir a Barcelona e irme exponiendo poco a poco a estímulos (e incluso volver a pasear por plaza Cataluña y Las Ramblas), hizo que mi hiperreacción fuera bajando hasta convertirse en una reacción «normal». O, si más no, adaptativa. Pues ir dando saltos y gritando por la calle no resultaba ser muy adaptativo ni lógico..., pero el cerebro a veces no entiende de contexto y sigue actuando inconscientemente guiado por la hiperestimulación de dichas áreas.

Una vez que vemos que el hardware (la estructura) es correcto y está regulado, vamos a por el software: la bioquímica. Recuerda que la bioquímica acaba construyendo nuestra personalidad, y ésta incide directamente en nuestros pensamientos, emociones, conductas y felicidad.

A su mismo tiempo, podemos modificar pensamientos, emociones y conductas directamente, que a su vez incidirán en nuestra bioquímica. Por lo tanto, está todo conectado. Igual que un virus o antivirus impactará en el software del ordenador, y dependiendo del software del ordenador, un antivirus no servirá y otro sí, y unos protegerán de unos virus y otros de otros.

Se ha demostrado científicamente que la liberación de ciertos neurotransmisores está relacionada con el estado de ánimo positivo y la felicidad. Específicamente, nos vamos a enfocar en los neurotransmisores, ya que hay otros aspectos que también impactarán, como la alimentación, el sistema endocrino, el sistema inmunológico, etc., también tienen relación con la felicidad.

Por ejemplo, las emociones positivas y la felicidad pueden tener un impacto positivo en la función del sistema inmunológico, mientras que las emociones negativas como la ansiedad y la tristeza pueden tener un efecto negativo. Y, al afectar el sistema inmunológico, aumenta la posibilidad de manifestar una enfermedad. Hay personas que dicen que «la rabia y el rencor» activan el cáncer. Eso no significa que si eres rencoroso, vayas a tener cáncer. Pero sí que es cierto que, si tienes una carga genética determinada que te predispone al cáncer y las emociones negativas bajan tus defensas (rabia y rencor en este caso), aumenta la probabilidad de que se manifieste un cáncer.

La infelicidad y los trastornos del estado de ánimo que dificultan la felicidad son causados por una compleja interacción entre factores biológicos, psicológicos y ambientales, por lo que no se puede atribuir la infelicidad a una única sustancia química. Además, la regulación del equilibrio de estas sustancias químicas es importante para el bienestar emocional, por lo que una sobrecarga o una deficiencia de niveles de algún neurotransmisor puede tener efectos negativos en la salud mental.

Mantener un equilibrio hormonal es importante para mantener un estado de ánimo y bienestar. Hay varios casos en los que, los trastornos del ánimo como la depresión están relacionados con el sistema endocrino, por lo que siempre será clave descartar primero causas biológicas de estructura o de regulación bioquímica.

Experimentar emociones positivas como la ilusión, la alegría, la serenidad o la gratitud se relaciona con un sistema inmunológico más fuerte que proporciona una mejor capacidad de combatir enfermedades e infecciones.

Es importante no actuar solo cuando ya estás enfermo (física o mentalmente), sino prevenir. Tomar consciencia y construir hábitos que potencien nuestra fortaleza y salud física y mental. El estado de ánimo positivo mejora nuestra salud y, concretamente, fortalece nuestro sistema inmune.

3. Bioquímica: neurotransmisores (software):

Voy a hacer un breve resumen de los neurotransmisores que más se relacionan con la felicidad (hay varios más, pero para un solo capítulo lo dejaremos en resumen de los principales. En mi próximo libro, que se titulará "La Biblia de la felicidad", ahondaré más en todos estos temas).

Dopamina: relacionada con la motivación, la atención, la recompensa y el placer, así como la ilusión por obtener una meta. La liberación de dopamina nos produce un estado de ánimo positivo pero, ¡ojo!, también produce adicción. Cada vez que experimentamos algo placentero (chocolate, un like en RRSS, un orgasmo, drogas...), la dopamina inunda los centros de recompensa del cerebro, reforzando la conducta realizada para obtener dopamina y, con el tiempo, convirtiéndola en adictiva (alcoholismo, drogadicción, adicción a RRSS...).

Serotonina: neurotransmisor que nos ayuda a regular el estado de ánimo, el sueño y el apetito. Relacionado con un estado de bienestar, una felicidad serena. La falta de este neurotransmisor a menudo tiene como expresión estados de tristeza y depresión.

Endorfinas: Estos son un tipo de neurotransmisores opioides que se liberan como respuesta al estrés y al dolor; así como en situaciones de alegría, euforia y estados de mucha excitación y en el humor. Se relacionan con el placer y la felicidad temporal.

Oxitocina: llamada también la hormona del amor, es un neurotransmisor relacionado con el vínculo social, la empatía, la conexión emocional, la confianza y el amor. Emociones muy positivas relacionadas directamente con la felicidad y el bienestar emocional.

Acetilcolina: afecta al aprendizaje, la memoria y el estado de ánimo. Niveles bajos de acetilcolina se relacionan con trastornos como la depresión o la ansiedad, puesto que una de las características de la depresión es la inactividad y la acetilcolina se implica en los procesos del juego y el aprendizaje. Además, la acetilcolina suele relacionarse con otros neurotransmisores como la dopamina y con procesos cognitivos (de pensamiento) y acción física, por lo que su disminución a menudo se relaciona con baja actividad mental o física.

Es importante destacar que estos neurotransmisores interactúan entre sí y con otras partes del cerebro para producir una respuesta emocional compleja y multifacética. Recuerda que son varios los factores (la genética, el ambiente, las experiencias de vida, la interpretación de estas experiencias, el procesamiento de las emociones...) que pueden influir directamente en la producción y liberación de estos neurotransmisores.

La regulación bioquímica no garantiza la felicidad, ya que depende de muchos otros factores (valores, alineación de los valores con los objetivos y entorno, las creencias potenciadoras y limitantes, el procesamiento del trauma, la generación de emociones positivas, el foco, el significado y valor que le das a tu vida y a lo que haces, la esperanza, las relaciones sociales, etc.).

Pero lo que sí puedo afirmar es que la desregulación bioquímica es probable que nos de problemas, malestar e infelicidad.

Igual que hemos visto bioquímicos que producen felicidad, vamos a ver algunos que provocan malestar disminuyendo nuestro nivel de felicidad:

Cortisol: hormona liberada en respuesta al estrés. Un exceso de liberación de cortisol puede llevarnos a tener niveles altos de ansiedad y estrés, y los niveles altos de ansiedad y de estrés sostenidos que se van cronificando pueden llevarnos a la depresión. Muchas personas, después de estar años trabajando en estado de alerta (con la consecuente ansiedad), aunque sea un trabajo que le encante a la persona, puede llevar a una posterior depresión (por ejemplo, el famoso llamado *burnout*. El sistema se ha hiperactivado y peta. Como cuando instalas demasiadas cosas o cosas no apropiadas en tu ordenador y este colapsa. Nosotros también. ¿Verdad que a veces el ordenador te dice: «liberar espacio»? Pues toma nota, si te sientes estresado, libera espacio amigo. Y, si puede ser liberar virus (pensamientos propios que te dañan, o falta de filtro de exigencias externas), mejor.

Adrenalina: es un neurotransmisor que se libera en respuesta al estrés y la amenaza. Un exceso de adrenalina se relaciona con trastornos de ansiedad y estrés postraumático, lo cual aumenta las emociones de miedo y ansiedad, hiperactivando a su mismo tiempo la amígdala.

Glutamato: neurotransmisor excitatorio que impacta en el aprendizaje, la memoria y otras funciones cognitivas. Un exceso de glutamato puede contribuir a trastornos del estado de ánimo como la depresión y la ansiedad.

Ácido gamma-aminobutírico (GABA): neurotransmisor que se relaciona con la inhibición neuronal. Una deficiencia de GABA se ha relacionado con trastornos del estado de ánimo como la ansiedad y la depresión. Regular nuestro GABA será clave para sentir tranquilidad y serenidad.

En resumen, la felicidad y la neurociencia están relacionadas, ya que las emociones positivas que nos producen la felicidad están influenciadas por la actividad, estructura y los procesos cerebrales específicos así como por la liberación e inhibición de sustancias químicas en el cerebro.

4. Chupitos (acciones):

El coctel de la felicidad: combinación y equilibrio de factores (pensamientos, emociones, conductas, creencias, hábitos...) que son importantes para ser feliz.

Chupito de felicidad: cada uno de los factores que, juntos, en equilibrio, crean el coctel de la felicidad.

La práctica de ciertas técnicas y la exposición a ambientes y personas positivas pueden aumentar la felicidad y el bienestar emocional. Vamos a ver cómo regular estos neurotransmisores.

Todos sabemos que una opción es la medicación. No obstante..., ¿la medicación te hace feliz? No por sí sola. La medicación es recomendable que se tome junto a terapias que hacen que el inconsciente se haga consciente, tanto a nivel individual como familiar y relacional como el psicoanálisis, la Gestalt, la psicología humanista, la psicología cognitivo-conductual con la que identificas tus pensamientos, emociones y conductas, haciéndolo consciente y tomando decisiones desde la consciencia y voluntad, en vez de desde el inconsciente y automatismos aprendidos y grabados en lo que llamamos zona de confort.

La medicación ayuda a regular la bioquímica que pueda estar alterada. Ahora bien, esas alteraciones bioquímicas pueden ser por diversas causas y va a ser clave averiguar la causa para poder actuar sobre ella. Puede que sea una tendencia genética que tengas un déficit de dopamina o una alteración en la corteza prefrontal. Pero probablemente, sea debido a experiencias vividas, cómo han sido procesadas, cómo superas, afrontas y gestionas los traumas que puedas haber vivido (o creído vivir), las creencias que tengas en referencia a ti, a los demás y al mundo, la autoexigencia y exigencia del entorno, los recursos que tengas para gestionar situaciones o épocas de niveles altos de estrés, etc.

Párate a pensar un momento: ¿verdad que hay personas que, pase lo que pase, están siempre enfadadas o sufriendo? Y, sin embargo, encuentras a muchas otras personas que, pase lo que pase, sonríen y se sienten bien. ¿Por qué? ¿Qué sucede en su cabeza? Porque nos «enganchamos» a las emociones que conocemos y las repetimos en modo bucle, nuestro cerebro interpreta como «zona conocida» las emociones vividas, aunque sean negativas (tristeza, miedo, rabia, frustración...) convirtiéndola en nuestra «zona de confort» (nos sentimos cómodos repitiendo las emociones que conocemos, aunque estas nos hagan sufrir). ¿Hasta cuándo? Hasta que tomamos consciencia y decidimos, desde nuestra voluntad, crear nuevas emociones, nuevas creencias, nuevas rutas neuronales (para que, poco a poco, se dejen de repetir las rutas neuronales que se activan automáticamente).

Si pudiéramos utilizar la estimulación magnética transcraneal (E.M.T.) que utilizaba el neurólogo Álvaro Pascual-Leone, sería una opción muy interesante para modular nuestra personalidad ya que es una forma no invasiva de estimular la corteza cerebral. Según él, las conductas del ser humano se esconden en unos minivoltios y, si quisiéramos cambiarlas, solo tendríamos que cambiar estos minivoltios a través de la estimulación consiguiendo así cambiar nuestra personalidad y nuestros comportamientos. No obstante, no todos vamos a poder experimentar ni utilizar una técnica como esta por lo que voy a compartir algunas claves para que puedas ser feliz sin necesidad de pasar por ello.

Cuidando los neurotransmisores (la bioquímica de la que hemos hablado, las hormonas del cerebro) y sus sinapsis (comunicación entre una y otra neurona) estaremos creando nuevas rutas neuronales, programando nuestro cerebro hacia la conducta que queremos tener en nuestra vida. Cuidando esto, podemos conseguir más memoria, aprendizaje, atención, concentración, decisión..., todo ello repercutirá en nuestra autoestima y en nuestro carisma, tan importante en todos los aspectos de nuestra vida y en el reconocimiento social.

Lógicamente, a través de la farmacología podemos regular nuestra bioquímica. He de reconocer que, si hubiera nacido hace 200 años, probablemente estaría muerta por falta de fármacos. Sin embargo, a veces nos vamos al extremo contrario: al exceso de medicación, existiendo varias alternativas previas que pueden probarse.

Atención con la medicación: siempre debe ser recetada por un médico.

Otras opciones son la medicina alternativa, el trabajo psicológico, la psicoinmunerología, el *coaching*, la programación neurolingüística, el *mindfulness*, la quiropráctica, la nutrición, el ejercicio físico, etc.

La felicidad tiene mucha relación con factores intangibles que no son ni estructurales ni bioquímicos, pero sin embargo, afectan a éstos. Por ejemplo, nuestras creencias, el valor que damos a cada cosa, donde ponemos el foco, la consciencia, la voluntad, etc.

Aquí algunos chupitos (recomendaciones) para tu coctel de la felicidad:

1. Aceptar y soltar lo que no puedes controlar ni cambiar, aunque a veces no lo comprendas.
2. Procesar los traumas. Muy importante que procesemos y superemos los traumas pues, de lo contrario, iremos repitiendo conductas asociadas a los traumas que arrastremos. Por ejemplo, el miedo a ser abandonado, a no ser suficiente, miedo al rechazo, etc. Puede que lo viviéramos alguna vez, y el impacto emocional que nos produjo esa experiencia, crease ese trauma en forma de miedo desmesurado e inadaptativo provocando la repetición de la conducta asociada a esa emoción como el bloqueo, la parálisis o el control excesivo.
3. Gratitud. Foco, conexión y agradecimiento con las pequeñas cosas que van sucediendo cada día.
4. Conectar con la naturaleza. El sol, los árboles, el mar, el cielo, las estrellas, las plantas, etc.
5. Escuchar y sentir música.
6. Moderar la búsqueda de dopamina (consumo de redes sociales, alcohol, dulces, tabaco, etc.).
7. Cultivar la curiosidad, el aprendizaje y estimular el uso de la memoria.
8. Ejercicio físico, ya sea la práctica de algún deporte o, simplemente, caminar.
9. Cuida tu alimentación, conoce tu cuerpo, qué necesita y cómo procesa los diferentes alimentos y las cantidades que necesita en cada momento.
10. Desarrolla la inteligencia emocional. Toma consciencia de tus emociones y aprende a gestionarlas. Comprende las emociones de otras personas y mejora tus habilidades sociales.
11. Identifica y conecta con tus fuentes de energía para recargarte cuando te sientes estresado, triste, perdido (música,

naturaleza, baile, deporte, etc.). Cada uno tiene sus propias fuentes de energía, no en todos serán las mismas.

12. Optimismo. Procura mirar el lado bueno de las cosas, aunque en ocasiones no te gusten.
13. Amor. Amor a ti mismo, a los demás y al planeta.
14. Ten referentes.
15. Define objetivos realistas y retadores, que sean concretos y estén alineados con tus valores.
16. Busca (si no lo tienes ya) algo por lo que luchar y alguien a quién amar (tu familia, amigos, vecinos...).
17. Ten un amante. Un amante es algo que amas apasionadamente: un *hobby*. En mi caso, el baile y el deporte son mis amantes.
18. Autoestima y autocuidado. ¡Quiérete mucho! No te asfixies juzgándote y exigiéndote constantemente. Permítete equivocarte, caerte y levantarte. Descansa, come bien, muévete, cuídate. Reserva tiempo para ti. Si no te cuidas a ti primero, difícilmente podrás cuidar de otros.
19. Cuida de tus relaciones sociales. Para ser feliz no hace falta tener muchos seguidores ni *likes* (recuerda que eso es dopamina temporal), de hecho ni siquiera necesitas redes sociales para ser feliz. Pero lo que sí necesitas es estar conectado. Conectado contigo mismo y conectado con otras personas. ¡Abrazar! Sentir apoyo, comprensión, amor.
20. Aprende a perdonar y soltar todo aquello que te daña. La rabia y el rencor son enemigos de tu coctel de la felicidad, mantener esas emociones es meterle un chupito tóxico: lo destrozan.
21. Procura mantener un equilibrio, sin obsesión pero con pasión en cada área de tu vida, en cada momento.
22. Presencia/mindfulness. Estar aquí y ahora, presente en cada detalle, cada sonido, mirada, olor, color, tacto,

sabor..., cada emoción, cada segundo de tu vida. El pasado y el futuro solo existen en tu cabeza. Sé consciente y observa sin juzgar, vive el presente. Aquí, hoy, ahora.

23. Generosidad y altruismo. Ayudar a alguien con algo que tú aportas y otra persona o grupo necesita. Hacer feliz a otras personas sin esperar nada, sin juzgar y sin juzgarte, te hará feliz.

Ahora... ¡a por tu cóctel!

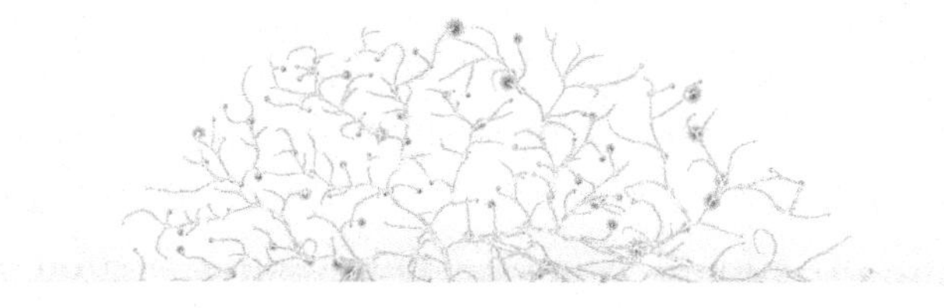

Zamaris Jaén López

Semblanza

Zamaris es una mujer apasionada de su quehacer diario. Ama dedicarse a la transformación personal, cuando conversas con ella, se dibuja en sus ojos la alegría de ir transmitiendo el conocimiento que tiene, conocimiento que le ha llevado a conocerse lo suficiente y saber que es posible hacer cambios y transformar todo aquello que queremos realmente VIVIR desde el BIENESTAR.

Sus estudios iniciales en la psicología la han conectado con el coaching de vida, la programación neurolingüística, la educación emocional, la hipnosis y la neurociencia a través de ANE International, siendo colaboradora regular de la academia.

Propietaria de la marca Hola Emociones, sitio desde el cual muestra a las personas que es posible cambiar nuestras formas de ver la vida, las creencias, los hábitos y percepciones entre otros para sumarle a nuestro bienestar. Acreedora del premio Pierre Thomas otorgado por el Colegio de Profesionales en Psicología de Costa Rica y celebrando sus treinta años de ejercer mientras les va a escribir.

Intención

Todos los comportamientos en los seres humanos tienen una intención y desde la programación neurolingüística, además nos dicen que es una intención positiva. La idea con este capítulo, es que puedas reflexionar sobre todas aquellas formas de pensar, percibir y valorar lo que tienes con respecto a todo lo que te pasa cotidianamente y que sepas desde ya, que está en tus manos el poder de hacer transformaciones conscientes en tu vida, para vivir sumando a tu vida bienestar permanentemente.

ATRAVIESA LA PUERTA DEL AUTOCONOCIMIENTO:

ERES TÚ QUIEN VA ESCULPIENDO TU BIENESTAR

«Cuando te das el permiso de abrirle puertas diferentes a tú mente, te ayudas a liberarte de tus ataduras mentales inconscientes».

—Zamaris Jaén López

Que algunos elementos de la historia de personas reales, narradas en este pequeño capítulo, te llenen de ilusión y optimismo, sabiendo que es posible.

Es posible tomar en nuestras manos nuestras experiencias de vida y a partir de ahí hacer cambios maravillosos para disfrutar de bienestar día con día, que es posible poder disfrutar del calor del sol en nuestra piel y respirar las bocanadas de vida que nos brindan los caminos ya transitados con éxito. Apoyarnos en los relatos de otras personas que en algún momento pensaron que no sería posible y lo lograron.

Estas letras son para decirte que sí, sí es posible tejer momentos de felicidad, de gozo y plenitud y así experimentar una gran cantidad de paz en nuestras vidas.

¿Sabes qué? Tomar la decisión de estudiar una carrera universitaria que en algunos países era reconocida como parte de las ciencias médicas, pero que en mi país estaba dentro de las ciencias sociales y catalogada como una pseudociencia, fue tomar la decisión en 1988 de estudiar algo que, de una u otra forma, tenía cierto reconocimiento. Y que al mismo tiempo me tocaba enfrentarme con la incertidumbre de dónde y cómo podría trabajar para darle valor a todo aquello que había adquirido de conocimiento sobre el maravilloso funcionamiento del cerebro. Sabía que el comportamiento tenía una relación directa con el funcionamiento del cerebro, que influye permanentemente en la toma de decisiones, motivación, convicciones, memoria, creatividad, aprendizaje y sobre todo en la forma de estructurar tu propia realidad.

Así las cosas, la práctica privada me apasionaba y eso hizo que tomara la decisión de empezar a revisar qué pasaba con mi historia personal y pensé, «La única forma de saber cómo se siente romper con el tabú de que a la consulta psicológica solamente se va si tienes una enfermedad mental, es atravesando esa puerta y desheredando mi historia personal, para conocer de manos de quienes saben hacerlo, realmente, cuáles y cuántos cambios personales podría alcanzar».

La práctica de la psicoterapia era intangible y al mismo tiempo, una práctica que requiere honrar y respetar a quien decide revisar su historia personal.

Por ello la etiqueta tan reductiva de pseudociencia no me hacía sentir nada cómoda y conforme iba conociendo más y más en la práctica cotidiana, en mi propia historia y me adentraba en un mundo de colores y obscuro al mismo tiempo, tratando de encontrar una comprensión de qué era lo que sucedía dentro de «mi cabeza». Me fui abriendo camino hacia un mundo apasionante y con un interés enorme de conocer cada vez más.

Y cuando me gradué y empecé a ejercer y a observar con mucho más detalle cómo es que funciona el comportamiento humano y me consumí en el descubrimiento de cómo ese órgano, llamado cerebro, no solo pude verlo como algo que está ahí y que me permite de cierta manera vivir, sino, como un mapa que, si le brindó la suficiente atención, me va a dar el faro y la guía suficiente para descubrir tesoros sumergidos, que me pueden proporcionar más comprensión, me mantuve en esa línea, para conocer más y más.

También, me enfoqué en el estudio de las emociones más a fondo, de cómo estas influyen en el bienestar de cada ser human@ y cómo, al mismo tiempo, muchas de las rutas escritas en el plano cerebral, que no es estático, se pueden empezar a construir, creando otras vías de forma consciente para desarrollar, potenciar y sostener nuestro bienestar personal.

Entonces, fui descubriendo como en un libro de cuentos, que el cuerpo y otros órganos vitales, al igual que el cerebro, también tienen maravillas extraordinarias que decirnos. Que, en todo nuestro cuerpo, hay mensajes por descubrir, que están guardados en diferentes depósitos resguardados por gigantes que manejaban prácticamente a su antojo decisiones, formas de reaccionar, formas de sentir, formas de percibir el mundo y cada uno de los acontecimientos vividos.

Y cuando me hacía preguntas del por qué si mis hermanos y yo habíamos vivido la misma experiencia y estábamos respondiendo de forma diferente, me dije, «Aquí hay algo más por descubrir» y fueron las preguntas iniciales con respecto a mis comportamientos, los comportamientos de mis familiares y de mis pacientes que me abrieron las puertas a un mundo fascinante.

Todavía no conocía, de qué manera algunas investigaciones relacionadas específicamente con enfermedades neurológicas, podrían ir abasteciendo el sendero de grandes conocimientos, para desarrollar un acercamiento más humano, amoroso y compasivo conmigo misma y con las personas con las que trabajaba.

Todas las preguntas que me hacía me conducían a la certeza de que, de alguna manera podría encontrar la posibilidad de darle un giro a la forma de abordar cada situación de quienes consultaban y estaban en desequilibrio emocional e inclusive en sus propias palabras «sufriendo».

Mi norte era en ese momento poder ofrecer una gama de posibilidades centradas principalmente en la solución y no en los «problemas» que la gente presentaba. Y así, doy paso a estructurar todo un sistema de atención centrado en los recursos internos que ya las personas han utilizado en algún momento de su vida, y que estaban también resguardados por un gigante a nivel del subconsciente, pero escondidos como en caja fuerte para poder echar mano de ellos, llegando a creer inclusive que ni siquiera los tenían.

Estos recursos personales están dentro de ti, al igual que aquellas experiencias que se han vivido de forma negativa. Siendo estás últimas las que llegan a tener mayor peso en el transcurso de la vida en algunos de los casos.

Entonces, cuando vas por la vida, prestando atención principalmente a las experiencias negativas, enfocado en todo aquello que de una u otra forma no te ha salido como querías o como esperabas, o cuando en «tu cabeza» o fuera de ella inclusive, escuchas frases dichas en algún momento por un familiar en quien confiabas o amas, o de algún profesor o figura de autoridad, cómo «eso no lo vas a lograr, eres un bueno o buena para nada, solo a ti se te ocurren esas cosas, no naciste para esto, eres un fracaso». O, también tienes las comparaciones que hacías en tu cabeza con tus hermanos o hermanas, considerando que eran más inteligentes que tú o que «les costaban menos las cosas» sin considerar las diferencias de edad. Todas estas cosas son las vías permanentes y constantes por las que viajan tus pensamientos durante el tiempo en que te mantienes despierto o despierta e inclusive las utilizas en tus sueños.

Es en esta repetición constante que tus pensamientos van creando rutas neuronales bioquímicas y dependiendo de cómo son tus emociones al respecto, así le corresponde unas u otras rutas. Si estás estresado, los pensamientos ligados a este pensamiento se transmitirán por las rutas adrenalinérgicas que generarán en el cuerpo algunas otras hormonas como el cortisol e influirán en nuestro cuerpo, llevando los músculos a un estado de tensión, acelerando la respiración, llevando la sangre hacia las extremidades con la intención de tomar acción y no al cerebro para reflexionar...

Otro de los pensamientos que tenía con frecuencia era que todo ser humano o humana cuenta con la capacidad intelectual suficiente para ser capaz de entender algunas cosas dolorosas, fuertes, violentas, amargas y tristes que le han sucedido en la vida, sin embargo, el entenderlas no es un sinónimo de resolución emocional, entonces las preguntas que me surgían eran, ¿de qué manera se puede comprender y minimizar el dolor para que estas experiencias que son reales se puedan ver y experimentar como parte de la vida y no como obstáculos para el alcance del bienestar y del desarrollo personal saludable? Y si ya se han grabado como obstáculos para avanzar, ¿cómo se puede hacer para desprogramar ese recuerdo?

La otra pregunta que me hacía era, ¿qué es lo que hay detrás de esta historia que me cuentan, que, al trabajar de cierta forma, algunos de los dolores físicos o síntomas, se minimizan o desaparecen?

Cómo estas personas que tienen un mismo diagnóstico y pronóstico, terminan experimentando y generando resoluciones diferentes. Por ejemplo, con mis pacientes de fibromialgia o alergias, ¿qué hace que unos logren transformar sus experiencias accediendo, desarrollando y permaneciendo en el bienestar y otros no?

Y llegué a conocer la educación emocional. Así comencé a nadar por las aguas de la programación neurolingüística y descubrí el tesoro de la neurociencia, como una disciplina sumamente dinámica en la biología moderna. Siendo un conjunto de disciplinas como la biología, la neurología y la psicología destinadas a estudiar el sistema nervioso y su relación con el comportamiento humano de una forma innovadora y muy novedosa. Esto me abre paso a saber de alguna manera cómo se crean los pensamientos, qué es lo que puede haber detrás de una toma de decisión en una persona u otra y que nos llevan a realizar acciones particulares.

La neurociencia, junto con el anhelo de ofrecer bienestar a las personas me abre un mundo fascinante porque está respaldada precisamente en la ciencia, una ciencia que nos permitió descubrir y confirmar lo que pensaba al principio de mi carrera, que el cerebro era una parte involucrada y muy importante en los comportamientos de las personas, pero que el cuerpo era el lienzo en el que se plasmaban los trazos conscientes, subconscientes e inconscientes. Esta era una forma de abarcar mucho más, y ese fue y seguirá siendo mi norte, hacer conexiones microscópicas y continuar observando la maravilla de la integración del Ser para dar algunas respuestas a sus comportamientos.

En ese momento no tenía claridad en la siguiente pregunta: ¿es el cerebro quien moldea nuestro cuerpo, o es el cuerpo quien emite señales y dirige nuestro cerebro?

Lo que sí me resonaba mucho era que el cuerpo es el lienzo. Es el cuerpo el que manifiesta, mucho de lo que sucede a nivel de pensamientos, emociones, manteniéndose una interconexión entre el cerebro, el intestino, el corazón y demás órganos y tejidos. Además no olvidemos que el sistema nervioso enerva nuestro cuerpo y los impulsos eléctricos son tanto eferentes, que son aquellos que van desde el cerebro y sistema nervioso central hacia el sistema periférico, como aferentes, que hacen las rutas en el otro sentido desde los receptores y propiocepción —impulsos recogidos del exterior— al cerebro y sistema nervioso central.

Nuestro sistema inmune y el sistema nervioso central funcionan de manera muy similar y en paralelo y el sistema endocrino refleja a su vez esta interacción.

Es por ello que incluso Nazareth Castellanos, investigadora experta en Mindfulness y Neurocienica comenta que « el cuerpo moldea al cerebro».

Un número muy elevado de pacientes, consultantes, clientes o coachees, son referidos por otros colegas, docentes y médicos porque presentan una o varias circunstancias en sus vidas, que no tienen una respuesta médica, pero que sí que pueden ser tratadas desde su raíz emocional y aquí empiezan a pasar por diferentes etapas.

La primera etapa es cuando reciben el mensaje: «No encontramos nada, es un problema emocional o mental y tiene que aprender a vivir con ello».

La persona después de escuchar esta «sentencia médica», lo primero que experimenta es enojo, frustración, tristeza y decepción, porque hemos aprendido en la historia humana a confiar en la palabra del médico, que es la autoridad.

Si además te han dicho que el médico te puede curar y resulta, que te dice que «este dolor, inflamación, reflujo, jaqueca u otro síntoma, es emocional o mental», la imagen en tu cabeza apoyada por un monólogo interno, es «¡Me volví loc@ entonces!». El monólogo interno en tu cabeza es tan poderoso, que por un momento puedes hasta dudar de los síntomas que sientes en tu cuerpo.

La siguiente etapa es debatirte en tu cabeza y en el silencio de las paredes de tu casa, que ahora no solamente tienes que «lidiar» con los síntomas físicos, que existen realmente, sino, que te estás cuestionando si realmente, estás «loco» o «loca» y que es tanta tu locura, que se está inventando todo lo que sientes en el cuerpo.

Es muy probable que, si has leído hasta acá, en este momento te estás identificando con esto y escuchando una voz en tu interior que dice «yo pensé y algunas veces pienso que estoy loco o loca, porque de verdad que esto me duele, o no me permite dormir, o realizar mis actividades cotidianas como antes...».

Y quiero aclarar que la medicina es extraordinaria, ocupamos de ella para realmente salvar a las personas en condiciones en las que solamente los médicos pueden devolver literalmente la vida a sus pacientes a nivel fisiológico, de manera tal que no es con mala intención que dicen lo que hemos escuchado miles de veces en miles de consultorios, en términos de diagnóstico y pronóstico; es que no tienen la formación y el conocimiento suficiente para conocer de lo que hace nuestro mundo emocional y mental y cómo el cerebro tiene una influencia directa en los sentires de nuestros cuerpos y viceversa.

La tercera etapa de quien consulta es «la resignación», las voces en su cabeza dicen «Ni modo, aquí es medicarme si es posible o como me dijeron, aprender a sobrevivir con los síntomas porque las soluciones públicas son muy escasas y las privadas de alta inversión en algunos casos». En estos casos lo que tiene mayor peso es pensar definitivamente que no existe posibilidad alguna de recuperación o hasta de sanación y curación.

Y aquí es donde de forma maravillosa aparecen los aportes de la neurociencia, la maravilla de la educación emocional y diferentes herramientas que nos enseñan cómo es que funciona nuestra mente, permitiendo el autoconocimiento, diseñando caminos diferentes y construyendo vías neurológicas distintas en nuestras carreteras cerebrales, para que podamos conducir a quienes consultan a una cuarta etapa.

La cuarta etapa, al conocer todo lo anterior, les brinda esperanza a las personas y me encanta ser un instrumento de esperanza y amor, que devuelve a través del conocimiento y la guía el empoderamiento a cada persona que había perdido la fe, diciéndole con total y absoluta confianza, «Tú eres el dueño de tu vida y además la única persona con posibilidad de diseñar escenarios diferentes de acción para alcanzar aquello que quieras; ya sea salud física, emocional o mental, así como la conexión con momentos felices y mayores espacios de paz y plenitud».

Tú que estás leyendo, eres la única persona con potestad para decidir hasta dónde quieres llegar para desarrollar, potenciar y sostener el bienestar en tu vida, porque depende de ti, del significado que le estés dando a la vivencia que estás teniendo y cómo quieres resolverla.

Y cuando esto se decide, empiezas a trazar las líneas del autoconocimiento, que paso a paso, te irán permitiendo, por un lado, conocerte más y empoderarte, porque puedes ir eligiendo conscientemente de qué manera quieres ir obteniendo día con día bienestar emocional, mental físico y hasta espiritual (entendiendo este último concepto como la conexión con todo lo que te rodea y no desde una perspectiva religiosa). Y por otro lado, diseñando nuevas soluciones de bienestar.

Este nuevo camino, esta nueva manera de ver la vida, saber que el pincel está en tus manos, devolverte la posibilidad de una vida plena, diseñando tu propio bienestar, te ofrece momentos de felicidad y esto repercute de forma inmediata en el desarrollo y obtención de mejores estándares de salud integral.

Esta lectura nos permite acercarnos definitivamente a la promoción de salud integral, viviendo desde el bienestar tanto individual como colectivo; este no es un manual de conceptos de neurociencia, al menos en mi caso, sino que es un medio para acercarte a una cotidianidad, con la narración de algunos casos que motivan a decir permanentemente, «Si él o ella pudo, YO TAMBIÉN PUEDO».

Algunas veces cuando te detienes en la vida, cuando te das la oportunidad de cuestionarte lo que te está pasando, puedes hacerte la siguiente pregunta, «¿Es este el camino que quiero seguir? ¿Me quiero mantener en el sueño de la rueda sin fin, sobreviviendo como un hámster, conformándome con lo que otros me han dicho de cómo tengo que vivir la vida?».

Si a través de los caminos recorridos, logras descubrir que te han metido en la rueda del hámster y que mantenerte ahí no es lo que quieres, vas por un buen camino que puede proporcionarte oportunidades insuperables, amaneceres brillantes y anocheceres llenos de luz, para construir mejores condiciones de vida.

Cuando tú naciste, venías con un gran potencial de neuroplasticidad y también con una farmacia natural, que potencia las posibilidades para hacerle frente a diferentes diagnósticos y pronósticos médicos.

Recordando lo narrado anteriormente, si te mantienes en la primera, segunda y tercera etapa de cuando te dan un diagnóstico y pronóstico, las posibilidades de transformación son muy escasas.

Si te aferras a la cuarta etapa, si das pasos hacia la transformación, a bajarte de la rueda del hámster y optar por nuevas formas de pasear por el mundo, has avanzado grandemente.

Y aquí empieza una nueva aventura en tu vida, poder reconocer, saber y experimentar en tu cotidianidad, que el cerebro como tal no es un órgano estático, inamovible y mucho menos con estructuras rígidas todo lo contrario, a nivel de psicoterapia, educación emocional y coaching emocional, la mayoría de las personas consideran una etiqueta que ha tenido muchísimo peso en la historia de la humanidad «YO SOY ASÍ».

Esta simple y al mismo tiempo poderosísima unión de tres palabras se convierte en un modelo mental y el modelo mental lanza las cuerdas para tratar de entender todo lo que está a tu alrededor y lo que te está sucediendo y empiezas a diseñar tu castillo de vida, con tus creencias; castillo que se ha formado al aceptar voluntariamente una idea como verdadera a partir de la interpretación de tu realidad. Por eso, si crees que no puedes salir de la rueda del hámster, no podrás; y si crees que puedes salir, vas a salir.

Cuando cada paciente, consultante o cliente puede escuchar que su cerebro tiene toda la capacidad para hacer modificaciones, en su forma de percibir la vida, de interpretar las experiencias y que eso es parte de lo que le va a permitir hacer cambios permanentes en su estilo de vida, logrando alcanzar aquellos objetivos que tiene claros, es como entrar en un terreno la mayoría de las veces desconocido.

Otras personas saben y han escuchado muchísimas veces que pueden realizar cambios en su estilo de vida y la reflexión constante con la que llegan y con la que quizás te identifiques, es: «Sí, si yo lo sé, el asunto es que no sé cómo lo puedo hacer».

En este recorrido que realmente será corto, yo te voy a ir narrando diferentes experiencias de personas con las que he trabajado y que obviamente por confidencialidad no voy a dar sus nombres y otras circunstancias.

Al mismo tiempo les presentaré una reseña pequeña de las principales condiciones en las que la persona llega, los avances, y cómo en seis sesiones, concluyen sus procesos, encontrando nuevamente la ruta para transformar algunos patrones que ya se han grabado como mapas o patrones neurológicos en sus cerebros y que la neurociencia a partir de prácticas cotidianas nuevas, nos permite ir diseñando nuevos mapas mentales con conexiones nuevas, haciendo uso de esa plasticidad que mencionaba al inicio, y van logrando que se transformen sus experiencias de vida, que en algún momento creyeron que nunca cambiarían y que en algunos casos inclusive, les podrían llevar hasta la muerte.

Una de las primeras personas que recuerdo fácilmente es una muchacha bastante joven que llegó con una dificultad para dormir durante las noches. Tenía aproximadamente cuatro años de no dormir, lo hacía únicamente por dos horas cada día aproximadamente, siendo una mujer trabajadora fuera de casa, esposa y mamá, sus responsabilidades eran enormes, por tanto, el no poder conciliar un sueño reparador estaba alterando varias de las áreas de su vida, entre ellas la de no desempeñar su trabajo de forma eficiente y eficaz, así como sus roles de madre y esposa estaban alterados. Sus condiciones físicas y las respuestas actuales de su sistema nervioso no le ofrecían los medios saludables para interactuar tanto con sus familiares como con sus compañeros y compañeras de trabajo.

Su estado emocional se hallaba alterado, constantemente se encontraba de mal humor, sumamente nerviosa y con ideas recurrentes de abandonar todo lo que tenía hasta el momento, porque no sabía de qué manera recuperar la capacidad de dormir de forma natural.

Luego de conocer a fondo las circunstancias de María, de explicarle algunos conceptos y de garantizarme que los hubiera comprendido, me enfoqué en la importancia que tiene para ella comprender que este proceso de «posible transformación de patrones mentales» (lo pongo entre comillas porque no todo el tiempo quien consulta decide cambiar esos patrones, por diferentes razones, lo que nos llevaría todo otro capítulo) depende no del conocimiento que se le pueda transmitir, sino, de la puesta en práctica de nuevas formas de relacionamiento con su vida.

De escudriñar cuál es el significado que tiene lo que está viviendo, con qué lentes lo está observando, qué creencias posee para interpretar lo que le está sucediendo, y principalmente, de poner en práctica nuevas rutas de hacer las cosas cotidianamente. Me nace una sonrisa en los labios: recuerdo una expresión suya después de una sesión en la que había elegido a partir de ese momento empezar a ver su vida con lentes de color lila, me contó que resulta que iba por la calle caminando con su esposo de la mano y pasaron por una tienda y el esposo le dijo «Mira, ¿te gustaría que te regalara esos lentes lila que están en la ventana?». Cuando me contó esto, se rio mucho y me dijo, «Zamaris, no lo podía creer». Y llegó a su siguiente sesión con sus nuevos lentes lila.

Ese pequeño acontecimiento en su vida le ofreció recursos personales para poder sentirse más empoderada, sentir que se estaba haciendo dueña de su vida y responsable de construir y diseñar momentos de felicidad.

De la misma manera en que mencioné antes que los pensamientos sobre situaciones de estrés hacen segregarse unos determinados neurotransmisores, cuando nos reprogramamos y hacemos cambios de perspectiva emocional, estamos reescribiendo nuestras rutas neuronales con otra bioquímica. Si estamos alegres y felices los pensamientos se transmitirán por vías y caminos neuronales cargados de serotonina, oxitocina, dopamina. Mientras que si estamos tristes estos mismos disminuirán o se desequilibrarán.

El empoderamiento te permite saber que tienes una mente, unos pensamientos, un cerebro, una historia de la cual puedes hacerte dueño y que esa historia o circunstancias y esos pensamientos no son dueños de tu vida.

Después de su primera sesión, al llegar a la segunda, había un cambio notorio en su rostro; las ojeras que presentaba, la ausencia de luz y entusiasmo, habían dado un giro, poner en práctica algunos recursos personales que ya había utilizado en otros momentos y sumarle algunos nuevos, con diferentes prácticas en la consulta, hizo que sus neuronas volvieran a establecer cierto nivel de comunicación, modulando la percepción de los estímulos del medio que la rodeaba.

Ya en este momento había podido dormir cuatro a cinco horas seguidas, durante una semana. A la tercera sesión, sus horas de sueño reparador eran entre seis y siete horas, recordándonos cómo su sistema nervioso tiene una gran capacidad de modificación y adaptación a los cambios.

Conforme iba narrando sus alegrías y sus logros, era posible ir imaginado cómo sus neuronas se iban reorganizando y formando nuevas conexiones y ajustando su actividad en respuesta a estas conexiones y ajuste en sus actividades y transformaciones de la percepción de sus entornos y de sus recursos personales tanto internos como externos. Y así reconectó con recursos en los que muchas veces cuando estás en crisis, dejas de creer que los tienes y por tanto no son utilizables.

Puedes darte cuenta cómo en tan poco tiempo, cada experiencia que vives es capaz de cambiar tu cerebro y este de ofrecerte nuevamente momentos de salud, evolucionar y trascender experiencias que has estado experimentando de forma negativa.

Aquí es posible hacer mención de que este mecanismo de adaptación y evolución humana permite que hoy podamos ir más allá de los determinantes «genéticos», porque los cambios en la práctica de hábitos, de percepciones, así como de creencias, posibilitan ir más allá de las sentencias de algunos pronósticos.

El caso de María es un caso de éxito, ella se ha mantenido durmiendo en algunos momentos hasta doce horas, y donde ella misma dice «Pensaba que no iba a ser posible volver a disfrutar tanto de mi cama y de esos momentos de dormirme de manera inmediata y durante tanto tiempo. Levantarme en las mañanas con una sonrisa y agradeciendo cada segundo reparador es un regalo de la vida y lo voy a mantener».

Dentro de los muchos aspectos maravillosos que tiene el trabajar con personas que presentan alguna dificultad no solamente emocional, sino que presentan visiblemente aspectos de orden fisiológico, es el poder poner en marcha nuevamente esa farmacia interna que nos ofrece nuestro organismo a través del cerebro con sus hormonas, los neurotransmisores, proteínas, péptidos y otras moléculas que influyen en nuestras neuronas.

La función del cerebro para llevar a cabo todas sus actividades y controlar todas las funciones corporales se basa en la síntesis y liberación de un gran número de sustancias químicas que son lo que permite modificar la fisiología cerebral. Y aquí todo cuenta: nuestra forma de alimentarnos, de dormir, de pensar, de relacionarnos con el entorno, nuestra postura, la mirada con la que vemos a los demás, producen diferentes efectos en la química cerebral y esto influye directamente en los síntomas que muchas veces se presentan.

Cuando te das cuenta qué hay y se experimenta un cambio interno en la forma de percibir y vivir las cosas cuando empiezas a utilizar un lenguaje diferente para referirte a lo que te está sucediendo y por ejemplo dejar de valorar los acontecimientos de la vida desde lo bueno o malo, desde lo correcto e incorrecto, y eliges hacerlo desde lo útil que te puede resultar o lo saludable, eso hace una gran diferencia.

Lo anterior podemos decir que se puede resumir en que el lenguaje que utilizas tiene un impacto sobre los mapas mentales que vas esbozando por la vida y que si bien es cierto son asociaciones lingüísticas culturales, van construyendo huellas en tu cerebro y te acompañan consciente e inconscientemente durante toda la vida.

Las palabras forman parte del desarrollo evolutivo de las personas y lo que yo digo es que se convierten en carreteras principales o atajos mentales, que te van a permitir navegar por un mundo para facilitar la categorización de personas y circunstancias, en forma automática, y es ahí donde la invitación es a detenerse, porque el funcionar en piloto automático puede representar en algunos casos un peligro para la toma de decisiones rápidas y constantes a nivel de subconsciente y luego, ni siquiera tener claridad de qué fue lo que motivó este o aquel comportamiento.

Así como el de María hay muchísimos casos de éxito, y lo grandioso de poder citar algunos ejemplos es que recuerdes que, así como ella y otros han podido, tú también puedes lograrlo en tanto te enfoques en llevar la atención a otros recursos que están dentro de ti y potenciarlos.

«El autoconocimiento es extraordinario, te devuelve a la vida», decía Antonio cuando entró por la puerta. También dijo: «Estoy aquí como la última opción porque ya he hecho de todo y nada me quita los dolores del cuerpo».

Su diagnóstico de fibromialgia lo llevó a consumir durante muchísimo tiempo diferentes medicamentos y su calidad de vida, tanto a nivel laboral, económico, social y familiar, se estaban deteriorando cada día más y con muchísima rapidez. Empezamos a explorar su historia y desde cuándo los síntomas habían aparecido y caminamos más hacia atrás.

Antonio descubrió en su proceso de acompañamiento que él tiene la posibilidad de elegir, que ante las circunstancias de la vida, puede reaccionar desde una posición de víctima, culpando al entorno que le rodea de todas sus manifestaciones de dolor físico y de sus emociones, o que puede detenerse y hacer un alto en el camino y empoderarse para hacerse cargo de su vida, convirtiéndose en el protagonista, haciéndose responsable de todas aquellas emociones que le han acompañado durante muchos años y que se ha empeñado en «controlar». Un control que ha estado mediado por la fantasía de que si las reprime, no pasa nada en su vida ni en su cotidianidad y, sorpresa, el haber reprimido tanto y durante tantos años diferentes emociones, lo llevó a que el cuerpo le doliera de tal manera que sus expresiones eran «Me siento morir del dolor» y lo más impactante es que ante el dolor físico en la fibromialgia, también aparece el dolor emocional ante la incomprensión de quienes le rodean, porque no pueden entender cómo un ser humano puede tener dolor en el cuerpo durante todo el día y la noche y que no exista algo que lo alivie.

Volvemos a darnos cuenta que tú tienes el poder de elegir cómo te quieres sentir ante cualquier suceso de tu vida, pero algunas veces, sé que no sabes de qué manera se puede hacer el cambio y por eso estás leyendo no solamente este capítulo sino todo este libro que estamos compartiendo contigo.

Este es un aprendizaje que requiere de un proceso de volcar la mirada hacia adentro, sabiendo qué es lo que quieres alcanzar en cualquiera de las áreas de tú vida. Empieza por reconocer que eres un ser humano maravilloso, que eres un ser humano completo y que es en tus manos donde existen todas las posibilidades de construir momentos de felicidad.

Que la felicidad es un estado emocional y que por lo tanto también está compuesta por diferentes neurotransmisores, proteínas y péptidos y no es permanente. Y al mismo tiempo, así como Antonio reconoció su potencial, tú puedes reconocer el tuyo. También puedes reconocer que existe una gama de emociones enorme, y que todas son útiles en nuestra vida, para un desarrollo saludable.

El desarrollo saludable y la gestión emocional de Antonio para llevar hasta el día de hoy una vida placentera, en la que realiza deporte, trabaja, viaja, sueña, ríe y llora, es el reflejo de que tú también puedes lograrlo, que es importantísimo aprender que eres un ser único e irrepetible y que las situaciones vividas son parte de la experiencia de vida, para elegir qué de todo lo vivido ha sido útil y qué de eso no. Que la culpa carcome como estado emocional y solamente te puede llevar a desarrollar cada día más síntomas innecesarios y que eres un ser no solamente maravilloso, sino también, con la capacidad de reconocer tus vulnerabilidades y fortalezas para ponerlas a tu servicio.

Busca dentro de ti aquellos dones, aquellas habilidades que te permiten gozar de tu inteligencia innata, enumera todo aquello que haces bien, para eso le sirvió el proceso a Antonio y hoy no existe en su vida el diagnóstico de fibromialgia, la mayoría de médicos dan el diagnóstico y un pronóstico desolador, hasta las imágenes que acompañan muchas veces el mismo nos muestran que el dolor va a ser permanente.

Antonio aprendió en su momento que tiene muchas personas a su alrededor y que la convivencia social es muy importante. También aprendió que ninguna de las personas que tiene consigo le pueden hacer feliz y que él tampoco tiene la obligación, ni la posibilidad, de hacer felices a las personas que quiere y ama.

Poder reconocer en su interior que es él el único que puede proveerse de los recursos para construir sus momentos de felicidad le fue abriendo el camino a reconocer un potencial de autosuficiencia en el buen sentido de la palabra y que podía compartirlo con otras personas y así hacerse cargo de muchas de sus necesidades personales, sin estar esperando que fueran otros de forma obligada que lo hicieran. Entendió que esa obligatoriedad tarde o temprano se desgasta y genera conflicto en las relaciones interpersonales.

Dentro de muchos de los casos que llegan a la consulta, están aquellos que manifiestan la necesidad de bajar de peso, dejar algún tipo de adicción, y que su enfoque es mantenerse en ello; la recomendación es que iniciemos ese camino hacia el autoconocimiento sin enfocarnos en lo que la persona considera «su problema». El lema es, si durante tu proceso de atención emocional, pasas enfocado en aquello que ha alimentado un comportamiento en tu vida hasta el día de hoy, vas a seguir alimentando ese comportamiento.

Entonces más bien imagina que eres un constructor o una constructora de nuevas carreteras, y que cada nuevo comportamiento que potencie una mejor calidad de vida, será una nueva red de conexión neurológica que te ofrecerá un nuevo mapa mental y tendrá beneficios posiblemente en este momento, hasta inimaginables.

He de decir que pocas veces las personas, después de muchos intentos para recuperar su calidad de vida, se abandonan, pero también existen esos casos, donde el patrón de aprendizaje está tan arraigado y otros factores personales tienen tanto peso, que no asumen la responsabilidad de tomar sus vidas en sus manos y mantienen muchos de sus comportamientos.

Si has logrado notar, hasta el momento en ninguna de las descripciones he etiquetado a ninguna persona y eso es un principio básico en la consulta; las personas no son su diagnóstico, por ejemplo, tú no eres la depresión, no eres la angustia, no eres el estrés. La forma en la que has leído tus circunstancias es lo que ha hecho que aprendas unas vías de comportamiento que hacen que te comportes de forma depresiva, ansiosa, angustiada entre miles de etiquetas más.

Esto ya te ofrece un nuevo, neuro paradigma de atención y al mismo tiempo de resolución, ¿lo puedes ver? Me alegra, porque eso le quita una gran carga a mucho de lo que has venido pensando de ti.

Podría seguir enumerando anécdotas que han sido de éxito, no obstante, la ruta de abordaje va a ser la misma descrita con anterioridad, así que voy a pasar a hacer una especie de resumen de aspectos valiosos, que me gustaría que repases cada vez que te encuentres en una situación donde ya de por sí sabes que está en tus manos la posibilidad de cambiar el rumbo.

Las creencias que has venido formando a lo largo de la vida, son como bloques que construyen o destruyen tus sueños. En el caso de que tengas algún diagnóstico y pronóstico o algún estado emocional que ha estado manteniéndote en desequilibrio tanto a nivel, físico, emocional, mental y hasta espiritual, es importante que recuerdes que puedes seguir viviendo de acuerdo con esas creencias limitantes sin ser consciente que algunas veces necesitarás el apoyo de alguien para que pueda poner sobre la mesa las mismas. Y que, si eliges, hacerlas conscientes, eso te va a encaminar necesariamente por vías alternas muy diferentes y con mayor claridad. Cada vez que estés frente a creencias que no están dando los resultados esperados, puedes preguntarte:

¿Por qué creo lo que creo?

¿Qué pasaría en mi vida si no creyera esto?

¿Puede ser cierta esta nueva forma de ver las cosas?

¿De qué manera cambiaría mi vida, si empiezo a ver las cosas con estos nuevos lentes?

Cuando te das el permiso de abrirle puertas diferentes a tu mente, te ayudas a liberarte de tus ataduras mentales inconscientes.

Cada una de las palabras mencionadas en estas líneas nos llevan a la convicción de que las neurociencias nos ofrecen un abanico de posibilidades aplicables eficientemente a la vida cotidiana, para de esta manera mejorar, desde el rendimiento personal, la adquisición de conocimientos y preparar el cerebro ante estímulos emocionalmente competentes e implicados en la generación de diferentes emociones y comportamientos.

Educarnos emocionalmente para poder aplicar en nuestra vida cotidiana la Inteligencia Emocional es fundamental para hacerle frente a diferentes aspectos que nos conviertan en mejores personas y a vivir con calidad de vida.

La química cerebral va a determinar siempre tu estado emocional y viceversa, no se trata de hacer separaciones más allá de la importancia pedagógica de hacerlas para la comprensión y su estudio; en la vida, todo, química cerebral, emociones, percepciones, interpretaciones, valoraciones siempre irán de la mano para obtener resultados que sumen o resten a tu bienestar personal y calidad de vida. Y todos los órganos tienen un papel.

Garantízate de encontrar la forma de cambiarte los lentes ante aquellas condiciones de vida que te están haciendo experimentar algún tipo de desequilibrio. Busca la forma de liberar dopamina para poder experimentar motivación y generar los hábitos necesarios para que alcances tus objetivos y puedas satisfacer tus propias necesidades. Utiliza conscientemente toda la farmacia personal que tienes en tu organismo: serotonina, todos los neurotransmisores, abraza, abraza mucho y usa la oxitocina al máximo.

Concédete la oportunidad de creer en ti, realiza tareas pequeñas y celebra cada uno de tus triunfos; recuerda que, en tus archivos, siempre encontrarás logros que han sido significativos, y que tu cerebro puede volver a utilizar esas vías recorridas en el pasado.

Mantente conectado y conectada al júbilo, a la risa, a la esperanza, a la elaboración constante de hábitos para alcanzar tus metas.

Alcanza tus metas desarrollando atención plena, para que puedas dejar de divagar entre el pasado y el futuro, mantén la atención en todo lo que está ocurriendo en este momento presente, de manera sostenida y con una actitud que no juzgue nada de lo que pasa a tu alrededor. Solamente observa y acepta lo que sucede.

De esta manera vas a convertirte en el verdadero dueño o dueña de la escultura de tu bienestar; en tus manos está el cincel de tu calidad de vida.

Te abrazo y te quiero de ida y vuelta.

Disfruta tus momentos de felicidad y vive plenamente, esta vida te pertenece.

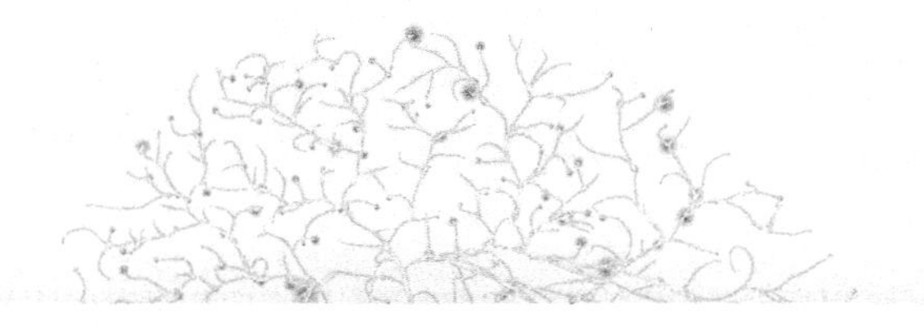

Céline Godeux

Semblanza

Experta senior en marketing, innovación participativa, y gestión del cambio, Céline ha liderado, durante más de dieciocho años, proyectos transversales e internacionales, así como la concepción y el lanzamiento de productos tecnológicos.

Después de haber completado un máster en gestión empresarial en la Toulouse Business School y un MBA en la Universidad de Deusto, se formó en psicología, antropología, y neurociencias. Hoy, certificada en PNL, Creative Mind, y coaching sistémico y generativo, Céline empodera a personas y organizaciones para que se transformen y saquen lo mejor de sí mismos. Organiza talleres para que los participantes se reconecten con su poder de actuar, su inteligencia colectiva, su creatividad, su liderazgo. Ha contribuido en distintas publicaciones sobre el mentoring a mujeres o el liderazgo colaborativo, entre otros. Además es miembro de la ANE (Academy of Neuroscience and Education).

Intención

Al acabar este capítulo, sabrás mejor cómo hackear tu cerebro para reconectar con tus recursos internos, volver a motivarte, recobrar tu poder de actuar, y alcanzar los objetivos que te propones. Siguiendo etapa a etapa lo que te ofrezco en este texto, a través de claves de lectura neurocientífica y ejercicios de PNL y coaching, conseguirás cambiar tu manera de actuar y alinear de nuevo tus objetivos con tus valores y lo que profundamente deseas.

NEUROCIENCIAS Y MOTIVACIÓN: ¡RECOBRA TU PODER Y ALCANZA TUS OBJETIVOS!

> *«Todo parece imposible hasta que se hace».*
>
> **—Nelson Mandela**

En 2021, 47 millones de estadounidenses dimitieron de su trabajo. En Francia, en el primer trimestre de 2022, se registraron 520 mil dimisiones, la mayoría en contrato indeterminado, un 20% más que lo que se produjo a finales de 2019. Decenas de millones de personas en todo el mundo abandonaron su empleo de manera voluntaria en 2021. «The Great Resignation» o «Big Quit» («La Grand Dimisión») es un fenómeno que ya se ha propagado en todo el planeta, tras años de pandemia de la COVID-19, periodo en el cual tuvimos el sentimiento de perder las riendas de nuestras vidas.

Los motivos de esas dimisiones masivas son por supuesto la tradicional búsqueda de un mejor sueldo en un mercado laboral dinámico, pero lo más llamativo es la profunda búsqueda del sentido en su trabajo, del deseo de dirigir su vida como uno desea. Somos muchos los que nos hemos preguntado cuál era nuestro impacto positivo en la sociedad.

En paralelo, las empresas desesperan por subir la motivación entre sus empleados que practican el «quiet quitting» (la dimisión silenciosa); los estudiantes sufren de ansiedad sobre su futuro y desean trabajar en empresas o start-ups comprometidas con la sociedad, el medioambiente, la naturaleza, o las personas; y entre los empleados dimisionarios y los estudiantes exploradores, están los atrevidos emprendedores que anhelan transformar una idea en un proyecto rentable, pero sobre todo que aporte una solución a un problema concreto, con sentido y (eco)responsabilidad.

Desde el año 2020, he ido acompañando estudiantes, emprendedoras, o ejecutivos en sesiones de coaching individual o en talleres que trataban de creatividad, gestión del estrés, liderazgo, y por supuesto de motivación. En paralelo, he mantenido mi puesto de ejecutiva en una multinacional de telecomunicaciones, liderando un programa de innovación participativa por y para los 140 mil empleados del grupo, donde más allá de responder a una necesidad o un problema, las expectativas eran contribuir a algo más grande y dar sentido a su trabajo diario. En esos acompañamientos, he compartido ejercicios y conocimientos que he ido no solo aprendiendo sino poniendo en práctica estos últimos años, y que verdaderamente han provocado cambios profundos en mí, a nivel de creencias, comportamientos o hábitos («no soy capaz de...», «no puedo...», etc.), hasta tal punto que conseguí quitarme una fobia al agua. En particular, gracias a las neurociencias, entendí cuán poderosos eran los pensamientos, y que por lo tanto era mejor usarlos como aliados para crear la vida que yo deseaba. Por ello, me pareció de evidencia compartir contigo las prácticas que implementé estos últimos años y que te invito a realizar para que puedas reiniciar tu motivación, retomar las riendas de tu vida, y alcanzar tus objetivos.

Primero, hay un principio que me gustaría que entiendas y que iremos profundizando a medida que avanzamos en el capítulo: la motivación se manifiesta en comportamientos dirigidos a un objetivo. Estos comportamientos también pueden cambiar de dirección, siguiendo estrategias de aproximación (acercamiento) o evitación (alejamiento), que a su vez están influidas por nuestros pensamientos.

Para que puedas pasar de un sentimiento de impotencia a la recuperación de tu poder personal, vas a:

- Ver cómo entrenar tu cerebro para que apliques la motivación para resolver tus limitaciones y alcanzar tus objetivos,
- Reconectar con tus recursos internos,
- Descubrir los secretos de un objetivo personal o profesional bien definido.

En definitiva, en este capítulo te atreverás a salir de tu zona de confort para adentrarte en una zona de aprendizaje, con claves aplicables a cualquier meta (empresarial, personal, familiar, financiera, relacional, etc.).

Por un momento, te invito a reflexionar sobre lo que puede animar a una persona a realizar un triatlón. Toma un bolígrafo y un papel y escribe todo lo que podría motivar a esta persona. Date para ello solo dos minutos de reflexión, tal como una tormenta de ideas. ¿Listo?

¿Cómo te fue la experiencia? Aquí te voy a dejar algunos ejemplos de motivos: uno puede desear realizar un triatlón por puro placer (lo que sería una motivación intrínseca), por desafío personal, para responder a las expectativas de otras personas (motivación extrínseca), para encontrar o acompañar a amigos (y así alimentar relaciones sociales), para responder a una exigencia de excelencia (y aspirar al éxito), o simplemente para quitarse el estrés. ¡Hay tantos motivos como personas que se apuntan a un triatlón!

Si volvemos a la etimología de la palabra «motivación», nos encontramos con una raíz latina, «motivus», que significa lo que pone en movimiento, en acción. Pero, ¿qué es lo que provoca ese movimiento y lo mantiene de manera duradera en el tiempo? Podemos observar el resultado de las acciones, los comportamientos, el esfuerzo, pero nos cuesta identificar dónde se originan.

La motivación es un proceso en el que el comportamiento se dirige hacia una meta, hacia el cumplimiento de objetivos o resultados, y para ello, una energía le da fuerza al comportamiento para que sea suficientemente fuerte y persistente. La motivación también se puede medir por el compromiso, la implicación emocional, y la persistencia, y se puede reflejar en la comunicación no verbal como las expresiones de la cara o los gestos del cuerpo (movimientos de los brazos, postura, etc.). Dicho de otro modo, los motivos que puedas tener para realizar algo orientan tu atención y, al captar tu atención, te llevan a priorizar tus comportamientos, los que servirán a alcanzar lo que te has propuesto. Por supuesto, la motivación puede variar en el tiempo, y los comportamientos seguirán con ella.

Por un momento, te invito a una experimentación. Ponte de pie y camina, con una postura derecha y abierta, hombros hacia atrás, y piensa en algo triste. Observa lo que está ocurriendo.

Ahora, te invito a caminar con una postura encorvada hacia delante, cabeza hacia abajo, hombros hacia adelante, y piensa en algo alegre. Observa lo que está ocurriendo. ¿Qué es lo que ha pasado? ¿Qué has notado, sentido?

De todos los talleres que lideré, donde solicité a los participantes realizar esta experimentación, aparecieron respuestas unánimes: cuando nuestro cuerpo está encorvado, hombros hacia delante, nos cuesta conectar con algo alegre, y cuando nuestro cuerpo está recto, hombros hacia atrás, nos cuesta conectar con algo triste. Es decir que existe una interconexión entre el cuerpo y el sentimiento. Así que a partir de ahora, ya lo sabes: si deseas tener un sentimiento más alegre, ponte derecho, hombros hacia atrás, y ¡a disfrutar!

Ahora veamos lo que nos enseñan las neurociencias para que entiendas mejor cómo entrenar tu cerebro y cuál es el poder de tus pensamientos.

Desde hace pocos años, se habla en la literatura científica y cada vez más en cualquier otro medio, de la neuroplasticidad o plasticidad cerebral, es decir, de la característica del sistema nervioso que permite al cerebro cambiar su estructura y su funcionamiento a partir de su interacción con el entorno.

Desde que naces, las conexiones neuronales de tu cerebro se van adaptando en función de los estímulos o información que recibe. Y gracias a ello, a lo largo de tu vida, has podido mejorar tus capacidades cognitivas, tales como tu capacidad de aprendizaje, percepción, concentración, o memorización. Como un músculo, puedes entrenar tus neuronas para mejorar esas capacidades cognitivas. Cuando puedas, realiza cálculos mentales, atrévete a aprender nuevos idiomas, conduce sin sistema de navegación (GPS), o realiza ejercicios de coordinación. Todo ello mejora no solo el funcionamiento de tu cerebro, sino también tus percepciones y tu capacidad para avanzar en el mundo. Así que para aumentar tu capacidad para encontrar nuevas soluciones a lo que se presenta en tu vida, ¡atrévete a ponerte retos nuevos y variados!

Otra enseñanza que nos ofrecen las neurociencias, y en particular los estudios del equipo del Dr. Pascual-Leone, director de programas de investigación y catedrático de Neurología de la Facultad de Medicina de Harvard: lo que imaginas, lo que piensas, o lo que realmente experimentas provocan casi el mismo cambio en el cerebro. Por lo que el cerebro puede ser cambiado solo con el poder del pensamiento. Si el pensamiento genera las mismas actividades en el cerebro que la propia acción, eso también te da la oportunidad de mejorar gestos, comportamientos, y resultados solo con el pensamiento.

Desde hace años, en el mundo del deporte se utiliza la visualización para mejorar el rendimiento del atleta. Y lo experimenté en mi propia carne. En mi adolescencia practiqué gimnasia rítmica en equipo. Estábamos acostumbradas a ir a los campeonatos de Francia, pero muy escasamente ganamos un título, ya que competíamos contra equipos que tenían tres veces más horas de entrenamiento que nosotras. Pero no nos importaba mucho: dábamos lo mejor de nosotras, lo pasábamos genial, con una relación muy sana dentro del equipo y con las entrenadoras.

Un año escuché hablar de la visualización, y propuse al equipo realizar una prueba. En ese año, en el mismo campeonato de Francia, en la ciudad de Toulouse, el equipo y yo nos sentamos en círculo, tomándonos de la mano, y visualizamos toda nuestra secuencia, cada gesto, cada lanzamiento, cada recepción, cada salto, de manera perfecta, con gracia y excelencia. Nos llamaron al micrófono, fuimos caminando con alta concentración hacia el tapiz. Un corto momento de silencio se impuso antes de que entremos en el tapiz, cuerpo recto, sonrisa puesta, mente centrada, olvidándonos de la presencia de la mesa de los jueces y de todo el público que se quedó en silencio.

Empezó la música, nuestros aparatos se volvieron una extensión de nuestro cuerpo, y nos dejamos llevar por el sonido, siempre en conexión visual entre nosotras. Ejecutamos nuestra secuencia sin fallo. La música finalizó y salimos alegres y despreocupadas totalmente del resto. Lo pasamos bien una vez más, y era lo que importaba.

Al final del día, llegó la entrega de las medallas, un momento muy largo, en el cual nombraron cada categoría, llamaron los ganadores y se dieron agradecimientos. Tan largo que a veces podíamos ser indisciplinadas, hablando con las amigas y compañeras de equipo. Finalmente, tocó nuestra categoría. Llamaron a las medallistas de bronce y seguidamente a las de plata. Nadie se levantaba, y entonces volvieron a nombrarlas en el altavoz.

Entonces nos dimos cuenta de que éramos nosotras, las medallistas de plata. Saltamos de alegría, parecía que nos había tocado la lotería. No esperábamos ganar ninguna medalla.

Y en tu opinión, ¿cuál fue la diferencia que hizo la diferencia? Claramente, fue el ejercicio de visualización que hicimos antes de entrar a competir.

Te invito a que te detengas aquí un momento. Reflexiona en qué momento de tu vida o en qué proyecto podrías entrenarte a visualizar para aportar un cambio de comportamiento o un cambio de resultados. En esa visualización, debes esforzarte por vivirlo como si fuese aquí y ahora, sintiéndolo en todo tu cuerpo, visualizando cada paso, de manera óptima. Recuerda: es importante que cuides de tus pensamientos ya que ellos tienen la capacidad de programar tu cerebro.

Volvemos a la motivación como desencadenante del movimiento.

Existen dos tipos de estados motivacionales: uno de ellos nos prepara para abordar las oportunidades del entorno, con un enfoque de acercamiento. Entre estas, están la alegría, el interés, la autorrealización, la esperanza, etc. Pero hay otro estado motivacional que nos prepara para evitar situaciones repulsivas, amenazadoras, que nos provocan ansiedad, como el dolor, el hambre, el miedo, la disonancia, la impotencia, la inseguridad. A ellos, respondemos con la evitación, el alejamiento. Y a veces, podemos experimentar estados motivacionales y emocionales positivos y negativos al mismo tiempo: por ejemplo, tener curiosidad y ganas de asumir retos, mientras nos encontramos en un estado de estrés. Es decir, tus comportamientos responden a enfoques de acercamiento (a lo que deseas acercarte) o a enfoques de alejamiento o evitación (de lo que deseas huir).

Pensando en los objetivos y resultados que deseas conseguir en tu vida, tómate unos diez minutos para escribir una lista de elementos, cosas, o proyectos que responden a esas cuatro posibilidades:

1. lo que deseo y tengo;
2. lo que deseo y no tengo;
3. lo que no deseo y tengo;
4. lo que no deseo y no tengo.

¿Cómo te ha ido? ¿Cómo te ha sentido realizar esa práctica? Observa cuál lista es la más larga y cuál es más corta. ¿Cuál ha sido la más fácil de completar? ¿Y la más difícil?

Lo que pusiste en la lista de «lo que deseo y no tengo», son los objetivos por acercamiento (atractores) que tienen un efecto excitador, mientras que lo que escribiste en la lista de «lo que no deseo y tengo», son los objetivos por evitación (impulsores) que tienen un efecto inhibidor.

Ahora te invito a modificar los elementos de la lista «lo que no deseo y tengo», para transformar las frases de manera positiva como «lo que deseo y no tengo». Observa. Léalas en voz alta, con total seguridad, como si estuvieses reprogramando tu cerebro para acoger esta nueva realidad en tu vida. ¿De qué te estás dando cuenta?

A nivel motivacional, hay cuatro vías de neurotransmisores que son de importancia: la dopamina, la serotonina, la noradrenalina, y las endorfinas. La dopamina tiene como función la de generar sentimientos positivos y agradables, y está vinculada a la biología de la recompensa, por lo que estimula un comportamiento de acercamiento dirigido a una meta.

Entre las áreas del cerebro, las que se orientan **hacia el acercamiento** son:

- El hipotálamo, que tiene como función de modular la actividad endocrina y regular varios procesos fisiológicos como la regulación de la temperatura, el hambre, la saciedad, la sed, y el sueño. Contribuye a regular las emociones y a generar un estado determinado de ánimo, además de asegurar los elementos esenciales a nuestra supervivencia.
- El córtex cerebral: el lóbulo frontal está asociado a la planificación, la formulación de intenciones y metas, al tiempo que la corteza orbitofrontal, la ínsula, y la amígdala estarán involucradas en la evaluación emocional y la toma de decisión hacia una u otra meta.
- El área tegmental ventral (ATM), que contiene la mayor parte de neuronas dopaminérgicas del cerebro, es una estructura clave del sistema de recompensa cerebral, la base biológica del placer y la motivación conductual, puesto que los estímulos apetitivos activan esta región. Implicada en el circuito del refuerzo, el ATM está involucrada también en otras funciones diversas al enviar proyecciones a áreas corticales y subcorticales, y entonces va a orientar nuestras acciones hacia objetivos con motivación e ilusión.

Por otro lado, entre las áreas que se orientan **hacia la evitación**, están:

- El córtex cerebral prefrontal.
- La amígdala, que detecta y responde a la amenaza (con ira, miedo, o ansiedad, por ejemplo).
- El hipocampo, que tiene la capacidad de inhibir unos comportamientos.
- La ínsula, entre otros, que evalúa las situaciones emocionales y hará que evitemos situaciones que nos provoquen dolor.

Además de ello, la corteza orbitofrontal, relacionada con las experiencias, el comportamiento social y la toma de decisiones, participa en la evaluación de justicia respecto a la meta que queremos lograr: si nuestra meta fuera justa, la corteza orbitofrontal nos ayudaría a su consecución; a cambio, si la meta no fuera justa, entonces nos alejaría de ella.

Richard Bandler, cocreador de la Programación Neurolingüística (P.N.L.) dice que el cerebro sigue direcciones, y que si sabes cómo funciona tu cerebro, entonces podrás definir tus propias direcciones. Cuando definimos un objetivo, podemos aplicar a mínima el método S.M.A.R.T., que te asegura que tu objetivo sea Específico (*Specific*), Medible (*Measurable*), Alcanzable (*Achievable*), Realista (*Realistic*), Definido en el tiempo (*Time-bound*). No me detendré en ese método ya que hay muchas cosas escritas al respecto en libros o artículos, y puedes utilizarlo como guía al definir objetivos. Lo que aprendí de mis mentores Robert Dilts y Stephen Gilligan es que también hay dos componentes esenciales del objetivo: uno es la intención positiva de ese; y el otro es su congruencia. Tu objetivo tiene que ser congruente en tres niveles: lógico, emocional, e intuitivo.

Según nuevos estudios neurocientíficos, entre otros los de la Universidad Thomas Jefferson (EE. UU.) y de Brian Gulbransen, profesor en el Departamento de Fisiología de la Facultad de Ciencias Naturales de la Universidad del Estado de Michigan (MSU – EE. UU.), se encuentran neuronas en el corazón y en los intestinos; órganos que hasta hace poco, estaban relacionados con la emoción y la intuición. El corazón y el intestino, desde sus «pequeños cerebros», envían muchísima información al cerebro, de modo que existe una permanente retroalimentación muy especial entre estos tres órganos. Si bien los otros órganos del cuerpo como los riñones o los pulmones tienen igualmente una interconexión nerviosa y dan respuesta a la carga bioquímica del cerebro, su interconexión no es tan especial como la del corazón o de los intestinos. Además, por su fuerte vibración electromagnética, el corazón “siente” determinadas ondas que le hacen reaccionar y enviar al cerebro una u otra sensación en forma de estímulos eléctricos. El cerebro lo interpreta, y la bioquímica que segrega se transcribe en sensaciones somáticas y así tenemos finalmente una conclusión u otra.

Además de ello, es importante alinear tu objetivo con tus valores. Si no lo haces, podrías perder tiempo al sabotearte para no cumplir objetivos que no estén alineados con tus valores, ya que estos últimos son como una brújula interna que permite que en cada proyecto encuentras los mismos valores, y así ser una verdadera fuente de motivación. Antes de avanzar en la buena definición de tu objetivo, te invito a reconectar con los cinco valores que son los más importantes para ti. Puedes hacerlo de manera libre, o bien seguir la lista no exhaustiva que se presenta en la tabla de valores primordiales. Pregúntate cuáles son los cinco valores fundamentales para ti. Una vez los hayas detectado, puedes intercambiar al respecto con alguien cercano sobre vuestros respectivos valores.

(Anexo: tabla de valores primordiales)

¿Cuáles son tus valores primordiales?

Abundancia	Calidez	Cordialidad	Elegancia	Fuerza	Proximidad	Sinergia
Aceptación	Calma	Cortesía	Empatía	Galantería	Reciprocidad	Solidaridad
Accesibilidad	Camaradería	Creatividad	Encanto	Generosidad	Refinamiento	Solidez
Actualidad	Candor	Crecimiento	Energía	Gracia	Reflexión	Soledad
Adaptabilidad	Caridad	Credibilidad	Entusiasmo	Gratitud	Relajación	Sorpresa
Afecto	Castidad	Curiosidad	Equidad	Habilidad	Rendimiento	Sueño
Afluencia	Celebridad	Deber	Esperanza	Heroísmo	Resiliencia	Supremacía
Agilidad	Certeza	Deleite	Espiritualidad	Honestidad	Resistencia	Toma de decisiones
Agresividad	Claridad	Descubrimiento	Espontaneidad	Igualdad	Respeto	Trabajo en equipo
Ahorro	Coherencia	Desafío	Estabilidad	Inmovilismo	Reverencia	Tradición
Alegría	Comodidad	Descanso	Euforia	Importancia	Riqueza	Tranquilidad
Aliento	Compasión	Deseo	Excelencia	Independencia financiera	Rigor	Trascendencia
Altruismo	Compartir	Destreza	Éxito	Inteligencia	Sagrado	Unidad
Ambición	Competencia	Determinación	Experiencia	Intrepidez	Sabiduría	Utilidad
Anticipación	Comprensión	Devoción	Exploración	Juventud	Sangre fría	Valentía
Aprecio	Compromiso	Diferencia	Expresividad	Lealtad	Salud	Valor
Apoyo	Concentración	Dignidad	Éxtasis	Libertad	Satisfacción	Variedad
Armonía interior	Conciencia	Diligencia	Extravagancia	Limpieza	Seguridad	Verdad
Asertividad	Conexión	Dinamismo	Exuberancia	Lucidez	Sencillez	Velocidad
Astucia	Confianza en sí mismo	Discernimiento	Familia	Obligación	Sensibilidad	Vida espiritual
Atractividad	Conformidad	Disciplina	Fascinación	Obstinación	Sentido de la vida	Vigilancia
Audacia	Consentimiento	Discreción	Felicidad	Orden social	Sentido de pertenencia	Visión
Autodisciplina	Contención	Disponibilidad	Fiereza	Orientación	Ser el mejor	Vitalidad
Autonomía	Continuidad	Diversidad	Fiabilidad	Paz	Serenidad	Vivacidad
Autocontrol	Contribución	Diversión	Finura	Placer	Servicio	Voluntad
Autorrealización	Control	Dominio	Flexibilidad	Poder social	Sexualidad	
Aventura	Convicción	Don	Frescura	Precisión	Silencio	
Belleza	Convivencia	Educación	Franqueza	Proeza	Simpatía	
Benevolencia	Cooperación	Eficacia	Frugalidad	Profundidad	Sinceridad	

Ahora estás en medio del capítulo. Has podido comprobar que tus pensamientos son tan potentes como tus mismas acciones, que las áreas cerebrales pueden sostener el acercamiento hacia tu meta cuando otras te pueden alejar de ella, y que existen claves importantes como el alineamiento a tus valores y a tu sentir más allá de algunos criterios más formales como el método S.M.A.R.T. En esta segunda parte del capítulo, vas a explorar lo que podría impedir que alcances tu meta y seguidamente te voy a guiar para que puedas reconectar con tus recursos internos, y aclarar el objetivo o el resultado que deseas alcanzar.

Cuando deseas llegar a una meta concreta, puedes encontrarte con una resistencia, una interferencia, o hasta un obstáculo. Y es una reacción natural: puedes tener miedo frente a algo nuevo. Tu amígdala solo intenta mantenerte a salvo. El único problema es que en algunas ocasiones la amenaza no es real, y tomando distancia, te puedes dar cuenta que se puede superar el reto, si te preparas a ello. Cada emoción tiene una intención positiva: si detectas esta intención, entonces te es más fácil desconectar de una emoción negativa para reconectarte a tu motivación para seguir adelante.

En la P.N.L., hay un principio que me parece esencial compartir contigo: todas las personas poseen los recursos que necesitan. Y tú tienes muchos recursos en tu interior, aunque tal vez no eres consciente de ello ahora mismo.

El obstáculo es una fuente de evitación, un impulsor, y por lo tanto te genera comportamientos inadaptados (huida, parálisis, lucha), mientras que el recurso atrae y te acerca a tu meta, ya que tus conductas, tus hábitos, se van focalizando en el cumplimiento de tu meta. Ahora, piensa en un objetivo o un resultado concreto que te gustaría alcanzar, ya sea en tu vida personal, o en tu vida profesional. ¿Qué obstáculo podrías realmente encontrar? ¿Qué es ese algo que te impide avanzar?

Como lo hemos visto antes, es importante que transformes lo que evitas en algo que te atrae, y por lo tanto, ¿cuál sería el recurso que ya tienes dentro de ti que te ayudaría en ir hacia adelante? El recurso son todas las experiencias de tu vida que te pueden dar una capacidad y que puedes recuperar para traerlas al presente para alcanzar el objetivo determinado.

Te doy un ejemplo: puedes tener mucho miedo ante una entrevista de trabajo. El miedo sería tu obstáculo. La confianza en ti, la seguridad, el enraizamiento, la claridad, el foco, la comunicación, etc. podrían ser recursos internos que ya has tenido en otras experiencias de tu vida, y que puedes traer a esa nueva experiencia futura, para así ir con serenidad a la entrevista. Para ello, lo que solemos usar en P.N.L, son los anclajes. A partir de un estímulo visual, auditivo, kinestésico (movimiento, sensación, sabor, olor), te va a generar automáticamente un estado interno emocional específico. Con la experiencia, todos hemos creado en nuestro cerebro anclajes naturales: es como la magdalena de Proust, un recuerdo o un estado emocional que se asocia a un olor, un sabor, una imagen, un sonido. Proust evoca en su obra *En Busca del Tiempo Perdido* el recuerdo provocado por el sabor de una magdalena mojada en un té. En ese momento preciso, en el cerebro de Proust se asociaron emoción y olfato, ambos ubicados en el sistema límbico. Y a ti, ¿qué te evoca el sabor al limón? ¿La sirena de una ambulancia? ¿La textura de un hielo? Si bien a Proust le llegó de manera espontánea en ese momento preciso, tú puedes crear nuevos anclajes de modo consciente para acceder a recursos emocionales, que te pueden ser útiles en situaciones y así mejorar tus resultados. El anclaje se produce en un evento único asociado a una emoción fuerte, o bien la asociación se da por repeticiones.

El estímulo que llega debe alcanzar un cierto umbral de estimulación y tener cierta fuerza sináptica para que las neuronas sigan transmitiendo las señales hasta llegar al cerebro y desencadenar una respuesta.

En resumen, el anclaje que vas a realizar de manera consciente, es un elemento disparador (o estímulo) que asocias a una respuesta deseada (estado emocional o mental) que traes al momento actual, de modo que una nueva ruta neuronal se crea y hackea el estado emocional anterior al anclaje. Esto sucede especialmente porque en los momentos en que se realiza el anclaje, cuando tomamos consciencia y nos adentramos en la emoción que queremos anclar, entramos en una onda cerebral de apertura, relajación, y confianza que facilita revivir este recuerdo y reprogramarlo en la memoria con el elemento nuevo. Ahora te voy a guiar para que creas un anclaje qué puedas aplicar a tu objetivo, como una fuerza atractora.

1. Un ancla puede ser un sonido, un toque, una imagen. Para hacerlo más fácil en ese nuevo entrenamiento para ti, te invito a que determines una parte de tu mano donde deseas hacer el anclaje, mediante una presión, o un gesto que no sueles hacer y que sea poco visible. Ese lugar del anclaje tiene que ser especifico, un lugar que no sueles estimular. Por ejemplo, puedes elegir apretar con cierta presión la segunda falange de tu dedo índice, con el pulgar y el dedo índice de la otra mano. La presión debe ser algo más fuerte que una a la cual podrías estar acostumbrado, sin llegar a estar molesto.
2. Elige el estado interno o recurso que deseas alcanzar (ejemplos: confianza, seguridad, alegría, voluntad, dinamismo).
3. Asegúrate de estar en un entorno tranquilo y seguro, y conecta con una experiencia agradable de tu pasado en la cual experimentaste intensamente el estado interno positivo deseado (recurso) en relación con tu objetivo. Ahora que la tienes identificada, en los próximos pasos, vas a

adentrarte más en la vivencia del recuerdo. Lo que debes tener claro es que vas a disparar el anclaje, es decir presionar y crear el estímulo únicamente cuando el recuerdo de tu experiencia pasada positiva esté a su culmine.

4. Cierra los ojos, vive de nuevo esa experiencia con todos sus detalles, como si la vivieses de nuevo aquí y ahora hasta sentirla en todo tu cuerpo: Mira lo que mirabas, observa los colores, las formas, los tonos. Escucha los sonidos, las voces internas o externas. Siente las sensaciones, los olores, los sabores, las texturas, la temperatura, que se producen en esta experiencia. Tal vez estés solo, tal vez estés acompañado. Puedes amplificar los sonidos, los olores, las imágenes para hacerlos aún más real, como si fuese aquí y ahora, y quédate allí. Debes estar al 100% asociado a la experiencia, en todo tu organismo.
5. Cuando estés experimentando el momento más intenso del recuerdo, como si fuese real, realiza el anclaje y quédalo presionado durante unos diez segundos, para que la nueva ruta neuronal se quede impresa.
6. Abre los ojos y haz una corta interrupción. Puedes repetir el proceso varias veces para reforzar el anclaje y por lo tanto la nueva ruta neuronal. El Dr. Donal Hebb dice que «Las neuronas que se activan juntas, permanecen conectadas».
7. Ahora que has desconectado un poco del estado emocional, dispara voluntaria y físicamente el ancla. Calibra si reaparecen los mismos sentimientos positivos que los de tu experiencia asociada. Si no hay efecto desencadenado, puedes repetir el proceso entero con otra experiencia distinta, congruente con el estado asociado.

El feedback (retroalimentación) que he recibido de mis clientes en sesiones personales como de personas que asistieron a los talleres que he dado sobre esa misma temática de la neurociencia aplicada a la motivación para la recuperación del poder personal, indica que la mayoría de las personas sienten que este ejercicio del anclaje les permite reconectar mejor con sus recursos internos (como la seguridad en sí mismos, la serenidad, el enraizamiento), y suele ser un ejercicio que han podido repetir en otros contextos, con otros recursos. Y debo decir también que algunas madres reconocieron haber realizado la práctica con sus hijos, y tuvieron muy buenos resultados.

Ahora que has podido transformar tus obstáculos en un recurso que te ayuda a acercarte a tu meta, te voy a guiar para que puedas aclarar y definir tu objetivo de manera específica, medible, alcanzable, realista, congruente, y con intención positiva.

¿Qué es lo que realmente deseas conseguir? Recuerda que solamente puedes actuar en lo que depende de ti. Lo demás son variables que pueden impactar y que deberás tomar en cuenta para medir lo alcanzable o realista que es tu objetivo.

Proyéctate en el futuro e imagina que ya has conseguido tu objetivo o el resultado buscado. ¿Cómo sabes que lo has conseguido? ¿Qué está ocurriendo? ¿Qué es lo que ves? ¿Hay algún sonido, voz interna o externa, ruido, música? ¿Cuáles son tus sensaciones internas, olores o sabores que percibes, texturas o temperaturas que sientes? ¿Dónde te encuentras? ¿Estás solo o acompañado?

Ahora que tienes la escena de lo que deseas alcanzar, ¿para cuándo quieres alcanzarlo? ¿En qué mes y año, para que tengas tiempo de poner las acciones suficientes a su realización, sin estar demasiado lejos en el tiempo para que sigas motivado por el objetivo? Reformula tantas veces tu objetivo como sea necesario para que su alcance en el tiempo impartido y su formulación sean fuertemente motivadores para ti. Formula en una frase muy corta, de preferencia en cinco palabras, para que así guardes el foco en lo más esencial.

Al alcanzar tu objetivo, ¿qué ganas? ¿Qué pierdes? ¿Qué ocurre si NO lo consigues? ¿Qué ocurre si lo consigues? ¿Qué NO ocurre si consigues este objetivo?

¿Qué podría impedirte alcanzar el objetivo? ¿Hay algún obstáculo o resistencia? ¿Qué recurso de los que ya dispones, necesitas para conseguirlo? Tal vez haya otros obstáculos que hayas determinado en el ejercicio anterior y que puedes transformar en una fuerza de atracción, en un recurso interno potente.

Para alcanzar tu propósito, además de los valores primordiales que has determinado más arriba, ¿qué comportamientos, capacidades, creencias necesitas?

Cumpliendo con tu objetivo, ¿qué personas o áreas de tu vida están afectadas? ¿Qué proyecto u otro objetivo se puede ver impactado?

Del 1 («nada») al 10 («muchísimo»), cómo de motivado y comprometido con tu objetivo te sientes:

- ¿En las tripas? Explora tu objetivo, con esa formulación en cinco palabras, y observa, escucha, siente la respuesta que te está llegando desde las tripas, desde ese segundo cerebro del cuerpo.
- ¿En el corazón? Explora ahora tu objetivo desde el corazón.
- ¿En tu cabeza? Explora ahora tu objetivo desde la cabeza.

Si en alguno de esos tres centros, tu nota es inferior al 7 sobre 10, pregunta a tus tripas, tu corazón, o cabeza, qué es lo que necesita para alcanzar una nota de 10/10.

¿Realmente quieres conseguir este objetivo?

Ahora que has aclarado cómo, cuándo, dónde, con quién deseas obtener esos resultados, puedes animarte también a visualizar las tres etapas necesarias entre hoy y tu objetivo, y así empezar con una planificación realista de tu nueva realidad.

Estamos ya llegando al final del capítulo. Gracias a las investigaciones sobre la neuroplasticidad, hemos visto que los pensamientos y el poder de la mente son claves e influyen la estructura cerebral. Por ello, debemos tener un mayor autocontrol, reconectar con nuestro poder interno, y cuidar la manera en la cual formulamos nuestros objetivos.

Sin duda, esos mismos estudios neurocientíficos me dieron también una explicación comprobada del poder de la visualización que realizamos en el campeonato de Francia de gimnasia rítmica, una visualización que envió informaciones al cerebro y generó respuestas adecuadas del conjunto del cuerpo, para que podamos ejecutar la secuencia lo más perfecto posible, y alcanzar así unos resultados muy por encima de los cuales estábamos acostumbradas. Del mismo modo, la neurociencia me aclaró sobre los sistemas de recompensa, que premian los comportamientos que nos llevan al cumplimiento de nuestras metas, así como sobre el funcionamiento de las áreas cerebrales que se orientan hacia la evitación o el acercamiento de dichas metas.

Esta perspectiva ha reforzado mi creencia en que los ejercicios de PNL, de hipnosis, o coaching han tenido un alto impacto en mi vida personal para cambiar mis hábitos, comportamientos, capacidades, o creencias. Una de las experiencias más impactantes de mi vida ha sido una mañana exponer en clase de PNL con mi maestro Gustavo Bertolotto, mi fobia "descontrolada" al agua, que me provocaba comportamientos y hábitos de alejamiento por creencias equivocadas. Después de varios ejercicios, he ido reprogramando mi cerebro hacia el acercamiento a un estado de serenidad en el agua, imaginándome nadar con paz, aportándome recursos interiores de seguridad, para que todo mi cuerpo se preparase al mayor cambio de mi vida: entrar en el agua donde no tenía pie, con confianza. Y así fue, ochenta alumnos me siguieron hasta la piscina, con cámaras en mano. En vez de estar en la evitación del agua, todo mi cuerpo estaba respondiendo a esta nueva estructura cerebral que ya no veía el agua como una amenaza sino como un placer. Entré con un sentimiento de seguridad, me dejé abrazar por el agua, flotando en ella.

Ese cambio fue tan generativo que meses después he podido subir a un velero, hacer surf, o hasta hacer un bautismo de buceo, además de darme cuenta de todas las estrategias de evitación que había desarrollado mi cerebro con el agua para "mantenerme a salvo". Son esas experiencias espectaculares que me provocaron positivos cambios en mi vida, que me animaron a compartir los conocimientos y vivencias que he tenido, para poder impactar positivamente la vida de los demás.

Más del 60% de las personas que realizaron esos mismos ejercicios en talleres que lideré, indicaron que eso les ayudó a subir su autoestima, a reconectar con recursos internos, a mejor entender el funcionamiento de su cerebro para hackearlo y poner sus recursos internos en beneficio de sus objetivos.

Nelson Mandela decía que «Todo parece imposible hasta que se hace». Todos los sueños se pueden hacer realidad, y más aún cuando sabemos que para el cerebro, hay poca diferencia entre la imaginación y la acción. Los límites no están en el mundo, sino que están en la percepción, la interpretación, las palabras, con que construimos nuestra realidad.

Así que cuida de lo que imaginas, se podría volver realidad.

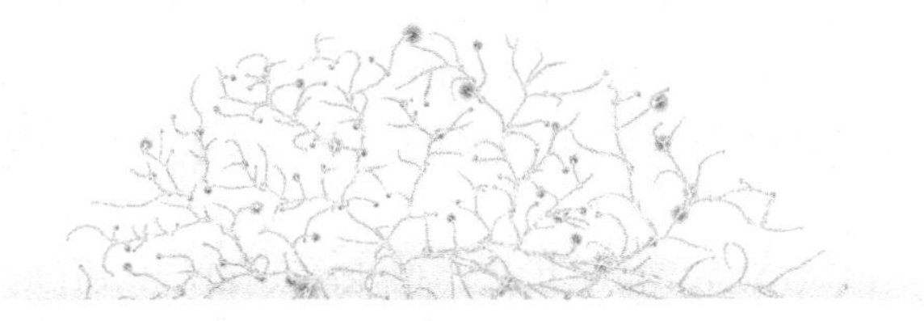

Ewa Jastrzebska

Semblanza

Ewa Jastrzebska es fundadora de la Academia INTG City, donde enseña a desarrollar las habilidades extrasensoriales y personales, gracias a su don de visión áurica y videncia desde nacimiento y su formación que incluye cincuenta y dos técnicas relacionadas con la medicina holística como hipnosis, meditación y relajación, programación neurolingüística, coaching ontológico, neurociencia y neuro entrenamiento, psicología, inteligencia emocional, acupuntura y medicina china, bioenergética, biomagnetismo, misticismo, y espiritualidad, entre otros.

Durante seis años, Ewa Jastrzebska colaboró en el programa matutino de Radio Libertad FM en Madrid. También es una conferenciante en Mindalia TV y ha sido entrevistada por varias organizaciones de desarrollo personal. Está comprometida en investigar y ensayar dentro de la psicología, parapsicología, y habilidades psi para cumplir su propósito de implantar nuevos sistemas de aprendizaje desde la infancia.

Intención

Mi intención es que reflexionemos juntos y redescubramos nuestras posibilidades como seres humanos, más allá de las habilidades comunicativas, emocionales o de emprendimiento, y que, desde mi humilde visión, consideremos otro punto de vista sobre las capacidades psíquicas ocultas.

TÚ TAMBIÉN TIENES CAPACIDADES OCULTAS

> *«Todos tenemos capacidades extrasensoriales desde nacimiento y la neurociencia puede ayudarte a volver a activarlas».*
>
> **—Ewa Jastrzebska**

Querido lector, mientras lees estas líneas, antes de que te acomodes en tu sillón preferido, te sugiero que tengas a mano papel y bolígrafo para tomar apuntes o subrayar los textos sobre los que quieras reflexionar o que te sorprendan.

También es recomendable tener un pañuelo de papel o una servilleta, o en su defecto, una camiseta de manga larga de algodón, por si se te escapa alguna lágrima. Hablaremos de tu madre y el comienzo del todo y eso puede que sea un tema sensible para ti.

Y por último, te sugiero que tengas tu teléfono móvil cerca. Es posible que te sorprendas ante esta última sugerencia, pensando «¿Para qué quiero mi celular al lado mientras disfruto de la lectura de temas interesantes? ¡No pienso llamar a nadie!».

Sin embargo, mientras compartimos reflexiones y datos de la neurociencia, es muy probable que en algún momento pienses en alguien, y esa persona te llame o te escriba poco después. Puede que hayas experimentado este fenómeno anteriormente y lo hayas atribuido a la casualidad. La «santa casualidad»; quizás algún día le pondrán un templo.

Otro fenómeno que seguro ya tendrá sus seguidores o quizás hasta asociaciones es el de «ya sabía yo». Por ejemplo, cuando hayas conocido a alguien que te causó mala impresión sin motivo aparente, o cuando ya sabias que ese negocio acabaría fatal. ¿Te ha pasado alguna vez?

Y permite que mencione otro de tantos fenómenos, el que se llama «mi madre». Mi madre—sé la tuya, pero la mía funciona así—me llama siempre cuando tengo dolor de cabeza, o me ha pasado algo, o estoy con un constipado o por algún asunto me encuentro preocupada. Aunque esté a tres mil kilómetros, ella se lo huele todo. Quizás para algunas personas ese fenómeno se llamaría «mi novia» pero aquí no importa el quién, sino qué fenómeno es, cómo funciona, y ya después le pondremos un nombre.

La neurociencia es una rama que me fascina de las ciencias, que estudia el cerebro y el sistema nervioso, y cómo estos afectan nuestro comportamiento y nuestras experiencias. La neurociencia ha avanzado significativamente en las últimas décadas, lo que nos ha permitido comprender mejor el funcionamiento de nuestro cerebro y cómo este influye en nuestro comportamiento y pensamiento.

¿Pero, tendrán algo que ver los efectos de «casualidad» y el «ya sabia yo» con el cerebro y las neuronas? ¿Se relaciona la neurociencia con la intuición, la canalización, la visión remota, la videncia, o la telepatía? ¿O quizás se sirven estas capacidades de la neurociencia para poder ejercitarse?

A menudo encuentro personas escépticas sobre las capacidades innatas. Nos han enseñado a confiar solo en nuestros sentidos, en lo que podemos ver, oír, tocar, oler, o gustar. Pero hay más en nuestro potencial humano, un mundo más profundo y vibrante que va más allá de lo perceptible. En estas líneas, reflexionaremos sobre las capacidades extrasensoriales y su relación con la neurociencia. Descubriremos cómo la neurociencia nos ayuda a comprender estas habilidades y cómo podemos aprovecharlas para mejorar nuestras vidas y nuestra comprensión del ser humano y su conexión con el universo.

Mi nombre es Ewa Jastrzebska, tengo ese apellido peculiar porque nací en Varsovia Polonia. Desde mi nacimiento he mantenido la capacidad de visión aural, videncia-premonición, intuición, y viajes astrales. Desde los doce años he colaborado y pertenecido a asociaciones, sociedades, grupos de psiquismo y parapsicología, hermandades de sanadores, etc. A lo largo de los años, he investigado y experimentado con estas habilidades, buscando respuestas a preguntas que la ciencia convencional de los años 80-90 aunque las investigaba, todavía no podía contestarlas, y en las que, francamente, las respuestas de índole espiritual, místico, y religioso no encajaban en mi percepción de los sistemas energéticos y no me convencían nada en absoluto.

Todo lo que percibía con mis ojos y la sumada facilidad de percibir las energías circundantes de cada ser humano, animales, plantas, flores, o cualquier objeto, no lo encontraba en libros de anatomía o biología, ni en psicología ni en catequesis. Reconozco que en algún momento me quedé intrigada por los dibujos de los angelitos y santos con sus aureolas, pero rápidamente lo abandoné pues era un efecto muy limitado comparado con la realidad.

A todo lo que experimentaba con mis ojos, no había ningún sitio, libro o cuadro donde pudiese observar o con lo que lo pudiese comparar. Así pues crecí pensando en mi rareza, y haber crecido en un país comunista y con una madre conocida por su condición política, lo mejor era callar, no destacar, y no levantar sospechas. Compartí mi solitario sentir y ver con mis maestras del colegio, amigas de la infancia, y un padre de la parroquia que teníamos asignada en el colegio, y gracias a él, finalmente, con un grupo de personas que formaban una antigua sociedad de investigaciones parapsicológicas de Voivodato de Mazovia, Polonia.

Recuerdo haberme preguntado una y otra vez por qué algunas personas que parecían honestas y éticas no tenían sus sistemas áuricos desarrollados o lo que me parecían completos y bonitos, mientras que otros, como aquel hombre enorme, alcoholizado y fumando un puro en un bar mientras comía ansiosamente un gran bistec, tenían el aura casi perfecta.

También recuerdo los sueños que tenía y que luego se hacían realidad. Las imágenes se repetían una y otra vez, tanto en sueños como en momentos de vigilia, y finalmente se cumplían. Recuerdo cuando supe que mi perro iba a ser atropellado por un camión, o cuando en una salida con amigas presentí que dos hombres me atacarían y decidí no volver en aquel autobús, decisión que mis amigas por desgracia no tomaron.

Más tarde he podido contestar a todas estas preguntas, y muchas otras en más detalle, y no por teorías budistas o yoghismo, no por religión ni por filosofía, ni por teología; solo la neurociencia me aportó la llave necesaria, a conjuntar el puzle de todo lo que conocía y que sabía cómo usar, pero no cómo funcionaba ni el por qué.

Compartí mis percepciones con algunas personas, pero rápidamente me di cuenta de que no todo el mundo estaba dispuesto a creer en estas habilidades. Y sin embargo nunca perdí la esperanza de rodearme de gente dispuesta a atender la realidad.

A pesar de que la ciencia convencional aún no ha podido explicar completamente estas capacidades, conocidas como habilidades psi o habilidades paranormales y que desde hace muchísimos años están siendo objetivo de exploración de múltiples sociedades, grupos, y asociaciones, algunos investigadores y científicos han comenzado a abordarlas a través de la neurociencia.

«La neurociencia es uno de los campos más emocionantes e importantes de la ciencia moderna. Al estudiar el cerebro, podemos aprender sobre nosotros mismos y nuestra naturaleza humana»
—Dr. Michael Gazzaniga.

Algunas figuras icónicas como Rasputín, Madame Lenormand, Aleister Crowley, Joan Quigley y Élizabeth Teissier han sido contratadas en el correr de la historia, como personas psi para obtener respuestas más allá de la comprensión convencional. Nostradamus también es reconocido como un gran psíquico, y sus profecías han sido utilizadas para explicar eventos históricos sorprendentes. Allison DuBois y Edgar Cayce son otros psíquicos aceptados como tales.

¿Te sorprendería saber que posees habilidades psíquicas igual de increíbles que aquellas personas con dones similares?

Las capacidades extrasensoriales, también conocidas como habilidades paranormales, son aquellas que van más allá de los cinco sentidos y que han sido documentadas en diversas culturas y creencias. Sin embargo, aunque el mundo se empeñe en excluir los cinco sentidos básicos, queriendo adjudicar al sexto estas cualidades, los primeros cinco son un factor principal de nuestras percepciones extrasensoriales, pues en ellos se basará la mente inconsciente para retener la información recogida del exterior y hacer sus «registros» para normalizar las cosas.

Esto se puede observar en nuestras expectativas diarias. Esperamos un día soleado de verano con 30º Celsius al salir a la calle en Madrid. No anticipamos una noche oscura y fría de -10º Celsius. Al lanzar un objeto pesado al aire, esperamos que caiga al suelo y no se disuelva. Sabemos que los perros ladran, pero no esperamos que hablen. Podemos predecir las reacciones de personas cercanas, pero no escuchar sus pensamientos.

Nuestra mente se enfoca en reconocer sólo lo que conocemos y en ver lo que hemos aprendido a esperar.

Esto se debe a que nuestro cerebro busca que el mundo que nos rodea sea constante y predecible, lo que nos brinda gran satisfacción y tranquilidad. El cerebro es un creador de hipótesis, pues esta capacidad le ahorra energía y le brinda seguridad. Sin embargo, esto también puede limitar nuestra capacidad para evolucionar como seres humanos y salir de nuestra zona de confort. Hay una buena noticia aquí, y es que tus sistemas de seguridad antes o después te avisarán y surgirá el reconocer el nuevo fenómeno o la nueva experiencia.

El siguiente acontecimiento ha sido analizado y debatido por historiadores, antropólogos, y psicólogos a lo largo del tiempo. Los más conocidos que se han pronunciado sobre este tema son: Carol Delaney, antropóloga cultural y profesora emérita de la Universidad de Stanford; Kirk Patrick Sale, escritor y profesor de historia; y Charles C. Mann, periodista y escritor.

Ocurrió en las costas americanas durante la llegada de los colonos, fue un fenómeno conocido como «**ceguera cognitiva**». Esto se refiere a la incapacidad del cerebro para procesar información nueva que no encaja con sus experiencias previas.

En el caso de los habitantes de las costas americanas, su cerebro no estaba familiarizado con los barcos europeos, por lo que no los reconocieron como un objeto conocido. Es decir, su cerebro no tenía un marco de referencia para procesar la información visual que recibía de los barcos europeos. Por lo tanto, su mente simplemente los ignoró y no los reconoció como barcos.

La ceguera cognitiva o perceptual fue también estudiada en otros casos como el estudio de Simons y Chabris (1999) conocido como «El experimento del gorila invisible»; el estudio de Mack y Rock (1998), donde investigaron la «ceguera al cambio» en la percepción visual; o el estudio de Neisser y Becklen (1975), donde exploraron la ceguera a los cambios en los contextos visuales en movimiento.

Este fenómeno es resultado de la función del cerebro de crear «marcos de referencia» o «esquemas» a partir de las experiencias previas. A esto se lo conoce como el mecanismo de coherencia, en el que el cerebro se esfuerza por que haya una relación coherente entre nuestra percepción actual, la imagen global de la realidad, y nuestras verdades.

Cuando una persona encuentra algo nuevo, su cerebro busca en su memoria registro de ello para poder asimilarlo y comprenderlo. Si no lo encuentra, el cerebro lo ignora o descarta.

En el caso de los habitantes de las costas americanas, su cerebro no tenía ninguna experiencia previa con barcos europeos, por lo que no pudo encontrar una referencia en su memoria y entonces los descartó. Por lo tanto, tardaron algunos días en reconocer los barcos europeos y procesar su información visual.

El neurólogo Lars Muckli y su equipo ofrecieron evidencia sólida sobre este fenómeno en la corteza visual primaria. Utilizando la imagen por resonancia magnética, demostraron que la actividad en esta área no dependía tanto de los estímulos visuales. Sorprendentemente, el 90% de los potenciales de acción provenían de áreas cerebrales superiores, desafiando la idea de la influencia directa de los órganos sensoriales en las áreas de la corteza sensorial.

En 1999, neurobiólogos estadounidenses descubrieron células específicas en la corteza visual que actúan como «buscadoras de errores» al comparar patrones de señales entrantes con los esperados. Este proceso se conoce como «codificación predictiva».

Estos hallazgos revelan la complejidad y anticipación en el funcionamiento de la corteza visual, donde nuestras percepciones visuales son el resultado de un proceso complejo más allá de la simple recepción de señales en la retina.

Nuestro cerebro constantemente genera hipótesis sobre lo que podría ocurrir a continuación, comparando estas con las señales entrantes de los sentidos. Si las hipótesis se ajustan a las expectativas, se almacenan como enfoques orientativos para el futuro. Si las hipótesis no son adecuadas, el cerebro busca eliminar la discrepancia corrigiendo la previsión o interviniendo para cambiar nuestra percepción. Este modelo funcional se conoce como el «cerebro examinador de hipótesis».

La visión aural interpreta los movimientos de flujos energéticos y campos electromagnéticos que todos los cuerpos poseen, siendo resultado de la información recopilada por los ojos. En personas «áuricas», esta información llega directamente al conocimiento consciente, sin filtros ni preámbulos. Lamentablemente, no viene acompañada de instrucciones o explicaciones, pero espero que algún día se comprenda por completo. Existe una teoría que sugiere que el cerebro registra los flujos y ondas como campos electromagnéticos, para luego representarlos visualmente.

Cuando observo a un recién nacido junto a su madre, no siempre percibo una experiencia visual placentera. En ocasiones, la madre parece absorber energéticamente al bebé, quizás reflejando un apego intenso. Otras veces, algunos padres rechazan a sus hijos recién nacidos y las energías del bebé luchan contra ese rechazo. También es posible percibir a bebés con sistemas energéticos frágiles y limitados, lo cual puede manifestarse posteriormente en graves enfermedades.

Es importante ser conscientes de la ceguera cognitiva y buscar siempre nuevas experiencias y perspectivas para ampliar nuestros marcos de referencia y mejorar nuestra comprensión del mundo que nos rodea.

¿Te imaginas cuantas más sorpresas podría guardar nuestro cerebro? Me entusiasma muchísimo saber que la neurociencia avanza cada vez más a paso firme en profundizar y entender todo lo que esa mágica caja de conexiones neuronales nos ofrece.

Los cinco sentidos y el tanque.

¿Existirá, algún día, una varita mágica que nos tocará la frente y al instante ampliará todos nuestros cinco sentidos y nos presentará a nuestra mente consciente toda la información guardada hasta ahora? ¡Qué cosas, entonces, nos enseñaría nuestro poder mental, nuestro cerebro, que vio o escuchó, que guardó mientras no te permitía verlo!.

Sería entonces correcto decir que pensamos que estamos completamente despiertos, lúcidos, y conscientes, pero que en realidad no nos permitimos despertar u ordenar a nuestro cerebro y mente a que nos enseñen todo lo que guardan.

Estos cinco sentidos captan toda la información y de manera muy rigurosa guardan, encapsulan o hasta cristalizan todo lo que perciben, para luego soltar esa experiencia para que funciones de manera automática.

Nuestras emociones y asociaciones subconscientes pueden influir en nuestras reacciones y comportamientos, incluso cuando no somos conscientes de ello.

Veamos un ejemplo: fue un día de invierno en 1981, cuando tenía seis años, que desde la ventana de la sala vi un tanque militar en la calle. Era la época de la ley marcial en Polonia.

Aunque «sentía» que nada malo iba a ocurrir, tenía una preocupación y le pregunté a mi madre si debía ir al colegio y cuántos días podría quedarme en casa. Quería prolongar mi estadía. Lo que sucedió después dejó una marca imborrable en mi memoria. Junto a mis padres, atónitos en la ventana, observamos cómo el tanque se movía unos metros más adelante, ajustando su cañón lentamente y apuntando directamente a nuestras ventanas. Permaneció así durante horas.

Mi madre, con voz serena pero impactante, instó a mi padre a ir urgentemente a la tienda y comprar todo lo que pudiera encontrar. Las tiendas solo tenían pepinillos encurtidos y vinagre, y en días de suerte quizás había harina. Los vi correr por la casa, hablar con los vecinos, guardar ropa en mochilas, y escuché el sonido de las botellas de vinagre, una de las cuales se derramó y dejó un olor persistente en la cocina. Mis padres habían vivido durante la ocupación nazi y habían reconstruido el país después de la guerra. Estaban acostumbrados a la escasez y las raciones de alimentos. Su preocupación y su reacción eran naturales.

Hoy en día, cuando veo una película o las noticias y escucho el peculiar sonido de un tanque en movimiento, experimentó una sensación abrumadora de escasez y peligro. Ese sonido en particular despierta una urgencia y necesidad, y también me trae el frío recuerdo de aquel día. A primera vista, podría parecer que siento temor por la situación en sí y las posibles consecuencias, pero en realidad mi temor está arraigado en la escasez y la reacción de mis padres, que quedó grabada en mi mente.

Ocho años después, al ver las noticias y escuchar los tanques desplazándose con su peculiar sonido, experimenté nuevamente mi reacción encapsulada: sudores fríos, náuseas, y mareos. Hasta el día de hoy, los tanques me provocan esa sensación particular e incluso un rechazo increíble. Sin embargo, esa sensación de angustia no se compara con la forma en que mi cuerpo reacciona al olor del vinagre polaco, que aún hoy no encuentro palabras para describir. Aquel vinagre derramado en la cocina se suma a toda la situación y permanece en mis recuerdos.

Esta historia es solo un ejemplo de cómo nuestras experiencias pasadas pueden influir en nuestro comportamiento y pensamiento actual, incluso de manera subconsciente. Tuve suerte de no experimentar más situaciones relacionadas con el ámbito militar. No puedo ni imaginar cómo serán las mentes de aquellos niños que sí han vivido ese tipo de experiencias.

¿Crees que en aquel incidente sólo percibí el sonido del tanque y el olor del vinagre? También pude haber registrado los gestos inconscientes de mis padres, las micro muecas faciales, los movimientos de los sistemas energéticos, el tono de voz y la frecuencia de sus emisiones, así como los olores de las hormonas que producían. Tal vez incluso podría haber captado los pensamientos que acechaban sus mentes. Sin embargo, todos esos registros quedaron encapsulados y protegidos, esperando la orden de ser liberados o de hacerse conscientes.

¿Te imaginas cuántas experiencias viviste y registraste a esa profundidad, sin ser conscientes de ello, y cuántas decisiones tomaste en base a alguna información encapsulada en el subconsciente?

El estudio de la neurociencia es crucial para entender cómo funciona nuestro cerebro y cómo se relaciona con nuestras emociones, pensamientos, y comportamientos. Además, la neurociencia también nos permite comprender mejor nuestros impulsos, reflejos, y ya puestos nuestros antes mencionados «ya sabía yo».

Esos «ya sabía yo» que esta persona no es la indicada, o que nos va a fallar, ya sabía que iba a llover. O en el mejor de los casos nos decimos «Mi intuición me dice que esta persona miente», o intuimos que algo malo va a pasar.

Vivimos en una era de engaño, donde nos consideramos despiertos pero en realidad estamos dormidos. Aunque tenemos acceso a internet y a la inteligencia artificial, no aprovechamos su potencial al máximo. La sobreabundancia de ofertas de formación y personas dispuestas a vender cualquier cosa nos bombardea a través de nuestras pantallas y nuestra mente. Nos encontramos confundidos, sin saber cómo etiquetar cada experiencia.

¿Es mi intuición o acaso videncia cuando siento que alguien no es confiable? ¿Puede ser que mi cerebro registre más información sobre esa persona sin que mi mente consciente sea consciente de ello? Si visualizo imágenes de episodios pasados o futuros, ¿es intuición o videncia? Si percibo un halo de luz blanca alrededor de las personas, ¿es visión aural o simplemente la capacidad de ver el campo electromagnético que todos poseemos?

Hoy en día, por lo menos en los círculos que yo habito, está muy clara la influencia de las habilidades psíquicas solo por mencionar algunas; veamos las tres siguientes.

La **telepatía** es un fenómeno paranormal que implica la comunicación directa entre mentes sin usar los sentidos físicos habituales. Existen distintos tipos de telepatía, como la espontánea, la inducida, y la animal. Por otro lado, la **clarividencia** es la capacidad de recibir información sobre objetos, eventos, o situaciones distantes en el espacio o en el tiempo. No debe confundirse con **la videncia**, que implica la visualización de imágenes del pasado, presente, y futuro. También existe la **visión remota**, una habilidad fascinante que permite «ver» lugares, personas, u objetos en cualquier parte del mundo, incluso en otros planetas, sin estar físicamente presentes. Se cree que está relacionada con la percepción extrasensorial y el uso de habilidades psíquicas para obtener información sobre objetos o eventos lejanos.

Fíjate en el siguiente caso, muy investigado, de las famosas cartas Zener. Si ya oíste hablar sobre ello, lo ubicas como el experimento de la telepatía. Sin embargo, el estudio que llevo realizando diez años con los alumnos de mi academia, me muestra una opción diferente. La investigación de cartas Zener se llevó a cabo en la década de 1930 por el psicólogo Karl Zener y el parapsicólogo Joseph B. Rhine de la Universidad de Duke en Estados Unidos. El estudio se centró en el uso de cartas con cinco símbolos diferentes (círculo, cuadrado, cruz, estrella, y onda) para estudiar la percepción extrasensorial o telepatía. Se les pedía a los sujetos que adivinaran el símbolo en una carta que se había elegido al azar por un experimentador. Los resultados mostraron que los participantes adivinaban correctamente la carta a una tasa mayor de lo que se esperaría por pura casualidad. Los investigadores concluyeron que esto era evidencia de telepatía y hoy los científicos corrigen llamándolo percepción extrasensorial.

Bueno, esto es un gran resumen del caso. Teniendo en cuenta la habilidad que he mencionado antes, a ese tipo de percepciones se les podría asignar perfectamente la diagnosticada telepatía, pero también la visión remota o videncia. ¿No crees? Y ya puestos podrían estar funcionando en la percepción de las cartas las tres capacidades juntas, dado que surgen muchos casos, y más habituales de lo que imaginas, de personas que usan estas habilidades constantemente, pero sin darse cuenta. Te lo explicaré más abajo.

El efecto «mi madre»

¿Alguna vez has oído hablar de la fascinante investigación sobre la conexión extraordinaria de los gemelos? En 2008, un equipo liderado por el Dr. Rupert Sheldrake llevó a cabo un experimento que analizó la capacidad de comunicación de los gemelos. Diez pares de gemelos idénticos fueron separados y aislados en habitaciones diferentes, mientras se colocaron electrodos en sus cuerpos para medir su actividad eléctrica cerebral.

Durante el experimento, se mostró a uno de los gemelos una serie de imágenes y se midió su actividad cerebral en respuesta a ellas. Lo interesante es que, incluso cuando los gemelos estaban aislados y no podían comunicarse verbalmente, se encontró que la actividad cerebral del gemelo no expuesto a las imágenes se sincronizaba con la del que sí estaba expuesto a ellas. Este experimento sugiere que los gemelos idénticos pueden tener una conexión psíquica que les permite comunicarse de manera no verbal a un nivel más profundo de lo que se pensaba posible.

De hecho, investigaciones posteriores han demostrado que los gemelos experimentan las mismas sensaciones corporales y pueden percibir el malestar o el bienestar del otro.

¿Por qué solo enfocarnos en los gemelos cuando hay una conexión aún más cercana y significativa entre los seres humanos que debemos considerar? Nuestra primera conexión humana, la conexión con la que todos nos conectamos sin necesidad de tener un gemelo.

¿Alguna vez te has preguntado sobre la conexión mágica entre una madre y su hijo?

La conexión energética madre-hijo es una de las cosas más increíbles que podemos presenciar a nivel áurico. Las conexiones e influencias energéticas entre las personas son un espectáculo visual. Lo mismo ocurre con las parejas enamoradas, pero la relación madre-hijo es única y especial.

Desde el momento de la concepción, existe un vínculo invisible que une a una madre con su hijo y va más allá de lo físico. Ella te proporciona nutrientes, escuchas por primera vez su latido de corazón, lloras, duermes, y te desarrollas con ella. Es una conexión emocional, psíquica y espiritual que se establece incluso antes de ver la luz del día.

Durante el embarazo, la madre experimenta una amplia gama de emociones que dejan su huella en el hijo. Ya sea felicidad, tristeza, ansiedad, o miedo, todas estas emociones se manifiestan en el cuerpo de la madre a través de hormonas y químicos que se transmiten a través de la placenta y llegan al hijo. Aunque no seamos conscientes de ello, nuestro cuerpo reacciona a estas emociones y hormonas desde el principio, incluso influyendo en nuestras habilidades para manejar emociones en la vida adulta.

¿Y qué ocurre cuando finalmente nacemos? El vínculo entre madre e hijo se fortalece aún más. Es ese primer contacto piel con piel, ese primer abrazo, ese primer beso, lo que nos conecta a un nivel profundo e inefable. La investigación ha demostrado que el contacto físico entre madre e hijo puede influir en la liberación de hormonas como la oxitocina, conocida como la hormona del amor, lo que aumenta la sensación de bienestar y la conexión emocional entre ambos.

Pero la conexión madre-hijo no se limita solo a lo físico. Muchas madres han experimentado la telepatía o la intuición con respecto a sus hijos, incluso cuando están separados por grandes distancias. Pareciera que pueden sentir lo que está sucediendo en la vida de sus hijos y viceversa. Aunque este efecto es bien aceptado en el caso de los gemelos, en cambio, nos cuesta aceptar que también ocurre de manera natural y lógica con nuestra madre, ese efecto que mencioné antes: «mi madre».

Esta conexión se extiende incluso al campo energético del cuerpo, conocido como el aura. Los bebés y los niños pequeños son especialmente sensibles a las energías de sus padres y pueden ser influenciados por sus emociones y pensamientos.

En realidad, esta conexión es bidireccional y no importa si conocemos a nuestra madre biológica o no, como lo ha demostrado la investigación con gemelos separados. Podemos comunicarnos con ella a nivel celular, conectar con ella a distancia, y percibir su estado, su dolor, y sus pensamientos.

Dependimos por completo de nuestra madre y sus células para nuestro desarrollo. Vivíamos y crecíamos como bebés felices, ajenos a los problemas y preocupaciones. Siempre teníamos todo lo que necesitábamos: bebida, comida, y una temperatura agradable. El ruido no nos molestaba porque llegaba a lo lejos, el frío no nos afectaba porque estábamos en un clima ideal. La luz parecía más intensa que en cualquier otro momento. Siempre estábamos satisfechos con el aporte nutricional. Era como estar en un paraíso terrenal de estrellas. Nuestra madre fue la clave, por supuesto. Ella nos gestó y protegió durante nueve largos meses. Pero también nos transmitió una serie de señales y mensajes que pudimos captar e interpretar de alguna manera.

¿Cómo se comunica la madre con su hijo antes de nacer? ¿Cómo puede el bebé entender y responder a sus estímulos, incluso sin haber desarrollado aún la capacidad de hablar, oír, o ver? Se dice que el bebé puede escuchar a la madre a través de cinco sentidos: el latido del corazón, las hormonas maternas, la frecuencia cerebral, el tono de voz, y posiblemente a través de una comunicación telepática. Aunque la neurociencia no ha confirmado completamente esta última afirmación, hay numerosas sesiones de hipnosis regresiva que lo respaldan. Todo esto permite al bebé desarrollar un sistema de comunicación antes de nacer, que le ayuda a sobrevivir y adaptarse a su entorno. Este sistema de comunicación, a menudo pasado por alto, le permite percibir múltiples señales de su entorno. Mientras el bebé crece y se desarrolla en el vientre de su madre, se forja una conexión única entre ambos.

«La comunicación entre una madre y su hijo es un proceso continuo que comienza en el útero y se extiende a lo largo de toda la vida del niño».

—Dr. T. Berry Brazelton

«La conexión entre una madre y su hijo es una de las fuerzas más poderosas en la naturaleza. Es la base para el desarrollo emocional y la resiliencia del niño».

—Dr. Jack P. Shonkoff

Cierra los ojos por un momento y piensa en tu madre. Sea quien sea, como sea, donde sea, envíale un abrazo de gratitud por haberte dado la vida y por acompañarte durante los nueve meses de tu desarrollo humano más importante. La conexión que compartes con tu mamá es tan personal y profunda que trasciende la telepatía y perdura a lo largo del tiempo. Intentar definirla con la palabra «telepatía» resulta insuficiente para capturar su verdadera naturaleza y magnitud.

La súper máquina bebe.

La telepatía es una capacidad que se activa antes de nacer y a menudo no somos conscientes de ella. Junto con la intuición, desarrollamos la habilidad de tener una sensación de «ya sabía yo» que nos permite predecir situaciones. Pero, ¿por qué parecemos perder estas fascinantes habilidades? ¿Por qué no las dominamos como las famosas personas videntes de la historia? ¿Por qué no reconocemos o recordamos haber tenido estas capacidades? ¿Y por qué algunas personas las mantienen o las activan más tarde?

Sigamos el recorrido del bebé que vivía en un estado de máximo placer. Para no entrar en detalles técnicos, imagina al bebé en Bahamas, con una pulsera «todo incluido» que cumplía todos sus deseos. Pero tras abandonar el placentero descanso del vientre materno, llega el primer trauma. La temperatura ya no es agradable, no escuchamos el latido reconfortante de nuestra Gran-diosa-madre. Las luces y los sonidos abruman nuestros sentidos, mientras el llanto de otros niños resuena en nuestro cerebro. Alguien frotando nuestra piel también nos incomoda. Ya no hay comida, bebida, ni hamaca en la calurosa Bahamas. Además, nuestros brazos y piernas sienten la desconocida gravedad.

Los primeros años de vida son cruciales para el cerebro y la formación de la personalidad. Durante los primeros dos años, un bebé experimenta un rápido desarrollo neuronal, generando alrededor de 100 billones de conexiones, ¡equivalentes a 95 millones de conexiones por segundo! La supervivencia es una función esencial del cerebro, que se enfoca en adquirir habilidades para sobrevivir, como alimentarse, regular la temperatura, percibir el dolor, y detectar peligros en el entorno.

El placer y las funciones esenciales del cerebro del bebé, como la búsqueda de seguridad, alimentación, atención y exploración, son cruciales para su desarrollo saludable. Estas funciones se complementan, ya que el placer impulsa al bebé a aprender y adquirir habilidades necesarias para sobrevivir, evolucionar, y disfrutar. Sin embargo, algunas capacidades como la visión periférica, la visión ciega, la mediumnidad, y la intuición pueden no ser utilizadas o resultar divertidas para el bebé, ya que el cerebro se desarrolla y aprende en función de lo que le proporciona beneficios. Estas capacidades pueden guardarse para ser activadas más adelante, cuando el bebé sea consciente y autónomo. Es interesante destacar que durante la adolescencia, con su explosión hormonal, estas capacidades también pueden resurgir.

¿Cuántos somos?

¿Cuántos bebés son capaces de mirar hacia el techo con una sonrisa, tratando de alcanzar algo invisible para los adultos? ¿Cuántos de ellos giran alegremente la cabeza al ver la foto de un padre o madre fallecidos, señalando un espacio vacío en la casa? ¿Cuántos niños y niñas juegan con amigos invisibles en sus cocinitas, sirviendo café en tazas de plástico? ¿Cuántos relatan historias de personas que les hablan o comparten experiencias de familiares difuntos que no están contentos con ciertas situaciones familiares? ¿Cuántos adolescentes exploran los sueños lúcidos y los viajes astrales, deseando continuar experimentando con recursos limitados? ¿Cuántos adultos atribuyen las «casualidades» de la vida a su intuición y dicen «ya sabía yo» o comentan lo oportuna que es la llamada de su madre en los momentos de mayor necesidad? ¿Cuántas veces hemos visualizado algo y luego ha sucedido, llamándolo «destino»?

La conexión entre gemelos idénticos y entre madre e hijo ejemplifica la complejidad y grandeza de nuestra naturaleza humana, resaltando la importancia de la conexión emocional y energética en nuestras vidas. Estas habilidades forman parte integral de nuestra identidad, y al aprender a utilizarlas, podemos acceder a un potencial increíble. Únete a miles de personas en esta emocionante aventura de la neurociencia, descubre tus capacidades y desbloquea nuevas posibilidades para aprender y resolver desafíos.

«La curiosidad es el motor de la ciencia, y solo aquellos que se atreven a explorar lo desconocido pueden hacer descubrimientos revolucionarios».

—Stephen Hawking

La neurociencia es una ciencia asombrosa que nos conecta de manera profunda y significativa con nuestra humanidad. Aunque algunos puedan pensar que está en conflicto con las capacidades extrasensoriales, nada podría estar más alejado de la verdad. Nos muestra nuestra grandeza al permitirnos ser conscientes de nosotros mismos y de nuestro entorno, reflexionar sobre nuestros pensamientos y comportamientos, cuestionar nuestras motivaciones y creencias, y tomar decisiones conscientes sobre cómo vivir nuestras vidas.

«La ciencia es un campo de posibilidades infinitas, donde cada descubrimiento es un paso hacia el futuro».

—Neil deGrasse Tyson, (astrofísico, divulgador científico, escritor)

Es hora de dejar atrás la falsa espiritualidad y el misticismo que nos han alejado de nuestra verdadera esencia humana. El meditar todo el día o ahumar la casa de inciensos, el vestirnos de ropajes blancos, ni asegura ni hará posible volver a las conexiones extrasensoriales. Al unirnos a la neurociencia, al aprender a aprovechar al máximo la capacidad de nuestro cerebro, entender nuestra psique y atender a manejar nuestras emociones, podemos completar el puzle de lo que significa ser verdaderamente humano con todo su esplendor.

«Todos tenemos capacidades extrasensoriales desde nacimiento, solo que nadie nos enseñó cómo mantenerlas activas».

—Ewa Jastrzebska

Publicaciones recomendadas:

«Explorations in Consciousness»: una exposición organizada por el Instituto de Estudios de la Consciencia en Londres, que incluye investigaciones sobre sueños lúcidos, viajes astrales, y experiencias fuera de cuerpo.

«The CIA's Remote Viewing Program»: un artículo publicado por la revista Time en 1995 que reveló la existencia de un programa secreto de investigación de la CIA sobre la visión remota.

«Lucid Dreaming: The Paradox of Consciousness During Sleep»: la paradoja de la consciencia durante el sueño, un artículo de investigación publicado en la revista Scientific American en 1992 que describe el fenómeno de los sueños lúcidos y su relación con la consciencia.

«The Ganzfeld Procedure and Psi Research»: un artículo publicado en el Journal of Parapsychology en 2001 que describe la investigación sobre la telepatía y la clarividencia utilizando el procedimiento Ganzfeld.

«Out-of-Body Experiences and Brain Zapping»: un artículo publicado en la revista Nature en 2002 que describe una investigación que utiliza la estimulación eléctrica del cerebro para inducir experiencias fuera del cuerpo en sujetos de prueba.

«Psi Phenomena and the Brain: A Review of the Neural Mechanisms»: un artículo publicado en la revista Consciousness and Cognition en 2012 que examina la literatura científica sobre los mecanismos cerebrales subyacentes a la telepatía, la clarividencia y la precognición.

«The Neurobiology of Extrasensory Perception»: un artículo publicado en la revista Neuroscience & Biobehavioral Reviews en 2014 que revisa la literatura científica sobre las bases neurales de la percepción extrasensorial, incluyendo la telepatía y la clarividencia.

Además, David J. Lewis, publicó un artículo en la revista Journal of Parapsychology en 1986 titulado «The Parapsychology of 'Intimate' Twinship».

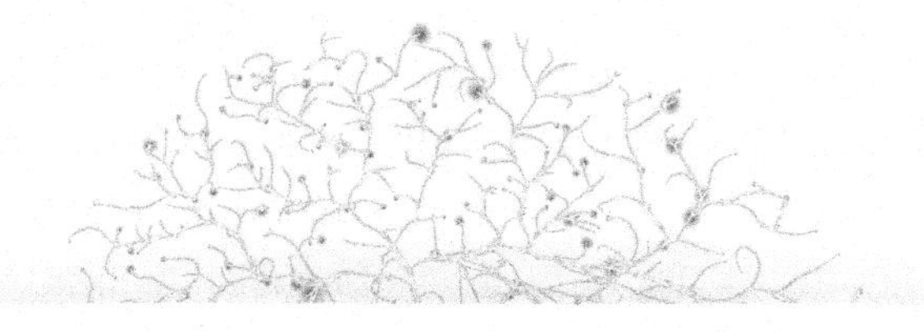

Héctor Puche

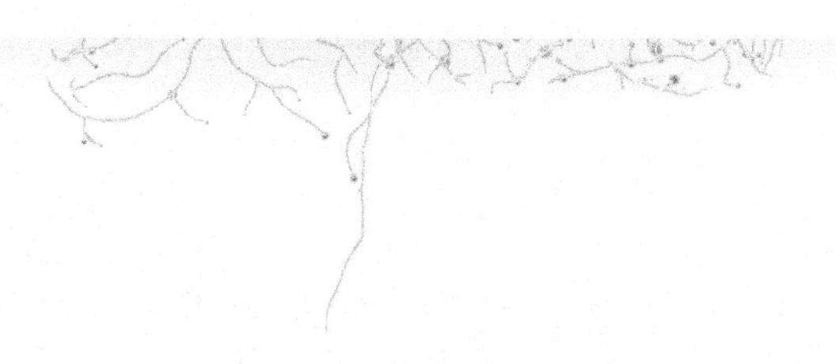

Semblanza

Héctor Puche García es investigador y mentor sobre el Desarrollo de la Consciencia Humana.

Lleva diecisiete años analizando comportamientos en personas, siendo él su primer sujeto de estudio.

En el 2014 entró a estudiar Neurociencia en Ane International, con el deseo de complementar su educación en psicología, sociología, filosofía y teología que inició en el 2001.

Es Presidente de la Fundación Budhi, creador del programa Beamazon. CEO de Humansvalley y creador de la Certificación Internacional en Autoliderazgo «Mentor de Mentores».

Autor de los libros: El viaje del Elefante - ¿Gallina, Yo? - La hormiga Influencer y Las Alas del Escarabajo.

Coautor y coordinador de varios libros de Líderes que Inspiran.

Miembro de la Academia de Neurociencia e Investigación en España. Es TEDx Speaker en el 2021 y ha impartido conferencias en Canadá, Estados Unidos, México, Panamá, Colombia, Venezuela, Ecuador, Perú, Bolivia, Chile, Argentina, Portugal, España y Alemania.

Es uno de los veinte expertos del mundo en la herramienta Neuroquotient®.

Intención

Quiero darte una esperanza, con evidencia científica, de que todas las personas, si así lo desean, pueden aumentar sus recursos mentales y lograr vivir con menos caos en sus relaciones internas y externas. A veces no solo hay que desear mejorar, es necesario saber qué botones accionar y en qué momento para producir una reacción en cadena.

PRODUCE TU PROPIA DROGA.

SI QUIERES DROGARTE, QUE SEA DE TI MISMO.

> *«Nacemos con toda la neuroquímica necesaria para vivir plena y equilibradamente. Pero nuestra forma de pensar desde la ignorancia y las creencias desprograma nuestro cerebro y creamos hábitos destructivos que nos llevan a no ser felices».*
>
> **—Héctor Puche**

De los recuerdos más antiguos que tengo son con tres años de edad. Mi mamá me dejaba en la guardería Picolinos, mientras yo la observaba llorando alejarse detrás de la puerta enrejada de la entrada principal. Pienso en ello y ahora sé que lo que tuve fueron sentimientos relacionados con mi comportamiento básico animal: abandono y pérdida.

Luego, otro recuerdo que tengo con unos cuatro o cinco años, es haber observado lo poco conscientes que eran mis padres al fumar mientras yo estaba con ellos. Nunca me gustó el olor a tabaco y llegué a desarrollar asco de solo tocar algo que oliera a ello.

Una última experiencia en esas edades, era sentirme excluido y apartado por ser un niño hiperactivo en la guardería. En la hora de la siesta, me encerraban en el salón de clases con una colchoneta y una manta para que me durmiera solo y dejara dormir a mis compañeros. Mi energía era tan alta que me costaba auto controlarme.

Al llegar a España, uno de mis primeros trabajos fue en una tienda de piercings y tatuajes en el centro de Madrid. De la plantilla de veinte empleados, era el único que no se drogaba, pero todos me pedían droga. ¿Sabes por qué? La forma en que me comportaba, según mis compañeros, no era normal. En varias ocasiones me preguntaron «¿Quién es tu proveedor? Lo que te metes en el cuerpo debe ser bueno. Yo quiero tener esa energía que tienes siempre».

Eso me causaba risa y a la vez curiosidad. ¿Cómo personas habituadas a meterse cocaína, fumar porros y tomar pastillas me confundían como uno de ellos?

Te diré la respuesta, yo era mi propio «dealer». Yo generaba suficiente dopamina, serotonina y noradrenalina para pasar de 0 a 100 en pocos segundos y estar inundado de felicidad en el trabajo. No necesitaba motivación externa. La diferencia entre esa versión de mí y la que soy ahora, es que en estos momentos soy mucho más consciente de qué es lo que ocurre en mi cerebro cuando entro o decido entrar en esos estados de alta energía.

Todos esos recuerdos me han ayudado a ser una persona analítica frente a mis propios comportamientos y sentimientos, y a poner al servicio estos conocimientos a los demás.

El comienzo.

¿Por qué los adultos se comportan tan extraño?

¿Por qué debo seguir una norma que no tiene sentido?

¿Por qué piensan una cosa, dicen otra y hacen todo lo contrario?

Estas eran preguntas que tenía en mi cabeza desde pequeño y que hace una década comencé a respondérmelas.

Sentía que vivía en un mundo absurdo y carente de sentido.

Comencé a adoptar comportamientos altamente reactivos, entré en modo supervivencia y en alerta constante. Muy dentro de mí, sentía que era necesario cambiar la conducta que tenía que me llevaba a estados de sufrimiento e insatisfacción constante, pero no tenía idea cómo hacerlo.

Durante años estudié la Biblia, filosofía, y religiones comparadas para ir rellenando vacíos a muchas de mis preguntas existenciales. Probé con física cuántica y algunas de las respuestas a mis inquietudes fueron resueltas. Luego pasé a indagar sobre astrofísica y encontré otras explicaciones, pero sentía que algo más faltaba.

Mi mundo físico, psicológico y espiritual era una sala de interrogatorio. Cuestionaba absolutamente todo lo que me venía a la mente. Era un ejercicio que llevaba haciendo de manera continua y obsesiva, desde 1989, tras un accidente familiar.

En el 2014 hacía ocho años desde que había comenzado a estudiar en una escuela neoplatónica. Quería comprender qué ocurría dentro de mí y cómo mejorar mis relaciones con el mundo. Uno de mis afanes, por ese entonces, era la integración de disciplinas que le dieran sentido a la trascendencia de la experiencia humana. Al día de hoy, lo sigue siendo.

Ese año me encontraba en un evento en Madrid presentando el Programa de Desarrollo Social Sostenible «Beamazon» a través de un stand que había alquilado la Fundación Budhi la cual precedía. Llevaba desde el 2008 trabajando en un proyecto dirigido a las comunidades indígenas en el Amazonas y era hora de dar a conocer a España, lo que habíamos logrado.

Uno de esos días del evento, Nieves, la directora de Ane Internacional, se acercó al Stand y me dijo: «No sé qué haces, pero me llamó mucho la atención tu logo. Cuéntame a qué te dedicas».

Ese día se abrió una puerta que aún no he cerrado en mi vida: La Neurociencia aplicada.

Nieves le aportó a mi vida la última pieza que faltaba, o al menos la más reciente. Con los estudios previos, tenía explicaciones para varios de los comportamientos absurdos de la experiencia humana. Digamos que los interrogantes, de esos años, asociados a mi microcosmos y macrocosmos estaban «resueltos». El haber investigado sobre física cuántica y astrofísica, teniendo en cuenta que no soy un experto en ninguno de esos campos, me daba claridad sobre varios cuestionamientos. La neurociencia completó el mesocosmos y las piezas de este rompecabezas, el mío, comenzaron a encajar.

La facilidad de poder hackear mi mente y transmutar muchos de los hábitos que me limitaban, me lo dio la neurociencia.

Entré a la Academia de Neurociencia y Educación (ANEi) sin muchas expectativas, porque pensé que era una moda. Aun así, a las formaciones llegaba con la ilusión de aprender algo nuevo y seguir resolviendo e integrando dudas existenciales.

Pasaron tres años y mi perfil de alumno inquieto por el conocimiento, recibiría una propuesta para pasar a formar parte de los directivos de ANEi en su programa de expansión. Dije que sí automáticamente. Sentía que era una oportunidad para aumentar mi formación y tener acceso a cosas que otros miembros de la academia no tendrían. Efectivamente, no me equivoqué. Y cuanto más aprendía, mayor era el aumento de preguntas sobre cómo mejorar los comportamientos humanos y la eficiencia energética mental.

Tras un año reuniéndome con otros profesionales y compañeros de la academia que tenían inquietudes parecidas a las mías sobre cómo el cerebro pasaba de un estado de alta reactividad a uno con mayor eficacia energética, conocí el estudio Neuroquotient®.

El método de entrenamiento cerebral que le ofrecía a mis alumnos, por aquel entonces, sabía que era efectivo por los resultados que obtenía, pero sentía la necesidad de validar de forma objetiva mi proceso de mentoring para no pecar por egocéntrico y mucho menos creer algo que no estaba pasando.

Fue entonces que en una de las conferencias que me programaron para dar a miembros de la academia, conocí a Josep Calbet en Barcelona. Yo estaba junto con César González, quien por ese entonces era el director de ANE España, compartiendo escenario.

Josep había asistido a la conferencia porque estábamos exponiendo la relación de la Consciencia y la Neurociencia, y los estudios recientes al respecto.

Fue cuando encontré a mi nuevo mentor. Dicen que el maestro llega cuando el alumno está preparado.

Ese año me especialice en la herramienta Neuroquotient® (NQ®) que es la que actualmente utilizo para demostrar no solo que el método de Brain Hacking que uso está validado, sino cómo el cerebro cambia su estructura cuando se somete a un entrenamiento prolongado en el tiempo, enfocado hacia el lóbulo frontal, al sistema límbico y al orbitofrontal, áreas donde se puede disminuir la reactividad, y a mayor conexiones neuronales nuestro comportamiento se torna más humano, alejándonos de conductas animales y altamente instintivas.

Desde ese entonces, llevo recopilado más de ochenta estudios de neurocomportamiento.

El cerebro humano es fascinante. Y cada vez que comienzo un entrenamiento, mis niveles de dopamina, serotonina, oxitocina, y muchos más, son aumentados, formando un cóctel de felicidad porque sé que estoy conectado con mi propósito de vida.

La investigación del cerebro y de la mente es en lo que me he especializado, haciendo una integración con mis estudios previos de espiritualidad y trascendencia. Busco constantemente formas que expliquen las experiencias de transformación interna; yo le llamo «desarrollo de la consciencia».

Nací en el momento justo de la historia, donde se le están dando cientos de explicaciones a las raíces de las conductas humanas, y las neurociencias lideran este campo.

Antonio Damasio, con quien tuve el gran honor de compartir escenario en Oporto en el 2019, en una conferencia a la que llamé «Felicidad, Neurociencia e Inteligencia Artificial», es uno de mis referentes de estudio, junto al Dr. Álvaro Pascual-Leone, la investigadora Julia Shaw, el queridísimo premio Nobel 2001 Eric Kandel, y Joseph LeDoux, entre otros.

Todos han aportado al método de entrenamiento que se ha convertido en una Certificación Internacional en Autoliderazgo, contribuyendo a que las relaciones humanas y la percepción interna y externa sea mejorada en entornos tóxicos y hostiles en aproximadamente unos doce países.

Te nombraré seis casos desde el 2019 hasta el 2023, que tengo como evidencia científica de cómo el cerebro, con un entrenamiento adecuado, logra cambiar su estructura neuronal creando conexiones nuevas, mejorando conductas, disminuyendo patrones de comportamiento reactivos haciendo uso de la farmacéutica más potente que tenemos a nuestro alcance, nuestra mente.

La conducta humana está basada en hábitos. El hacer, el pensar y el sentir, vienen determinados por las conexiones neuronales más potentes, las que, según la ley de Hebb, se van reforzando con la repetición de su uso. Por esto hablamos de neuro comportamientos.

El Estudio NQ® identifica aquellos subsistemas cerebrales, con sus neuronas y neurotransmisores (dopamina, serotonina, noradrenalina, etc.), que más influyen en el comportamiento.

Para ello, se desglosan las conductas relacionadas con el Sistema Básico de Aproximación (BAS - Basic Aproach System) y el Sistema Básico de Inhibición (BIS - Basic Inhibition System).

En las siguientes gráficas de casos reales, les presentaré una serie de barras que miden la cantidad de conexiones y neurotransmisores implicados en comportamientos tales como: sociabilidad, creatividad, liderazgo, entusiasmo, impulsividad, agresividad, calma, autocontrol, planeación, miedo, huida, ansiedad, depresión, empatía, foco en resultados, niveles de estrés, frustración, proactividad, y productividad, entre otros muchos.

Además estas conductas se clasificarán en dos grandes columnas: eficacias y limitaciones, y ambas son dos caras de la misma moneda. La cuestión es saber qué tan conscientes somos de nuestros comportamientos y qué tanto automatismo tenemos dentro, que no generan resultados satisfactorios en la vida.

Algunos estudios realizados.

Haré un resumen del diagnóstico de las gráficas para que no sea tan extenso.

CASO 1

2019 España:

Mujer de 32 años, Administrativa, con un bebé de 6 meses de nacido.

Cinco ataques de pánico al día. Baja laboral, medicada por ansiedad.

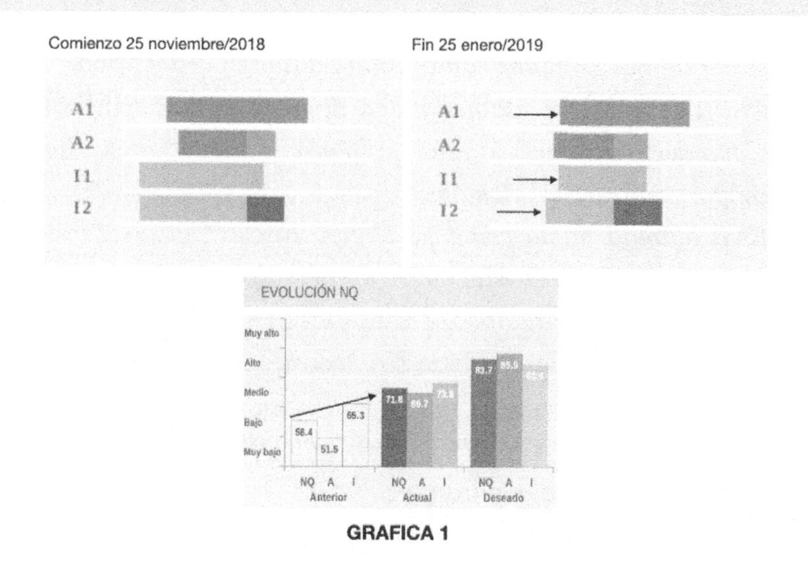

GRAFICA 1

En la gráfica aparecen dos clases de barras: grises y de colores.

Las grises corresponden a las limitantes en el comportamiento.

Los colores representan a las eficacias.

En la gráfica de evolución se ve claramente cómo esta persona en tres meses de entrenamiento con una intensidad de 3 horas a la semana logró pasar de un 58.4 de eficacia cerebral (nivel bajo y muy bajo) a un 71,8 (nivel medio).

Tras un mes de estar conmigo, le sugerí que pidiera cita con su psiquiatra para que determinara si se le podía disminuir su medicación o si consideraba mantenerla.

Los resultados fueron tan beneficiosos que su medicación pasó al 50%, luego al, alcanzar el tercer mes de entrenamiento, pasó a un 25%. Actualmente no toma nada para la ansiedad ni para la depresión. Mi conclusión es que todas las nuevas conexiones sinápticas lograron un peso y una fuerza adecuada que su nuevo comportamiento ha perdurado hasta este presente.

CASO 2

2020 España:

Mujer de 36, Emprendedora. Alumna de la Certificación.

CEC: 72,9. Agresividad, sistema de recompensa activado e impulsividad hacia la fantasía. Poca empatía y deseo de cooperación con los demás.

Esta alumna había comenzado con un CEC en nivel medio. Había cosas en su comportamiento por mejorar, pero confiaba que la cantidad de conexiones en su área prefrontal le acompañarían en todo su recorrido por la formación. (gráfica izq.)

Las conexiones en el CPF se ven reflejadas en la gráfica con el color amarillo/naranja.

Sus niveles de agresividad se expresan con la barra gris en la A2.

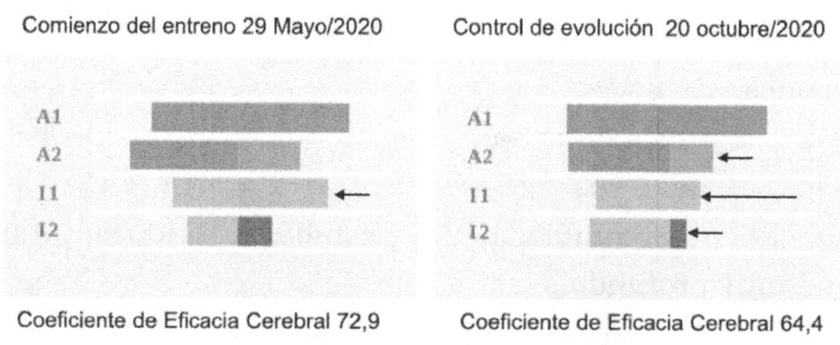

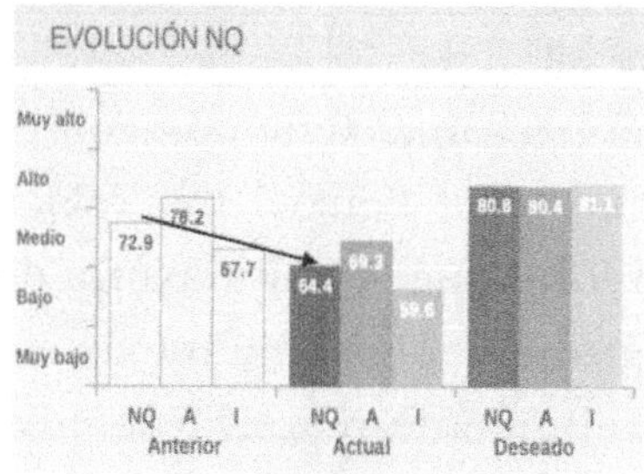

GRAFICA 2

Al realizarle el estudio de seguimiento, para mi sorpresa, había ocurrido una disminución de sus recursos mentales. ¿Cómo puede ser esto? Era la primera vez que me ocurría esto con una persona, y en la sesión de feedback la confronté. Le pregunté qué estaba ocurriendo en su vida.

Le dije: «*Tenemos dos formas de interpretar estos resultados: o no estás poniendo en práctica las herramientas de los módulos de la certificación, o estás pasando por un trauma emocional, el cual no sabes gestionar*».

El primer escenario le llevaría a no certificarse como mentora si no lograba el puntaje mínimo para validar que estaba capacitada para liderar a otras personas.

El segundo escenario tiene un reto añadido, lograr subir 20 puntos para alcanzar un equilibrio mental y una buena gestión de sus recursos energéticos.

Rompió a llorar en medio de la sesión y me confesó que, efectivamente, había cosas que me estaba ocultando porque no quería que yo pensara lo mal alumna que era al ser incapaz de poner en práctica las herramientas y dejarse llevar por sus emociones.

Mira la gráfica derecha.

Pasó de usar sus recursos en un 72% a un 64%. Claramente había una inhibición alta y estaba entrando en un pozo mental muy profundo.

¿Cómo puede ser que conexiones ya hechas en el CPF desaparezcan en meses?

El 99% de las personas tenemos comportamientos automáticos. Esas conductas tienen una relación directa con la neuroquímica cerebral que, en la mayoría de las ocasiones, se dispara por una gestión emocional inexistente.

Una persona altamente reactiva percibe la vida desde su sistema de amenazas y miedos, y está en continua alerta. Todo le hace daño, todos le quieren perjudicar. Los niveles de frustración son altos y la autoestima es muy baja.

Esta chica había «retrocedido» porque su cerebro re-conectó patrones de conducta dormidos de un comportamiento adolescente. Estaba experimentando un acontecimiento sentimental altamente tóxico que le activó experiencias pasadas donde se había anulado como persona y sus niveles de impulsividad, búsqueda de placer, y reactividad hacían parte de sus patrones normales de conducta. Es decir, había hecho un viaje al pasado y sacado a flote un estado mentalmente anterior, no superado, ni sanado.

Al escuchar su historia, y habiendo analizado su neuroquímica actual, trazamos un nuevo plan de entrenamiento para recuperar las carreteras neuronales nuevas que se habían hecho en los tres meses anteriores, desconectar los patrones antiguos, y aumentar el peso sináptico entre las áreas cerebrales implicadas en la toma de consciencia.

Para el 11 de septiembre de 2021, justo antes de finalizar su formación, le repetimos el estudio. ¡Oh, sorpresa! Mira la gráfica.

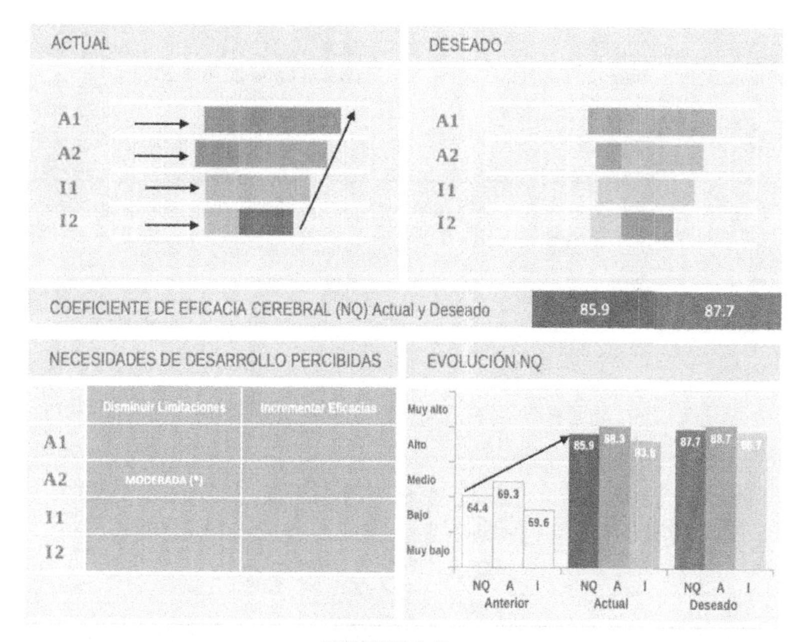

GRAFICA 3

Debo confesar que quien primero se sorprendió fui yo al ver esa evolución meteórica.

Efectivamente había sobrepasado los 20 puntos en eficacia cerebral. Su estado deseado era muy parecido a su estado mental presente ese 11 de septiembre (fecha simbólica).

Había derribado pilares de su comportamiento adolescente muy antiguos, y además había disminuido sustancialmente sus conductas limitantes.

Al día de hoy es un caso de éxito en sí misma, habiendo conquistado su paz mental y equilibrio emocional por tiempos prolongados de manera consciente.

CASO 3

2023 Irlanda:

Mujer de 24 años, Estudiante universitaria. Me viene por referencia de una alumna a quien había entrenado en el 2020.

Comienzo del entreno 20 feb/2023

A1
A2
I1
I2

Coeficiente de Eficacia Cerebral 57,7

Fin del entreno 20 abril/2023

A1
A2
I1
I2

Coeficiente de Eficacia Cerebral 67,1

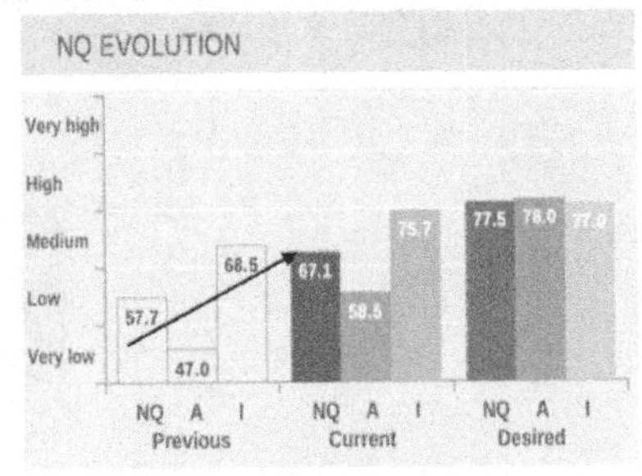

GRAFICA 4

En tres meses, esta chica logró pasar de un cuadro alto de ansiedad y depresión, a ser más consciente de sus discursos mentales autodestructivos.

Con esos 10 puntos de aumento en su eficacia mental, equilibraba poco a poco su neuroquímica sin necesidad de fármacos.

A casi un mes de haber terminado las sesiones, su madre me ha comentado que su comportamiento es centrado y positivo, mucho más que antes de comenzar el entrenamiento de brainhacking, luego la conducta se ha mantenido de forma consciente.

Todos los estudios anteriores demuestran no solo que el método de entrenamiento es efectivo en personas depresivas, con ataques de pánico y ansiedad, medicadas durante décadas, personas que sufren situaciones violentas, o profesionales que trabajan con altos niveles de estrés, sino que el cerebro es capaz de crear estructuras sólidas y duraderas usando la Alquimia del Pensamiento, dirigiendo la energía mental de forma voluntaria y sostenida.

Hay personas que no solo han cambiado sus patrones de conductas, sino que también han mejorado sus rasgos de personalidad, liberándose emocionalmente de muchos sufrimientos en su vida.

¿Estos alumnos ya no sufren?

Claro que sí. La vida es un constante reto mental, que pone a prueba el aprendizaje y conocimiento adquirido.

Los resultados que has visto fueron gracias al aporte que la neurociencia le ha dado a mi vida.

La Invitación.

¿Cómo puedes alcanzar un coeficiente de eficacia cerebral (C.E.C.) de 90,9 puntos sobre 100, durante una pandemia mundial?

Cuando casi ocho mil millones de personas estaban sumidos en caos, aislados, recluidos en sus casas y secuestrados emocionalmente por el miedo, el pánico y el terror, mi cerebro, sin yo ser consciente de ello, aumentaba las conexiones sinápticas en la corteza orbitofrontal y disminuía el peso sináptico en el sistema límbico.

El haber estudiado neurociencia y especializarme en la conducta humana, abrió las puertas a que hiciera posible comprender los comportamientos y disparadores automáticos más profundos dentro de mi personalidad y poder cambiarlos de manera consciente.

Además el poder ser capaz de dar una explicación sobre qué ocurre en el cerebro cuando un alumno comienza un proceso de autoliderazgo, cómo sucede su transformación interna, en qué áreas de su cerebro se ven reflejados esos cambios de estructura en la red neuronal y cómo hacerlos duraderos en el tiempo.

> *«Un cambio es real cuando traspasa los picos y valles del automatismo. Un cambio real de comportamiento ocurre cuando perdura en el tiempo».*
>
> ***—Héctor Puche***

Haber demostrado en más de diez ocasiones que, según el caso, se puede reducir una medicación hasta en un 50% y/o no volver a tomarla, es algo que tanto al alumno, a los psicólogos, psiquiatras, como a mí, nos llena de alegría, esperanza, y satisfacción.

Esa sensación de haber logrado con esfuerzo cambiar patrones de conducta y siendo consciente de los automatismos, es algo que hace quince años, para mí no era posible.

Habrás escuchado sobre técnicas de autocontrol, visualización, perdón, agradecimiento, y sus resultados, pero que una persona hubiera logrado salir de veinte años de estar medicada con antidepresivos, ansiolíticos y que en cuatro meses de entrenamiento mental (brainhacking) reducir su medicación del 100% al 75% y luego al 50%, yo nunca lo había escuchado hasta que lo verifiqué en primera persona. Esto es ciencia del comportamiento.

En estos momentos, varias de las personas que comenzaron su entrenamiento en autoliderazgo y estaban medicadas hace algunos años, ya no toman nada. Son personas mentalmente eficientes, capaces de producir su propia «droga», siendo conscientes sobre qué áreas de su cerebro deben dirigir su pensamiento y manifestar sensaciones y emociones para que su fábrica de neurotransmisores trabaje para ellas.

Eso le da sentido a mi vida como mentor.

Quiero invitarte a que no pierdas un solo minuto más de tu vida sin saber cómo funcionan tu mente y tu cerebro. Ese conocimiento es altamente valioso para poder tomar el poder de tu vida, entendiendo qué pasa dentro de tu cabeza y comprendiendo por qué y para qué te comportas como lo haces.

Es imposible cambiar un mecanismo del que no sabes el funcionamiento básico.

Para terminar, te mostraré cómo tenía mi CEC en el 2017 y cómo aumenté la manera de gestionar mis recursos mentales durante la pandemia.

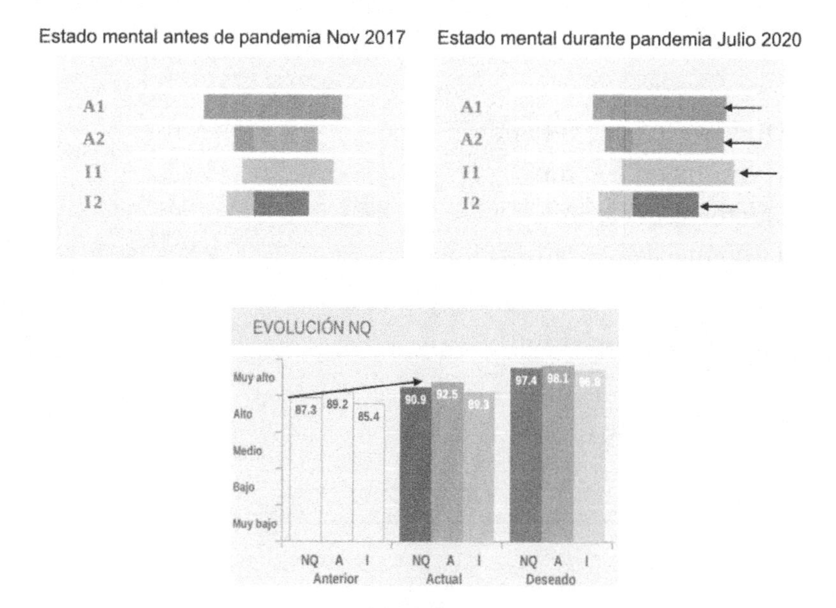

GRAFICA 5

¿Esto quiere decir que ya está todo hecho?

¡Ni por asomo! Sigo entrenando mi mente para fabricar dentro de mi cabeza, de forma óptima y consciente, la mayor farmacopea de la que puedo disponer. Soy un drogadicto de mi propia química y procuraré mantenerme así hasta que me lo permita la experiencia de vida.

Te levantas con tus pensamientos y te acuestas con ellos. Te persiguen segundo a segundo durante toda tu vida. ¿Cómo puede ser que al día de hoy desconozcas qué ocurre dentro de la caja que tienes sobre tus hombros?

Te pregunto: ¿quieres ampliar tu campo mental? ¿Quieres mejorar tus patrones de conducta? ¿Quieres desarrollar tu consciencia? ¿Quieres convertirte en una fuente de inspiración para las personas que te rodean?

Esa respuesta solo la sabes tú. Yo no puedo responderla. La tecnología y la metodología para aumentar tu campo mental existe. Ya no tienes excusas válidas. Tendrás que decidir si quieres priorizar e invertir tiempo, energía y dinero en tu transformación interna hacia tu autoliderazgo.

Quedo a tu servicio en:
Humansvalley.com
Hectorpuche.com
LinkedIn e Instagram.

Gracias por existir.

GRACIAS POR LEERNOS

Gracias por confiar en que podrías encontrar respuestas en esta edición. Posiblemente encontraste ideas con las que te sentiste más identificado y otras con las que no tanto, de eso se trata la vida, tomar lo que nos hace sentido y conocer y respetar otros puntos de vista.

Esperamos que hayas podido encontrar entre todos estos episodios, algo que te permita avanzar hacia una mejor versión de ti, simplemente se necesita que te decidas a tomar acción, porque recuerda, ¡todo queda lejos, cuando NO queremos ir!

Revisa nuestras diferentes ediciones. Seguramente encontrarás alguna nueva disciplina de tu interés y 15 nuevos líderes listos para compartir valor. Bendiciones.

Céline Godeux - David Márquez Pacheco - Ewa Jastrzebska
Fco. Javier González Galán - Héctor Puche - Jackie Delger
Jasmín Oropeza - Luis Alberto Fernández - Maria Gilabert Hernando
Nieves Pérez - Pablo López Pérez - Pato Coy - Tibisay Vera
Vicky Lucinda Rodríguez (Hakrai) - Zamariz Jaén López
2023

Made in the USA
Coppell, TX
29 September 2023